SUSANNE GOGA

Das Haus
in der
Nebelgasse

Roman

Von Susanne Goga sind im Diana Verlag erschienen:
*Das Leonardo-Papier – Die Sprache der Schatten – Der verbotene Fluss –
Der dunkle Weg – Das Haus in der Nebelgasse*

Verlagsgruppe Random House FSC® N001967

5. Auflage
Originalausgabe 02/2017
Copyright © 2016 by Diana Verlag, München,
in der Verlagsgruppe Random House GmbH,
Neumarkter Straße 28, 81673 München
Dieses Werk wurde vermittelt durch die Literarische Agentur
Thomas Schlück GmbH, 30827 Garbsen
Redaktion: Gisela Klemt
Umschlaggestaltung: t.mutzenbach design, München
Umschlagmotive: © Elisabeth Ansley/Trevillion;
S. Borisov, Paul Daniels/Shutterstock
Innenklappen: © Nicku/Shutterstock
Satz: Leingärtner, Nabburg
Druck und Bindung: GGP Media GmbH, Pößneck
Printed in Germany
Alle Rechte vorbehalten
ISBN 978-3-453-35885-0

www.diana-verlag.de
Besuchen Sie uns auch auf www.herzenszeilen.de
 Dieses Buch ist auch als E-Book lieferbar

Für meine Mama, Hanne Goga –
nach 100 Büchern wird es langsam Zeit.

London, Juli 1665

Katie wankte die Treppe hinunter, glitt aus und konnte sich gerade noch an den rauen Mauersteinen abstützen, sonst wäre sie gefallen. Sie rieb flüchtig die Finger aneinander und bemerkte, dass feuchter Mörtel aus den Fugen rieselte. Tiefer, immer tiefer hinunter, sie spürte die ausgetretenen Stufen unter ihren Füßen. Sie fror. Ob es an der Kälte oder ihrer körperlichen Schwäche lag, wusste sie nicht.

Doch da war eine Stimme, die sie in der feuchtkalten Dunkelheit vorantrieb. Die mahnenden Rufe der alten Frau, der die spinnwebdünnen weißen Haare auf die Schultern fielen und die mit anklagendem Finger zum Himmel deutete.

»Seht, dort oben steht er! Ein flammender Stern, ein Komet, der von kommendem Unheil kündet! Eine furchtbare Plage wird über uns hereinbrechen, wie sie uns schon vor Zeiten heimgesucht hat! Fleht um Gnade! Rettet euch, solange ihr könnt!«

Es war bereits einige Monate her, dass sie die Frau auf der Straße gesehen hatte, umringt von neugierigem Volk, das ängstlich nach oben schaute und sich bekreuzigte. Damals hatte Katie gedacht, welch ein Unsinn – törichter Aberglaube, über den Vater lachen würde. Wer glaubte heute noch an Himmelszeichen? Das war fast wie in alter Zeit, als man die Eingeweide von Opfertieren gedeutet oder Schlüsse aus dem Flug der Vögel gezogen hatte.

Doch als sie ihrem Vater zu Hause davon berichtet hatte, war er nicht etwa in Gelächter ausgebrochen, sondern hatte Katie ernst

7

angesehen und sich im Sessel nach hinten gelehnt, bevor er mit einer ausladenden Geste zum Fenster deutete. »Die Stadt war noch nie so überfüllt. Der Krieg ist vorbei, die Monarchie wiederhergestellt, die Armee aufgelöst, und alle, alle drängen sich in London. Wie es heißt, leben hunderttausend Menschen mehr in diesen Mauern als zuvor.«

»Und?«, hatte Katie vorsichtig gefragt und war sich ein wenig dumm vorgekommen, weil sie nicht verstand, worauf er hinauswollte.

»Natürlich besteht keine Verbindung zwischen Himmelserscheinungen und dem Schicksal der Menschen, daran glaube ich nicht. Aber viele Menschen auf engem Raum, Unrat in den Straßen, ungesunde Dämpfe, die aus Tümpeln und Flüssen aufsteigen – all das kann zu Krankheiten führen. Und wenn jetzt in London eine Seuche ausbricht, dann gnade uns Gott.«

An dieser Stelle hatte seine Frau ihn mahnend angesehen. »Mach dem Mädchen keine Angst, John«, hatte sie gesagt und dann wieder auf ihre Stickerei geschaut.

Die Erinnerungen an die letzten Monate lösten sich wie Geister aus der Dunkelheit, die nur von der Kerze in Katies Hand erhellt wurde: Händler, Talismane und Pergamentrollen mit Zaubersprüchen feilbietend, die gegen die Seuche helfen sollten. Selbst ernannte Propheten wie jene alte Frau, die an Straßenecken auf Holzkisten standen und den Untergang der Welt heraufbeschworen. An den Hausmauern Plakate von Quacksalbern, die ihre ganz persönliche, alles heilende Medizin anpriesen.

Viele dieser Scharlatane verdienten ein Vermögen an den Verzweifelten, die sich vor Ständen und Läden drängten und auf ein Wundermittel hofften. Katie war staunend durch die Straßen gelaufen, magisch angezogen vom Geschrei der Menschen, die mit Wundern handelten.

Nun streckte sie die Hand aus, und da war sie, die Tür, das Holz kalt und uneben unter ihren Fingern, die eisernen Beschläge rau vom Rost. Sie hielt die Kerze hoch, tastete in ihrer Rocktasche nach dem Schlüssel und schob ihn im flackernden Schein ins Schlüsselloch.

Im Keller roch es kalt und muffig und uralt, aber besser als draußen in der Stadt, wo die windstille Sommerhitze wie ein schwerer Nebel in den Straßen hing. Katie erinnerte sich an den Geruch zahlloser Kaminfeuer, die trotz der Jahreszeit unablässig brannten, weil sie angeblich die Luft reinigten – verbrannter Pfeffer, Hopfen und Weihrauch und das allgegenwärtige Aroma des Tabaks. Alle Leute, auch die Kinder, wurden angehalten zu rauchen, um eine Ansteckung zu vermeiden.

Katie nahm allen Mut zusammen, hob die Kerze auf und leuchtete in den Kellerraum. Hinüber zu der Mauer, die älter war als alles um sie herum. Mit letzter Kraft reckte sie sich und zog einen losen Stein heraus. Dann schob sie den Kasten in die Nische dahinter. Ihre Hand verweilte auf dem glatten Holz. Sie blieb so für eine Weile stehen, den Arm gereckt, die Augen geschlossen, und nahm Abschied.

Dann wandte sie sich um, verließ wankend den Keller und kehrte zurück nach oben, um auf das Ende zu warten.

London, September 1900

»Adela schaute sich in verzweifelter Panik um. Die Wölfe kamen näher, ihre Augen leuchteten wie rot glühende Kohlen in der Dunkelheit. Adelas Herz schlug so heftig, dass ihre Kehle erbebte, und sie konnte nur ein angstvolles Wimmern hervorstoßen – noch Marmelade, meine Liebe?«

Mrs. Westlake schob Matilda Gray achtlos das Glas hin, während sie mit der anderen Hand die Blätter vor sich glatt strich. Sie runzelte nachdenklich die Stirn. »Ich frage mich gerade, ob Wölfe nicht zu abgedroschen sind.«

Matilda sah abrupt von ihrer Zeitung auf. »Verzeihung, was ist abgedroschen?«

Ihre Vermieterin lachte. »Was kann denn interessanter sein als meine Heldin in Todesnot?« Doch sie wurde ernst, als sie sah, welchen Artikel Matilda gerade las. »Dieser verfluchte Krieg. Männer schlachten einander in fernen Ländern ab, in denen sie nichts zu suchen haben.« Als sie den überraschten Blick der jungen Frau bemerkte, zuckte sie mit den Schultern und legte den Finger an die Lippen. »Das sage ich natürlich nur in meinem eigenen Haus, alles andere wäre Verrat am Empire.«

Matilda schluckte und nickte dann. »Sie haben recht. Von mir aus könnte mein Bruder auf der Straße Limonade oder Würstchen verkaufen, solange er in Sicherheit ist. Aber Harry war schon immer ungestüm, abenteuerlustig und vollkommen unfähig, nichts zu tun. Also ist er zur Armee gegangen.«

Matildas Mutter war gestorben, als sie dreizehn war, vier Jahre später auch ihr Vater. Seither hatte es immer nur sie und Harry gegeben. Er war drei Jahre älter als sie und hatte Verständnis gezeigt, als sie einen Beruf ergreifen wollte. Harry hatte seine Schwester nicht zu einer frühen Ehe gedrängt und sie mit seinem Sold unterstützt, als sie das Schulgeld nicht aufbringen konnte. Auch hatte er sie ermutigt, als sie durch eine Prüfung gefallen war und an ihren Fähigkeiten zweifelte. Solange er in England stationiert war, konnten sie einander regelmäßig sehen. Dann aber war er nach Afrika versetzt worden, und seit dem vergangenen Jahr kämpfte er gegen die Buren. Die Sorge um ihn ließ Matilda nie ganz los.

Mrs. Westlake tätschelte ihre Hand. »Sie sollten die Zeitung beiseitelegen und mir bei meinem Wolfsdilemma helfen. Das lenkt ab und ist im Übrigen auch Ihre Pflicht. Schließlich stehen Sie mir ja seltener zur Verfügung, nun, da die Ferien zu Ende sind. Beim letzten Roman waren Sie mir eine große Hilfe. So viel Unsinn wie damals habe ich noch nie gestrichen. Aber mit der neuen Geschichte bin ich mir nicht ganz sicher.«

Matilda faltete lachend die Zeitung zusammen und schenkte ihnen beiden Tee nach. »Also, zu den Wölfen. Sie halten sie für abgedroschen?«

»Ja, wenn man Kreaturen sucht, die Angst und Schrecken verbreiten, fallen mir sofort Wölfe ein. Aber leider eben auch der Konkurrenz und dem Publikum. Nur muss ich Adela in die Karpaten schicken. Das lässt sich nicht vermeiden, weil sie ja im vorigen Roman von Graf Damianescu dorthin verschleppt wurde. Es gelingt ihr, sich aus der Schlossruine zu befreien, und sie läuft hinein in die undurchdringlichen Wälder, in die sich kaum ein Mensch verirrt, geschweige denn die wärmenden Strahlen der Sonne … Verzeihung, ich lasse mich schon wieder von meiner eigenen Geschichte mitreißen.«

Matilda lachte und nahm sich noch eine Scheibe Toast. »Bären.«

»Bären?« Mrs. Westlake ließ klirrend das Messer fallen und zeigte triumphierend auf Matilda. »Das ist es! Ein Bär, nein, zwei Bären, ein ganzes Rudel, hungrig, seit Tagen auf der Suche nach Beute – ja bitte?«

»Ich sage es ungern, aber meines Wissens sind Bären Einzelgänger. Die jagen nicht im Rudel.«

Mrs. Westlake überlegte kurz. »Hm. Gut, dann sind es nur zwei. Zwei sind völlig ausreichend. Jedenfalls wittern sie diese junge Frau, ihre Panik, ihren Angstschweiß – das schreibe ich natürlich nicht, auch wenn es der Wahrheit entspricht. Unzüchtig, Sie wissen schon.«

Matilda sah ihre Vermieterin belustigt und liebevoll zugleich an. Der Artikel über den Krieg im Süden Afrikas hatte wieder einmal die Sorge um ihren Bruder geweckt, doch Mrs. Westlake gelang es, ihre trüben Gedanken mit Wölfen und Bären zu vertreiben.

Dass sie hier ein Zimmer gefunden hatte, war ein unerhörter Glücksfall. Beatrice Westlake war früh verwitwet. Was ihr Mann nicht vertrunken hatte, war dem Glücksspiel zum Opfer gefallen, und sie war darauf angewiesen, ihren Lebensunterhalt zu verdienen, da ihr zwar das Haus, aber kein Penny geblieben war. Matilda hatte sich manches Mal gefragt, ob sein Tod nicht dennoch wie eine Befreiung gewesen sein musste.

Sie wohnte seit einem knappen Jahr bei der Verfasserin der erfolgreichen Serie um die liebreizende Adela Mornington, die von einem Abenteuer ins nächste stürzte. Wenn Mrs.

Westlake bis spät in die Nacht geschrieben hatte oder abends eingeladen gewesen war, frühstückte Matilda gewöhnlich allein. Ungestört Zeitung lesen zu können war schön, eine amüsante Unterhaltung bei Tee und Toast jedoch noch viel angenehmer. Und Chelsea war voller Künstler, das ganze unkonventionelle Viertel sprühte vor Leben.

In diesem Augenblick trat das Hausmädchen Sally ein. »Soll ich noch Tee bringen, Ma'am?«

Mrs. Westlake schaute Matilda an, die den Kopf schüttelte. »Ich muss gleich los.«

Sally nickte und verließ den Raum rasch wieder.

»Sie haben doch hoffentlich noch eine Minute für mich, meine Liebe? Ich bin heute Morgen besonders früh aufgestanden, weil mir die Wölfe keine Ruhe ließen. Ihr brillanter Einfall wird mir neuen Schwung verleihen, ich sehe jetzt das ganze Kapitel vor mir. Aber da wäre noch etwas …« Mrs. Westlake schaute Matilda prüfend an.

»Und?« Sie schob ihr Geschirr zusammen.

Mrs. Westlake räusperte sich. »Nun, Sie sind eine unverheiratete junge Dame aus gutem Hause …«

»Jetzt machen Sie mich aber neugierig«, sagte Matilda lächelnd. »Fragen Sie nur, aber rasch, sonst komme ich zu spät zum Unterricht.«

»Adrian. Sie begegnet ihm im Wald. Er nimmt sie mit in seine Hütte und gibt ihr zu essen. Und ein Lager für die Nacht, damit sie ihre grünen, von Müdigkeit geröteten Augen endlich schließen kann – die Augenfarbe stelle ich mir wie Ihre vor, das nur nebenbei. Nun die Frage: Wo schläft er?«

»Am anderen Ende der Hütte? Draußen im Heu?«

»Matilda, meine Liebe, ich muss doch bitten, das ist eine winzige Waldhütte in den Karpaten. Da gibt es weder ein anderes Ende noch Heu – wobei, er könnte einen winzigen Vorratsschuppen haben, der wäre nah genug, um ihre Schreie zu hören …«

»Schreie?«, fragte Matilda belustigt, während sie aufstand und ihren Stuhl an den Tisch schob.

»Natürlich, meine Liebe, sie leidet unter Albträumen von verfallenen Schlössern und Bären.«

»Ach so.«

»Gehen Sie nur, gehen Sie, die Arbeit ruft. Ich werde Ihnen heute Abend von meinen Fortschritten berichten.«

»Es wäre mir ein Vergnügen, Mrs. Westlake. Und gutes Gelingen.«

Matilda machte sich auf den Weg zum Bahnhof Chelsea. Es war Anfang September, noch warm, und doch lag schon ein Hauch von Herbst in der Luft. Es war schwer zu sagen, worin sich milde Tage in Frühjahr und Herbst unterschieden, und doch hätte sie die Jahreszeit mit geschlossenen Augen erkannt. Der September roch frischer, der Wind strich ein wenig rauer über ihre Haut.

Sie verspürte keine Wehmut, denn am Sommer festzuhalten war ebenso unnütz wie der Versuch, Wasser mit den Händen aufzufangen. Im Frühjahr erfreute sie sich an den Pflaumenblüten, im Herbst am reifen Obst. Sie dachte an Spaziergänge, bei denen braunes Herbstlaub unter ihren Füßen rascheln und zarter Nebel in den Baumkronen hängen würde. Das Kaminfeuer würde hell lodern, wenn Mrs. Westlake ihr abends das neueste Kapitel vorlas und sie mit gespannter Erwartung über die halbmondförmige Brille hinweg ansah.

Matilda ging auf der King's Road, die um diese Zeit schon von Leben wimmelte, unter den Markisen der Geschäfte hindurch, die sich über den sonnenbeschienenen Gehweg spannten. Aus einer Bäckerei wehte der Duft von frisch gebackenem Brot, nebenan duftete es aus einem Schuhgeschäft betäubend nach teurem Leder. Gegenüber lag das mit Flaggen geschmückte Kaufhaus Peter Jones, in dessen endlos wirkender Fensterflucht alle nur erdenklichen Waren ausgestellt waren.

Matilda stieg südlich des Flusses in Clapham Junction um. Gewöhnlich nutzte sie die Fahrt nach Richmond, um den Lehrstoff für den Tag zu überfliegen. Im Englischunterricht wählte sie die Lektüre großzügig aus und besprach auch Werke, die von ihren Kolleginnen als unpassend erachtet wurden. Sie vertrat die Ansicht, dass ein umfassender Überblick über die englische Lyrik auch Byron, Shelley und Blake einschloss. »Aber nicht Byrons Privatleben, Miss Gray«, hatte Miss Haddon, die Schulleiterin, sie gewarnt. »Das würden die Eltern nicht dulden. Und das Kuratorium ebenso wenig.«

An diesem Morgen schaute Matilda jedoch aus dem Fenster, der Tag war einfach zu schön. Nachdem der Zug Clapham Junction verlassen hatte, wo sich hölzerne Aufbauten wie Brücken über die Gleise spannten, überragt von Fabriken und rauchenden Schornsteinen, wurde die Umgebung langsam freundlicher. Der Zug hielt in Wandsworth und Putney, bevor die Strecke in Mortlake fast die Themse berührte. Dann kam schon Richmond, wo Matilda ausstieg.

Die meisten Menschen fuhren morgens zur Arbeit in die Stadt hinein und kehrten abends in die Vororte zurück, während Matildas Weg genau entgegengesetzt war. Sie arbeitete in Richmond, fernab der Innenstadt, und fuhr abends heim nach Chelsea. Sie betrachtete es als Privileg, da sie das Abteil so meist für sich allein hatte.

Vom Bahnhof aus war es nicht weit bis zur Schule, die am Rande des Old Deer Park stand. Er schmiegte sich in den Flussbogen und grenzte im Norden an Kew Gardens.

Die Schule lag hinter einem schmiedeeisernen Zaun, in dessen Gitter sagenhafte Tiere und andere Geschöpfe eingefügt waren – Einhörner, Basilisken, Zentauren und weitere, alle der Fantasie des Erbauers entsprungen. Das Haus war ein prächtiges Beispiel des Gothic Revival, mit Spitzbogenfenstern, Türmchen und Giebeln. Das Dach wurde von einer glänzenden Wetterfahne gekrönt, auf der ein geflügeltes Pferd thronte. Noch keine dreißig Jahre war das Gebäude alt und von einem romantisch veranlagten Fabrikbesitzer erbaut worden, der sich das nahe gelegene Strawberry Hill zum Vorbild genommen hatte. Allerdings war er wenige Jahre später bankrott gegangen und somit gezwungen, Pegasus Hall, wie er das Haus hochtrabend genannt hatte, zu verkaufen.

Der Gründer der Schule hatte den Namen als unpassend erachtet und es in Riverview umbenannt, was nicht ganz zutraf, da man die Themse nur von den Dachfenstern aus sehen konnte – und auch nur dann, wenn man sich auf einen Stuhl stellte oder eine Räuberleiter machte, wie eine Schülerin Matilda anvertraut hatte.

Das Gebäude war von einem weitläufigen Garten umgeben. Manche Bäume hatten sich schon rot und braun gefärbt, und die bunten Kronen inmitten des noch grünen Laubwerks erinnerten an einen Herbststrauß. An dunklen Wintertagen wirkte die Schule eher unheimlich, und wenn Matilda dann zum Kreuzrippengewölbe des Speisesaals hochschaute, fühlte sie sich unweigerlich an die Schauerromane erinnert, die sie als junges Mädchen verschlungen hatte.

Matilda hatte die ungebundenen Sommermonate genossen,

war durch London gestreift und hatte Ausstellungen und Konzerte besucht, wenn sie nicht gerade Adela Mornington durch unwegsame Schluchten und über reißende Bachläufe begleitete. Doch als sie an diesem Morgen durchs Tor trat und den Kiesweg zum Haupteingang entlangging, kam es ihr vor wie eine Heimkehr.

Vor dem Portal standen einige Schülerinnen, sie lachten und gestikulierten. Gewöhnlich hätte man dies nicht geduldet, doch am ersten Morgen nach den Ferien begann alles gemächlich, die erste Unterrichtsstunde war für zehn Uhr angesetzt. Die Mädchen waren bereits am Vortag zurückgekehrt, hatten sich aber unendlich viel zu erzählen.

»Guten Morgen, Miss Gray, hatten Sie einen schönen Sommer?«, fragte die kleine, dunkelhaarige Ruth Sanderson und wurde ein bisschen rot, weil man sie vor der Tür erwischt hatte.

Matilda blieb stehen und lächelte in die Runde. »Ruth, Mary, Clara, Edith, ich hoffe, ihr habt die Ferien genossen. Aber jetzt geht bitte hinein.«

Mary Clutterworth strich ihr Kleid glatt und zuckte mit den Schultern. »Ich hätte gern noch ein paar Tage auf die Schulkleidung verzichtet. Es war so wohltuend, einmal bunte Farben tragen zu können statt immer nur Dunkelblau!«

»Das glaube ich dir gern. Umso größer ist die Vorfreude auf die nächsten Ferien.«

Die vier Mädchen setzten sich in Bewegung, doch Ruth drehte sich noch einmal um. »Ich habe nicht vergessen, dass Sie uns nach den Ferien etwas Besonderes erklären wollten. Was ist es denn?«

Matilda deutete mit strenger Miene auf die Tür. »Wie ich sehe, kann Miss Sanderson es gar nicht erwarten, wieder in einem stickigen Klassenzimmer am Pult zu sitzen und algebraische Gleichungen zu lösen. Geduld ist eine Tugend, das gilt auch für dich, Ruth.«

Die Mädchen lachten.

Dann fügte Matilda nachgiebiger hinzu: »Aber du hast recht, ich habe etwas vorbereitet, das nicht nur für unsere geborenen Mathematikerinnen interessant sein dürfte, sondern auch für die Literatinnen unter euch.«

Als sie wenig später am Zimmer der Direktorin vorbeiging, trat ein Mann heraus. Matilda warf ihm einen neugierigen Blick zu; Männer waren in der Schule eine Seltenheit.

Er war groß gewachsen, mit dunkelblonden Haaren, die ihm fast bis auf die Schultern fielen, und einem gepflegten Vollbart. Schwarzer Gehrock, weinrot schimmernde Weste, weißes Hemd und dunkelgraue Krawatte. Ein auffallend gut aussehender Mann, beinahe schön, dachte sie und wunderte sich beiläufig, was er wohl mit der Schulleiterin Miss Haddon zu besprechen hatte.

Im Lehrerzimmer hatten sich bereits die Kolleginnen versammelt. Es war ein großzügiger Raum mit hohen Buntglasfenstern, durch die das Sonnenlicht ein herrliches Kaleidoskop auf den Parkettboden zeichnete. Neben dem langen Tisch, der für Besprechungen genutzt wurde, waren gemütliche Sessel verteilt, die dem Raum den Anschein eines Kaminzimmers oder einer Bibliothek verliehen.

Matilda war die jüngste Lehrerin und seit einem Jahr in Riverview. Sie hatte erst lernen müssen, dass ihre Ideale sich nicht immer mit dem Alltag vereinbaren ließen. Die Schule gab sich zwar modern, doch hatte Matilda bald gemerkt, dass man auch hier die Mädchen vor allem auf ein Leben als Ehefrau der oberen Mittelklasse vorbereitete. Man verschaffte ihnen die Bildung, die nötig war, damit sie sich gewandt auf dem gesellschaftlichen Parkett bewegen und ein intelligentes Gespräch führen konnten. Die meisten Eltern wünschten jedoch nicht, dass ihre Töchter später einen Beruf ergriffen oder ein Studium begannen, und die Lehrerinnen – allesamt unverheiratete Frauen, die ihr Geld selbst verdienten – fügten sich den Wünschen. Eine paradoxe Situation, die Matilda einiges Kopfzerbrechen bereitet hatte, bevor sie eine Lösung für sich fand.

Sie hatte es sich zur Aufgabe gemacht, die Schülerinnen subtil mit Wissen zu versorgen, das ihnen zeigte, wie viel das Leben doch für sie bereithielt. Sie besaß sogar Broschüren, in denen das Wahlrecht für Frauen gefordert wurde, doch diese in der Schule zu zeigen war undenkbar. Matilda bewegte sich auf einem schmalen Grat, und ein Schritt zur falschen Seite konnte sie die Stelle kosten.

Nun grüßte sie freundlich in die Runde und setzte sich an ihren Platz.

Miss Fellner berichtete gerade von ihren Wanderungen durch den Schwarzwald, Miss Fonteyn, die Kunstlehrerin, schwärmte von ihrem Besuch in den Uffizien, und Miss Caldwell, die Geschichte unterrichtete, hatte die letzten Monate auf den Knien in heimischen Kirchen verbracht und mit Wachsstiften die Reliefs mittelalterlicher Grabplatten auf Papier durchgepaust. Sie besaß eine eindrucksvolle Sammlung dieser Abbildungen, die sie gern zeigte und ausführlich kommentierte.

»Ich sah vorhin einen Herrn aus Miss Haddons Zimmer kommen«, sagte Matilda schließlich mit fragendem Unterton.

Miss Caldwell zog eine Papierrolle hervor, die sie auf dem nächstgelegenen Tisch ausbreitete, und erwiderte beiläufig: »Der Vormund einer Schülerin hatte etwas zu besprechen.«

Dann trat ein Funkeln in ihre Augen. »Dies hier habe ich in der Kathedrale von Ely entdeckt, ein ganz außergewöhnliches Exemplar, wenn Sie einmal schauen möchten …«

»Was sagt euch der Name Ada Lovelace?« Matilda schaute die Schülerinnen nacheinander an. Sie teilte sich den Mathematikunterricht mit Miss White, die sich den besonders begabten jungen Mädchen widmete, während Matilda die Grundlagen unterrichtete und sich ansonsten auf das Fach Englische Literatur konzentrierte. Allerdings weigerte sie sich, die Mädchen in ihrer Gruppe zu unterschätzen, und versuchte, auch in ihnen das Interesse an einem Fach zu wecken, das gemeinhin Männern vorbehalten war.

Niemand hob die Hand.

»Das ist nicht schlimm«, sagte Matilda, griff nach der Kreide und schrieb an die Tafel: *10. Dezember 1815 – 27. November 1852.*

Mary Clutterworth hob die Hand. »Sie ist ziemlich jung gestorben. Mit sechsunddreißig Jahren.« Sie schaute ihre Lehrerin zweifelnd an, als suche sie nach einer Verbindung zum Mathematikunterricht.

»In der Tat. Und sie war Lord Byrons Tochter.«

Als der Name fiel, erhob sich leises Gemurmel in den Bänken. Matilda hob die Hand. »Aber das soll uns nicht kümmern, denn das war nicht das Besondere an ihr.«

Die Mädchen sahen sie neugierig an.

»Ada Lovelace war Mathematikerin. Ihre Mutter hatte Geometrie und Astronomie studiert und dafür gesorgt, dass Ada ebenfalls eine naturwissenschaftliche Bildung erhielt. Und dabei lernte sie Charles Babbage kennen.«

Matilda ging langsam vor der Klasse auf und ab. »Auch Babbage war Mathematiker und hat etwas Großartiges erfunden.« Sie trat hinter die Tafel und zog eine Fotografie hervor, die sie auf Pappe aufgeklebt hatte. Dann hielt sie sie hoch. »Ihr könnt ruhig näher kommen und es euch anschauen.« Die Fotografie zeigte einen Bauplan für eine Art Maschine, die aus unzähligen Einzelteilen bestand – mit Zahlen versehenen Walzen, Kurbeln und Zahnrädern.

»Was ist das?«, fragte Mary. »Wozu ist es gut?«

»Der Bauplan für eine Rechenmaschine. Charles Babbage hatte die Idee, eine Maschine zu bauen, die rechnen kann, die den Menschen die Arbeit abnimmt und zudem fehlerfrei arbeitet. Leider sind seine Erfindungen nie verwirklicht worden, weil man etwas so Filigranes und Schwieriges zu seiner Zeit gar nicht hätte bauen können. Eines seiner Modelle hätte aus achttausend Teilen bestanden, die komplizierteste Maschine, die je entworfen worden war.«

Eine andere Schülerin hob die Hand. »Und was hat das mit dieser Ada zu tun?«

»Wie ich schon sagte, Ada Lovelace war Mathematikerin und mit Charles Babbage gut befreundet. Sie hat einen italienischen Artikel über seine geplante Rechenmaschine übersetzt und mit eigenen Anmerkungen versehen. Darin ist ein Algorithmus enthalten – Dora?«

»Den Begriff kennen wir noch nicht, Miss Gray«, sagte das Mädchen verwirrt.

»Einfach gesagt, ist ein Algorithmus eine Handlungsanweisung in vielen Schritten, mit deren Hilfe man eine Aufgabe lösen kann. Wenn ich zum Beispiel Äpfel haben, sie aber nicht selbst holen möchte, sage ich zu dir: Öffne die Tür. Gehe die Kellertreppe hinunter. Greife in die Schütte mit den Äpfeln. Nimm drei heraus. Gehe die Treppe wieder hinauf. Schließe die Tür. Gib mir die Äpfel. Das Gleiche gibt es auch in der

Mathematik. Und Ada Lovelace hat eine Anweisung für diese Rechenmaschine entwickelt. Hätte Babbage seine Maschine je gebaut, hätte er ihr damit sagen können, wie sie eine bestimmte Aufgabe berechnen soll. Ganz ohne menschliches Zutun.«

Matilda sah sich um. Sie hatte gehofft, die Schülerinnen für diese Frau zu begeistern, las aber in den meisten Gesichtern nur Unverständnis.

»Irgendwann werden solche Maschinen wichtig sein. In den letzten hundert Jahren wurden schon viele neue Apparate gebaut, die unser Leben leichter und sicherer machen. Und Ada Lovelace ist sogar noch weiter gegangen als Babbage. Er meinte nämlich, man könne seine Maschine nur für Rechenaufgaben einsetzen. Ada hingegen war der Ansicht, dass eine Maschine noch viel mehr kann, sofern sich die Aufgabe in viele kleine Einzelschritte zerlegen ließe.«

Dora sah sie fragend an. »Welche Aufgabe denn zum Beispiel?«

»Das hat sie nicht aufgeschrieben, aber wie wäre es mit Musik? Ein Musikstück besteht aus Noten. Wenn man dieser Maschine genau sagen würde, wie sie die Noten zusammensetzen soll, könnte eine Melodie daraus entstehen.«

Mary räusperte sich und hob die Hand. »Das kann ich mir besser vorstellen als die Sache mit der Rechenaufgabe. Das wäre fast wie bei einer Walzenspieldose.«

»Sehr gut, Mary«, sagte Matilda. Es machte sie stolz, wenn die Schülerinnen eigenständig dachten. »Das Beispiel gefällt mir. Allerdings könnte die Maschine noch einen Schritt weiter gehen – während die Spieldose nur das Lied spielt, das auf der Walze enthalten ist, könnte man unserer Maschine beibringen, immer neue Lieder zu erfinden. Dora, was hast du gerade gesagt?«

Matilda drehte sich zu der Schülerin um, die rot wurde und rasch die Hand vor den Mund schlug.

»Na, raus mit der Sprache.«

»Das hätte Laura gefallen.«

»Wie meinst du das? Warum ›hätte‹?«, fragte Matilda.

»Haben Sie es noch nicht gehört, Miss Gray?«, fragte Dora überrascht. »Lauras Vormund war vorhin bei Miss Haddon. Sie unternimmt mit ihm eine Reise und kommt vorerst nicht in die Schule zurück.«

Matilda tastete unwillkürlich nach dem Pult, um sich abzustützen. Bilder zuckten durch ihren Kopf, die sie aber sofort verdrängte.

»Ist Ihnen nicht gut, Miss Gray?«, fragte Ruth besorgt.

»Doch, danke, ich bin nur … überrascht.«

»Dora hat gehört, wie Miss Haddon den Vormund mit Namen ansprach, sonst wären wir nie darauf gekommen, dass dieser Herr wegen Laura hier war. Wir hätten ihn eher für einen …« Ruth wurde rot und begann zu kichern. Als sie Matildas ernsten Blick bemerkte, riss sie sich zusammen. »Jemand hat gesagt, er würde aussehen wie ein präraffaelitischer Heiliger. Zu schön, um wahr zu sein.«

Matilda war zu abgelenkt, um Mary für die unpassende Bemerkung zu tadeln. Sie zog ihre Uhr aus der Rocktasche. Noch fünf Minuten. »Ihr könnt jetzt gehen. Jede von euch schreibt eine Arbeitsanweisung zu einer Aufgabe, die ihr frei wählen dürft – Musik, Handarbeit oder was euch in den Sinn kommt.«

Die Mädchen räumten Bücher und Hefte zusammen und standen von den Bänken auf. Matilda bemerkte einige verwunderte Blicke, doch das kümmerte sie nicht. Sie konnte nur an jenen Tag im Juni denken.

2

Drei Monate zuvor – London, Juni 1900

Das Zimmer war klein, die Frühsommersonne schien durchs Fenster und ließ Lichtflecke auf dem Tisch und den Bücherregalen tanzen. Man hatte Matilda das kleinste Arbeitszimmer zugewiesen, da man davon ausging, dass sie den größten Teil der Vorbereitungen zu Hause erledigte. Als jüngste Lehrerin wohnte sie nicht in der Schule – ein Privileg, das den älteren Kolleginnen vorbehalten blieb, die schon länger im Hause waren. Insgeheim freute sie sich über den vermeintlichen Nachteil. Zwar musste sie von ihrem Gehalt die Miete aufbringen, fühlte sich aber frei und unbeobachtet; sie musste nicht von morgens bis abends Vorbild sein.

Matilda hatte die graue Kostümjacke an die Tür gehängt und die Ärmel ihrer Bluse hochgerollt, da es im Zimmer schon sommerlich warm war. Sie schob sich eine blonde Strähne aus dem Gesicht. Sie hatte sich nie Dienstboten gewünscht, doch wenn es um ihre Frisur ging, wäre eine Zofe hilfreich gewesen. Sie war völlig unbegabt, was das Frisieren anging, und meist verabschiedeten sich die Haarnadeln nach wenigen Stunden auf Nimmerwiedersehen. Matilda konnte gar nicht so schnell neue Haarnadeln kaufen, wie sie welche verlor.

Es klopfte.

»Herein.«

Sie schaute zur Tür. Dort stand Laura Ancroft, die ein Buch in der Hand hielt und Matilda fragend ansah.

»Komm doch herein, Laura. Setz dich«, sagte sie freundlich und deutete auf den Besucherstuhl.

Die Siebzehnjährige ließ sich auf dem Stuhl nieder, das Buch fest an den Körper gepresst. Als ein Geräusch im Flur erklang, drehte sie sich nervös zur Tür.

»Was ist denn los?«, fragte Matilda.

Laura war ein selbstbewusstes Mädchen, temperamentvoll und eigensinnig. Matilda schätzte diese Eigenschaften, auch wenn sie Laura gelegentlich zügeln musste. Heute jedoch wirkte sie seltsam schüchtern.

»Hätten Sie einen Augenblick Zeit für mich, Miss Gray? Ich … ich kann aber auch später wiederkommen.«

»Nein, bleib nur.« Matilda klappte das Heft zu, das sie gerade korrigiert hatte, und lehnte sich zurück. »Was hast du auf dem Herzen? Deine Noten sind sehr gut, falls du dir deswegen Sorgen machst.«

Laura schüttelte den Kopf und sah auf ihren Schoß. Die goldbraunen Haare wurden am Hinterkopf mit einer Schleife zusammengehalten, und sie hatte ihr dunkelblaues Schulkleid mit dem angedeuteten Matrosenkragen an. Solange die Schülerinnen Riverview besuchten, trugen sie diese Kleider, die bei den jüngeren knapp unter dem Knie, bei den älteren am Knöchel endeten. Damit wurde der Abstand zu den Lehrerinnen gewahrt.

Eigentlich war Laura zu alt für Frisur und Kleid, dachte Matilda und fragte sich, woher dieser Gedanke plötzlich gekommen war.

»Bald sind Ferien. Aber vorher wollte ich unbedingt mit Ihnen sprechen.« Sie schluckte und suchte nach Worten.

»Nur zu, Laura«, sagte Matilda ermutigend.

Das Mädchen holte tief Luft und reichte ihr das Buch über den Schreibtisch hinweg. »Das habe ich vor einer Weile in einem Antiquariat entdeckt und lese jeden Tag darin. Ich kann an nichts anderes mehr denken. Aber ich habe niemanden, mit dem ich darüber sprechen kann.«

Matilda warf einen Blick auf den schmalen Band. Es handelte sich um *Long Ago* von Michael Field. Oh. Ein solches Buch hatte in der Schule nichts zu suchen. Ihr lag eine Warnung auf der Zunge, doch dann besann sie sich. Laura vertraute ihr, sie würde das Mädchen erst einmal anhören. »Du hast es also gelesen?«

»Ja. Kennen Sie es, Miss Gray?«

»Ein wenig«, erwiderte Matilda vorsichtig.

Laura machte keine Anstalten, das Buch wieder an sich zu nehmen. »Und wie hat es Ihnen gefallen?«, fragte sie eifrig und schob eine Haarsträhne nach hinten, die aus der Schleife gerutscht war.

Matilda legte sich die Antwort sorgsam zurecht. »Der Umgang mit den antiken Themen ist geschickt, die Sprache souverän, wenngleich man die literarischen Vorbilder …«

»Das meine ich nicht. Was ist mit der Leidenschaft, haben Sie die nicht gespürt?«, platzte das Mädchen heraus und schlug sogleich die Hand vor den Mund. »Verzeihung, das war ungehörig.« Sie griff nach dem Buch und fuhr sanft mit der Hand darüber. Die Geste wirkte seltsam anrührend.

Matilda schaute Laura eindringlich an. »Ich glaube ehrlich, dass du für dieses Buch zu jung bist.« Sie spürte, wie ihr unter der luftigen Bluse der Schweiß ausbrach, und das lag nicht nur an der Sonnenwärme. Es war eine heikle Situation für eine junge Lehrerin.

In dem Mädchen schien ein Damm zu brechen. »Miss Gray, Sie sind die Einzige, mit der ich darüber sprechen kann, und ich vertraue Ihnen, und – Sie wissen doch, wer sich hinter Michael Field verbirgt, nicht wahr?«

Matilda seufzte leise. »Ja. Zwei Frauen, Tante und Nichte, die gemeinsam schreiben. Bekannt mit Literaten wie Mr. Browning, Mr. Pater und … Mr. Wilde.« Sie zögerte bei dem Namen, da der Skandal erst fünf Jahre her und Wilde noch immer gesellschaftlich geächtet war. Die Field-Gedichte waren nicht verboten, und der große Robert Browning hatte die Dichterinnen als seine »teuren Griechinnen« bezeichnet, aber das hieß noch lange nicht, dass dieses Werk in die Hände einer Siebzehnjährigen gehörte.

»Sie schreiben über Frauen«, sagte Laura nachdrücklich. Ihr Hals war rot gefleckt, ihre Brust hob und senkte sich heftig.

Matilda überlegte sich ihre nächsten Worte abermals sorgsam. »Ich weiß. Leider in einer Weise, die für unsere Schülerinnen nicht geeignet ist.«

»Aber es geht um Liebe, das kann doch nicht falsch sein!«, stieß Laura mit beinahe verzweifelter Hoffnung hervor. »Fast alle Dichter schreiben über die Liebe und werden dafür gepriesen. Wir lesen Keats und Shakespeare im Unterricht.«

»Ich kann verstehen, dass du neugierig bist, und werde dir nicht vorschreiben, was du außerhalb der Schule lesen sollst. Aber hier im Haus kann ich das Buch nicht dulden.«

Lauras Augen wirkten beinahe fiebrig, sie schien den Einwand nicht gehört zu haben. »Wissen Sie, welches mein Lieblingsgedicht ist, Miss Gray? Ich kenne es auswendig:

Atthis, mein Liebling, du streiftest dort
Wenige Schritt zum Grasbett, allein
Da erbebte von Furcht und Feuer
Mein Herz: du könnt'st gestorben sein;
Es ward so still an unsrem Weiher,
Als zög man eine Seele fort.

Mein Liebling! Unser beider Leben
Soll niemals trennen Tag noch Nacht;
Auf selbem Bett die Früh' uns schaut,
Darfst mir nicht fliehen unbedacht
Für einen Atemzug; mich graut,
In diesem sei der Tod gegeben.«

Als Matilda sie ansah, erkannte sie, wie es um Laura stand. Ihre Augen waren weit geöffnet, an ihrem Hals bebte ein zarter Puls. Sie war nicht nur von dem Gedicht bezaubert, sie fand sich darin wieder. Bevor Matilda etwas sagen konnte, sprach das Mädchen weiter. »Und dieses mag ich auch besonders gern:

Ich lieb sie mit den Zeiten, mit dem Wind,
Wie Sterne preisen, wie Anemonen
Heimlich nach der Sonne beben, Bienen
Um off'ne Blüten summen: vollkommen sind
Alle Formen meiner Liebe, und sie find
In jeder nur sich selbst als Ziel ...«

»Laura, bitte.« Matildas Herz schlug heftig, und sie wünschte sich Zeit zum Nachdenken, doch die blieb ihr nicht. Hier saß eine Schülerin und zitierte Gedichte, die von der Liebe zwischen Frauen handelten.

»Miss Gray, bitte, ich verspreche, ich bin gleich fertig. Aber eins muss ich Ihnen noch sagen. Ich kann nicht in die Ferien fahren, ohne es Ihnen gesagt zu haben.« Sie schluckte. »Es kommt mir vor, als stammten diese Gedichte von mir, als spräche Michael Field mit meiner Stimme.«

Im Zimmer war es so still, dass man ihrer beider Atem hören konnte. Laura senkte den Kopf, bevor sie fortfuhr: »Als hätte er die Gedichte für Sie geschrieben.« Dann blickte sie auf und schaute Matilda stolz, beinahe trotzig an.

Matilda musste behutsam vorgehen. Ein achtloses Wort konnte für immer etwas in Laura zerstören. »Ich fühle mich geehrt, dass du dich mir anvertraust. Und es sind wunderbare Gedichte, die ich nie verurteilen würde. Aber ich bin deine Lehrerin, und sie gehören nicht in eine Schule.«

Endlich schien die Warnung zu Laura durchzudringen. Sie schluckte und suchte nach Worten. »Sind Sie jetzt böse auf mich?« Auf einmal sah sie beinahe kindlich aus.

»Nein«, sagte Matilda rasch. »Aber du hast selbst gesagt, dass du die Gedichte niemandem hier zeigen kannst. Und das ist richtig. Die meisten Mädchen würden sie nicht verstehen. Meine Kolleginnen würden nicht gutheißen, dass du sie liest. Du solltest sie als einen Schatz betrachten, der nur dir gehört, der etwas Besonderes ist, der dir Freude schenkt, wenn es dir schlecht geht, und gute Tage noch heller macht.«

»Aber ich …« Laura beugte sich abrupt vor und legte ihre Hand auf Matildas. »Ich habe beim Lesen nur an Sie gedacht.«

Ihre Haut war warm und ein wenig feucht, und Matilda war einen Moment lang wie betäubt. Dann stand sie auf, ging um den Schreibtisch herum und berührte Lauras Schulter. Sie wusste, sie begab sich auf dünnes Eis. Schon der leiseste Anschein von Freundschaft zwischen Lehrerin und Schülerin war verboten und konnte zur Entlassung führen – und Laura wollte mehr als Freundschaft.

»Das kann dir niemand nehmen«, sagte Matilda behutsam. »Du solltest das Gefühl genießen, wenn es dich glücklich macht. Es war mutig, mir deine Gefühle zu gestehen. Und irgendwann wirst du einem Menschen begegnen, der sie so erwidern kann, wie du es verdienst.«

Es war schwer, einen Menschen abzuweisen, der einem sein Herz geöffnet hatte. Sie verdrängte das Bild ihres Bruders, das flüchtig in ihr aufstieg. Daran wollte sie jetzt nicht denken.

Laura schaute sie fragend an. »Sie verurteilen mich nicht?«

Matilda spürte einen Stich. »Ganz im Gegenteil. Ich setze große Hoffnungen in dich. Du bist eine begabte Schülerin und ein bemerkenswerter Mensch. Ich wünsche mir, dass du die Schule erfolgreich abschließt.« Sie hob die Hand, als Laura etwas entgegnen wollte. »Lass mich bitte ausreden. Ein neues Jahrhundert hat begonnen. Ich bin mir sicher, dass sich für Frauen neue Wege auftun. Vielleicht kannst du ein Studium beginnen oder einen Beruf ergreifen, den du dir wünschst. Ich werde dich als Lehrerin begleiten und dir helfen, soweit es in meiner Macht steht. Das verspreche ich dir.«

Ihre Blicke trafen sich, und Matilda sah, wie Laura mit sich rang. Ihr Gesicht spiegelte Enttäuschung, Trotz, Resignation und schließlich Würde. Matilda trat zurück, und Laura erhob sich, das Buch in der Hand.

»Ich danke Ihnen, Miss Gray. Für alles.«

Dann verschwand sie so leise, wie sie gekommen war.

3

September 1900

Matilda war in die äußerste Ecke des Gartens gegangen, sie musste wenigstens ein paar Minuten ungestört sein. Sie hatte den Sommer über mehr als einmal an Laura gedacht und sich gefragt, ob diese wohl gekränkt war oder sich mit Büchern und Freundinnen ablenkte und die Zurückweisung überwunden hatte.

Der Vorfall hatte sie an ihren Bruder Harry erinnert. Als er neunzehn war, hatte er sich in die Tochter eines Geistlichen verliebt, mit dem ihre Eltern befreundet gewesen waren. Er kannte Enid seit Kindertagen, doch nun war auf einmal mehr daraus geworden. Und weil Enid ihm so vertraut war, hatte Harry nicht gezögert und ihr seine Liebe gestanden, ohne auch nur im Traum damit zu rechnen, sie könnte nicht erwidert werden. Er hatte gehofft, die gleichen Gefühle in ihr zu wecken, bis sie ihm gestand, dass sie sich in einen Theologiestudenten verliebt hatte, mit dem ihr Vater sie bekannt gemacht hatte. Sie und Harry würden immer Freunde bleiben, aber es würde niemals mehr sein.

In den Monaten danach hatte Matilda aufrichtig um ihren Bruder gefürchtet. Er ging kaum noch aus dem Haus, zog sich zurück, trank zu viel und zeigte keinerlei Interesse daran, einen Beruf zu erlernen oder ein Studium zu beginnen. Jeden Tag stand sie vor seiner Zimmertür, sprach ihm Mut zu und bot ihm ihre Hilfe an, doch vergeblich. Bis sie schließlich die Beherrschung verlor und ihn anschrie: »Was soll denn aus mir werden? Interessierst du dich denn gar nicht mehr für mich, Harry? Es gibt noch eine Welt hier draußen und Menschen, die dich brauchen.«

Eine halbe Stunde später verließ er das Zimmer und meldete sich wenig später zur Armee. Matilda hatte sich oft gefragt, ob es falsch gewesen war, so laut zu werden, doch ihr Bruder hatte über ihre Bedenken gelacht.

»Du kennst mich, Tilda. Früher oder später hätte mich ohnehin die Abenteuerlust gepackt.«

Doch sie hatte nie die Zeit vergessen, in der ihr Bruder vor Kummer nicht er selbst gewesen war.

Und so stand sie nun hier im spätsommerlich farbenfrohen Garten und fragte sich, ob Laura wegen ihr nicht mehr zurückgekommen war. Sie hatte sich bemüht, einfühlsam zu sein, das Mädchen nicht zu verletzen, doch enttäuschte Liebe tat nun einmal weh. Vielleicht war es auch Scham, der Lehrerin gegenüberzutreten, der sie sich offenbart hatte.

Matilda machte sich abrupt auf den Weg in Richtung Schulgebäude. Sie musste so schnell wie möglich Klarheit haben.

»Miss Gray, ich hoffe, Sie hatten einen angenehmen Sommer«, sagte die Schulleiterin. Miss Haddon war Ende fünfzig und trug das silbergraue Haar noch nicht im neuen, weicheren Stil, der dem Gesicht schmeichelte, sondern straff hochgekämmt und auf dem Kopf zu einem Knoten gesteckt. Die Frisur und das dunkle Kleid mit dem hohen Kragen wirkten streng und waren wohl auch eine Art Rüstung. Eine Mädchenschule zu leiten und sich gegenüber Schülerinnen, Eltern und Kuratorium zu behaupten war keine leichte Aufgabe.

Matilda nahm auf dem angebotenen Stuhl Platz. »Danke, sehr angenehm, Miss Haddon. Ich möchte mich nach Laura Ancroft erkundigen. Dass sie nicht wieder in die Schule gekommen ist, hat mich überrascht.«

Miss Haddon verschränkte die Hände auf der Tischplatte. Sie waren noch hell und glatt, ohne Anzeichen des Alters. Als hätte man ihr die Hände einer jungen Frau angenäht, dachte Matilda flüchtig und schalt sich sofort für den Gedanken, der nach einer Schauergeschichte von E.T.A. Hoffmann klang.

»Lauras Vormund, Mr. Charles Easterbrook, war vorhin hier und hat mir von seinen Reiseplänen berichtet. Er erklärte, Laura sei den Sommer über sehr krank gewesen, sie habe sich einen hartnäckigen Husten zugezogen. Die Ärzte hätten ihr angesichts der angegriffenen Gesundheit empfohlen, den Herbst und Winter in einem milderen Klima zu verbringen. Daher planen sie eine Reise in die Mittelmeerländer – Griechenland und Italien.«

Matildas erstes Gefühl war Sorge. Ein verschleppter Husten konnte sich auf die Lunge schlagen, damit war nicht zu spaßen. »Das kann ich gut verstehen. Ich nehme an, sie wird in die Schule zurückkehren, sobald sie sich erholt hat.«

»Sie wird auf dieser Reise viele neue Erfahrungen sammeln. Da kann es geschehen, dass ein junges Mädchen die Schule aus den Augen verliert«, erwiderte Miss Haddon unverbindlich.

»Aber doch nicht Laura«, warf Matilda ein. »Sie ist so ehrgeizig und fleißig.«

»Sie kann das Schuljahr selbstverständlich nachholen, wenngleich ich mir vorstellen könnte, dass sie nach der Reise nicht hierher zurückkommen wird. Vielleicht wäre es auch zu anstrengend für sie.«

Matilda kam sich vor wie in einem bizarren Traum. Vor zwei Monaten hatte sie ein gesundes, wissensdurstiges Mädchen in die Ferien verabschiedet, und nun sprach Miss Haddon von Laura wie von einer Invalidin.

»Wir alle wissen, dass nur besonders ehrgeizige Mädchen, deren Eltern dies unterstützen, eine akademische Tätigkeit anstreben. Die meisten erhalten bei uns eine umfassende Allgemeinbildung, die sie auf ihre Rolle in der Gesellschaft vorbereitet. Ihre Rolle als Ehefrau, Gastgeberin und Stütze ihres Mannes. Das ist es, was die Familien von uns erwarten.«

Laura fällt doch in die erste Kategorie, dachte Matilda beinahe verzweifelt, sie ist besonders ehrgeizig und voller Neugier auf die Zukunft und will lernen. Sie spürte, wie neue Zweifel in ihr keimten.

Wenn Laura nun doch nicht wegen ihrer Krankheit die Schule verlassen hatte, sondern wegen ihrer letzten Begegnung mit Matilda? Weil sie sich für ihr Geständnis schämte und fürchtete, ihrer Lehrerin gegenüberzutreten? Weil sie argwöhnte, dass Matilda ihr Versprechen gebrochen und Lauras Sehnsüchte offenbart hatte?

»Miss Gray, ist Ihnen nicht wohl?«, fragte die Schulleiterin besorgt. »Sie sehen so blass aus.«

Matilda zwang sich, ruhig zu atmen. »Danke, es geht schon.«

»Seien Sie nicht enttäuscht. Ich weiß aus eigener Erfahrung, dass man in manche Schülerinnen große Hoffnungen setzt, die sich dann als trügerisch erweisen. Nur wenige Mädchen und Frauen sind bereit oder dafür geschaffen, ein Leben wie wir zu führen. Für die meisten sind Ehe und Mutterschaft nach wie vor erstrebenswerte Ziele. Jedenfalls ist dieser Mr. Easterbrook ein sehr charmanter, umgänglicher

Mann, der seine Pflichten Laura gegenüber ernst zu nehmen scheint.«

In den Worten der Schulleiterin schwang ein Unterton mit, der Matilda aufblicken ließ. Sie erinnerte sich an den Herrn, den sie vorhin im Flur gesehen hatte. Den präraffaelitischen Heiligen. *Ehe und Mutterschaft, erstrebenswerte Ziele.* Beinahe hätte sie etwas Unbedachtes gesagt.

Sie räusperte sich und stand auf. »Danke für Ihre Geduld. Wir werden sicher bei Gelegenheit von Laura oder ihrem Vormund hören.«

»Gewiss, Miss Gray. Und setzen Sie die gute Arbeit mit den Mädchen fort.«

Matilda wollte schon die Tür öffnen, als die Schulleiterin hinter ihrem Rücken weitersprach. »Ich schätze Sie sehr. Sie sind eine ausgezeichnete Lehrerin, aber auch die jüngste im Kollegium. Daher erinnere ich Sie noch einmal daran, dass wir keine freundschaftlichen Beziehungen zu den Mädchen pflegen dürfen und alle gleich behandeln müssen. Sie brauchen Verständnis und Unterstützung, aber stets mit respektvoller Distanz.«

Draußen im Flur lehnte Matilda sich an die Wand und atmete tief durch. Die letzten Worte waren einer Zurechtweisung sehr nahegekommen. Sie musste vorsichtig sein, um nicht den Eindruck zu erwecken, sie hätte Lieblinge unter den Schülerinnen. Der Vormund hatte Miss Haddon überzeugt, und sie erwartete, dass Matilda es akzeptierte. Natürlich war es möglich, dass Laura krank geworden war, aber vorschnell davon auszugehen, dass sie nicht wiederkommen würde … Dazu Miss Haddons überraschend sanfter Blick, als sie über Mr. Easterbrook sprach …

Wieder dachte Matilda an das Gespräch mit Laura. Hatte

sie ihr irgendeinen Anlass gegeben, ihr zu misstrauen? Hatte sie etwas in Lauras Verhalten übersehen? Hätte sie etwas besser machen können und wenn ja, was?

Doch sie drehte sich mit ihren Gedanken im Kreis. Und konnte mit niemandem darüber sprechen.

Liebste Tilda,

endlich finde ich Zeit, Dir diese kurzen Zeilen zu schicken. Sei unbesorgt, wenn Du den Stempel des Lazaretts siehst; es war lediglich ein Steckschuss im Oberarm. Er wird wieder vollständig heilen, sagen die Ärzte.

Es ist nur eine Frage von Tagen, bis ich entlassen werde. Wenn Du diesen Brief erhältst, stehe ich womöglich schon wieder im Feld. Wir alle hoffen, dass der Sieg nach dem Fall von Johannesburg und Pretoria bald unser ist.

Dieses Land ist wunderschön, und es lohnt sich, dafür zu kämpfen, aber ich gestehe, mir fehlt London. Ich sehne mich nach Nebel und feuchtem Laub auf den Straßen und einem warmen Feuer im Kamin. Und ich kann es nicht erwarten, meine Tilda wieder in die Arme zu schließen.

Dein Dich liebender Bruder Harry

»Und?«, fragte Mrs. Westlake besorgt, als Matilda den Brief in den Schoß sinken ließ. »Haben Sie schlechte Neuigkeiten erhalten? Ich will Sie nicht drängen, aber Sie gefallen mir nicht, seit Sie heute nach Hause gekommen sind.«

»Harry wurde verletzt. Angeblich ist es harmlos, aber sie dürfen nicht schreiben, wo sie sind und was wirklich passiert. Vielleicht ist er schon wieder an der Front.« Sie sah, wie Mrs. Westlake zögerte.

»Was ist denn?«

»Ach, Sie kennen meine Einstellung zum Krieg. Solange Kämpfe auf dem Papier und aus romantischen oder edlen Beweggründen ausgefochten werden, bin ich von Herzen dafür. Dann schwinge ich meine Feder wie ein Schwert oder steche mit ihr zu wie mit einem Dolch. Wie Sie wissen, ist Adela eine ausgezeichnete Fechterin, das hat sie in ›Die goldenen Türme von Salamanca‹ unter Beweis gestellt. Aber Menschen für Macht und Gold in den Tod zu schicken halte ich für verwerflich.« Dann wurde sie rot. »Meine liebe Matilda, Sie müssen einer alten Frau verzeihen« – Mrs. Westlake war sechsundfünfzig –, »aber mein Mund läuft meinem Verstand gelegentlich davon. Wenn Ihr Bruder Ihnen selbst Mut zuspricht, geht es ihm ganz sicher besser.«

Matilda nickte, spürte aber Mrs. Westlakes forschenden Blick.

»Mir scheint, es gibt noch etwas anderes, das Sie bedrückt. Möchten Sie mir davon erzählen?«

Während Matilda berichtete, was sich in der Schule zugetragen hatte, wurde ihr bewusst, wie die Geschichte auf Außenstehende wirken musste. Ein Mädchen von siebzehn Jahren, nicht unvermögend, mit guten Heiratsaussichten und angegriffener Gesundheit, das eine Bildungsreise ans Mittelmeer unternahm, statt weiter die Schule zu besuchen – das war nicht ungewöhnlich. Mr. Easterbrook hatte Miss Haddon mit seiner Fürsorglichkeit überzeugt, und Matilda musste zugeben, dass sich von außen alles wunderbar zusammenfügte.

Dass Laura keineswegs von einem Leben als Ehefrau und Mutter träumte, sondern von Bildung und Reisen und einer Freundin, die das alles mit ihr teilte, war ein Geheimnis, das Matilda nicht verraten durfte.

»Matilda, meine Liebe …« Mrs. Westlake räusperte sich.

Matilda hatte nicht gemerkt, dass sie mit der Geschichte zu Ende war, und einfach auf ihren Schoß gestarrt.

»Es tut mir leid. Es ist immer bedauerlich, wenn ein begabtes Mädchen nicht mehr zur Schule gehen mag …«

»So ist es nicht«, platzte Matilda heraus und schlug die Hand vor den Mund, als könnte sie auf diese Weise die heftigen Worte wieder einfangen. »Verzeihen Sie, Mrs. Westlake, das war unhöflich.«

Die Schriftstellerin winkte ab. »Schon gut. Ich merke, Sie hängen sehr an dieser Schülerin.«

»Es ist schwer zu erklären, aber Laura ist etwas Besonderes. Sie interessiert sich für so viele Dinge, ist gut in Englisch, Naturwissenschaften und Mathematik, was selten vorkommt. Sie hat von einem Studium in Oxford gesprochen … Kurz vor den Ferien haben wir uns darüber unterhalten.«

Doch sie hörte nur Lauras Stimme, die das Gedicht aufsagte: *Ich lieb sie mit den Zeiten, mit dem Wind …*

»Allmählich mache ich mir Sorgen«, riss Mrs. Westlake sie erneut aus ihren Gedanken. »So kenne ich Sie gar nicht. Wenn es Ihnen Kummer bereitet, dass dieses Mädchen nicht mehr in die Schule kommt, sollten Sie mit jemandem sprechen, der sie gut kennt. Sie hat doch sicher Freundinnen.«

Matilda dachte daran, wie gelassen Ruth, Mary und die anderen über Lauras Reise gesprochen hatten. Es war, als ob niemand außer ihr das Mädchen wirklich vermisste, und das schmerzte. »Anne Ormond-Blythe«, sagte sie dann laut, »sie ist Lauras beste Freundin. Ich habe sie heute gar nicht gesehen.«

»Dann reden Sie morgen mit ihr«, sagte Mrs. Westlake. »Vielleicht kann sie Ihnen mehr sagen. Immerhin wissen Sie, dass Laura in guten Händen ist und auf ihre Gesundheit achtet. Sie kommt gewiss bald wieder.«

Matilda wünschte sich, sie könnte diese Zuversicht teilen, wollte Mrs. Westlake aber nicht weiter damit behelligen und wechselte das Thema. »Was machen die Bären?«

Die Schriftstellerin klatschte in die Hände. »Oh, sie machen Fortschritte, ganz gewaltige Fortschritte. Möchten Sie einen Port? Dann erzähle ich Ihnen davon.«

Matilda ließ sich gern ablenken und holte Karaffe und Gläser. Nachdem sie ihnen beiden eingeschenkt hatte, setzte sie sich wieder in den Sessel. »Ich bin ganz Ohr.«

»Ich war im Naturhistorischen Museum und habe mir die ausgestopften Bären angesehen«, verkündete die Schriftstellerin und nahm einen ordentlichen Schluck Portwein. »Die sind eindrucksvoll. Der Grizzlybär steht auf den Hinterbeinen in seiner Vitrine, die Pranken erhoben, die Zähne gefletscht – nicht, dass es in Europa Grizzlybären gäbe, aber jetzt weiß ich, wie das Tier aussehen muss, dem Adela sich gegenübersieht. Ich habe nämlich gelernt, dass Grizzlys mit den Braunbären verwandt sind, also wird sie auf einen besonders großen Braunbären stoßen. Sie glauben gar nicht, wie sehr es der Fantasie auf die Sprünge hilft, wenn man ein solches Tier mit eigenen Augen sieht, selbst wenn es mit Holzwolle gefüllt und zugenäht ist wie ein Truthahn.«

Matilda spürte, wie sich die Anspannung des Tages legte. Dafür gab es kein besseres Mittel als einen guten Port und Mrs. Westlake, die von ihrer Arbeit berichtete.

»Nur als ich mein Maßband hervorgeholt habe, um die Länge der Krallen zu messen, hat mich der Aufseher seltsam angeschaut«, fuhr sie unbekümmert fort und hob ihr Glas. »Ich trinke auf Sie, Matilda, der ich meinen Bären zu verdanken habe. Ich werde eine Widmung nur für Sie schreiben.«

Am nächsten Morgen erwachte Matilda zuversichtlich. Heute würde sie mit Anne Ormond-Blythe sprechen und sich erkundigen, ob sie etwas über Lauras Krankheit und die Reise wusste.

Es war abermals ein warmer Tag. Matilda hielt das Gesicht in die Sonne, als sie in Richmond den Bahnhof verließ. Obwohl dies ein Vorort war, drängten sich auch hier Pferdefuhrwerke und Radfahrer auf den Straßen, Botenjungen zogen Karren hinter sich her, Verkäufer priesen lautstark ihre Waren an. Allerdings roch es anders als in der Innenstadt – mehr nach Kaffee und den Zigarren der Männer, die vor dem benachbarten Station Hotel rauchten, weniger nach Staub und Kohlenrauch. Vor dem Tuchladen zwei Häuser weiter wurden Stoffballen ausgeladen, der Besitzer erteilte dem Lehrjungen, der einen Ballen hatte fallen lassen, lautstark einen Rüffel.

Matilda staunte immer wieder, wie nah Geschäftigkeit und Ruhe beieinanderlagen. Man musste nicht weit gehen – bis Richmond Green oder in den Old Deer Park, an die Themse hinunter oder nach Kew Gardens –, und schon war man von der Natur umgeben. Sie liebte die Vielfalt Londons und hätte in keiner anderen Stadt leben wollen.

Ein Schrei weckte sie aus ihrer Versunkenheit. Auf der anderen Straßenseite stand eine Frau mit einem großen Pappschild und setzte sich gegen einen Mann zur Wehr, der ihr das Schild entreißen wollte. Sie war klein und zierlich, trug ein einfaches, dunkelblaues Kostüm und einen Hut, der mit einem kleinen Blumenstrauß geschmückt war.

»Lassen Sie los!«, rief die Frau, »das gehört mir! Es ist mein gutes Recht, hier zu stehen!«

»Ihr gutes Recht?« Der Mann hieb mit der Faust gegen das Schild. »Das ist Verrat an unseren Soldaten! Was fällt Ihnen ein, diese Männer zu beleidigen, mein Junge ist vor Johannesburg gefallen …«

Die meisten Passanten achteten nicht auf die beiden, doch Matilda ging spontan hinüber. Auf dem Schild las sie:

Neu gegründet:
SOUTH AFRICAN WOMEN
AND CHILDREN DISTRESS FUND

Wir sammeln Geld, um Burenfamilien zu helfen,
die all ihr Hab und Gut in diesem Krieg verloren haben.
Frauen und Kinder befinden sich in größter Not.
Bitte tragen Sie dazu bei, das Leid dieser Familien zu lindern.
Nicht nur unsere eigenen Männer sind in Gefahr,
auch die Familien des Gegners sind Opfer des Krieges.

»Warum sollten wir den Gegnern helfen?«, empörte sich der Mann. »Dafür ist mein Junge nicht gestorben.« Er riss so fest an dem Schild, dass es der Frau zu entgleiten drohte. Sie schaute sich Hilfe suchend um.

»Sir, lassen Sie das Schild los.«

Der Mann schoss herum. Matilda registrierte sein gerötetes Gesicht mit den geplatzten Äderchen, die trüben Augen, die gelb verfärbten Finger der linken Hand, die am Schild riss, den Trauerflor am Ärmel. Es war noch früh am Morgen, und doch roch sie den Alkohol in seinem Atem.

»Mischen Sie sich nicht ein! Na los, gehen Sie weiter. Müsst ihr Weiber euch zusammenrotten? Wo ist nur der Anstand geblieben? Als mein Junge starb, haben in London Frauen gegen unsere eigene Armee demonstriert. Das ist Verrat!«

Matilda zwang sich, ruhig zu sprechen. »Sir, ich kann Ihre Trauer verstehen. Sie haben einen schweren Verlust erlitten.

Aber diese Dame will sicher nur Gutes bewirken. Fast alle Soldaten dort unten haben Familien, nicht nur unsere eigenen Männer. Und die Frauen und Kinder der Buren leiden offenkundig bittere Not. Stellen Sie sich vor, Ihre eigene Familie wäre in dieser Lage.« Sie schaute den Mann prüfend an. Seine Unterlippe zitterte, und er presste den Mund zusammen, um es zu verbergen. »Mein eigener Bruder kämpft in Transvaal. Und ich bin mir sicher, er könnte weder ruhig schlafen noch seine Pflicht als Soldat tun, wenn er seine Familie in Not glaubte.«

Der Mann schaute zwischen den Frauen hin und her. Dann ließ er das Schild abrupt los und tauchte wortlos in der Menge unter.

»Ich danke Ihnen«, sagte die Frau. »Er kam so plötzlich … und er wirkte gefährlich.«

Matilda nickte. »Ich wünsche Ihnen viel Erfolg. Wir dürfen auch im Krieg die Menschlichkeit nicht vergessen.«

Nach dieser Begegnung hatte der Morgen eine andere Färbung angenommen, er schien ein wenig dunkler, mit etwas Wehmut versetzt. Umso dankbarer war sie für den Brief, den sie am Tag zuvor erhalten und in das Album mit den Familienfotografien gelegt hatte, in dem sie alles aufbewahrte, das kostbar und unersetzlich war.

Der Vormittag verging rasch. Eine Unterrichtsstunde folgte auf die andere, neue Bücher wurden ausgegeben, Arbeitspläne für das Schuljahr diktiert, und es gab eine Besprechung mit dem Kollegium. Wie sich herausstellte, war das Klavier im Musikraum völlig verstimmt und eine Wand im Kunstsaal feucht geworden und von Schimmel befallen. Die Köchin war am Vorabend auf der Treppe ausgerutscht und hatte sich das Handgelenk gebrochen, sodass man dringend Ersatz benötigte.

Am Nachmittag während der Stillarbeit fand Matilda endlich Zeit, Anne Ormond-Blythe in ihrem Zimmer aufzusuchen. Sie klopfte und öffnete nach einem leisen »Herein« die Tür.

Anne erhob sich sofort und strich unwillkürlich den Rock glatt. Sie war ein hübsches Mädchen mit hellblondem, fast weißem Haar und blauen Augen, die manchmal in Fernen zu blicken schienen, die niemand außer ihr sah. Sie wirkte immer ein wenig zerzaust – die Haare rutschten aus dem Zopf, die Brille saß meist schief, ihre Hände waren mit Tinte verschmiert. Anne war eine begabte Violinistin, und Matilda hoffte sehr, dass sie nach dem Schulabschluss ein Konservatorium besuchen würde.

»Miss Gray …«, sagte Anne etwas schüchtern. »Nehmen Sie bitte Platz.« Sie zeigte auf einen einfachen Holzstuhl, der neben dem Schreibtisch stand, und blieb selbst stehen, während Matilda sich setzte.

»Bitte.« Matilda gab ihr ein Zeichen, ebenfalls Platz zu nehmen. Sie schaute sich im Zimmer um. Auf der rechten Seite des Raumes standen an der Wand zwei weiß bezogene Betten. Auf einem lag ein offener Geigenkasten, das andere wirkte unberührt.

Ein großer Schreibtisch vor dem Fenster, der zwei Schülerinnen Platz bot, links davor ein Kleiderschrank. Die Bilder und Ansichtskarten an den weiß getünchten Wänden waren die einzigen Farbflecke im Raum.

»Es geht um Laura.«

Anne wandte leicht den Kopf zur Seite, als wollte sie Matildas Blick ausweichen. »Ich bedaure sehr, dass sie nicht mehr in der Schule ist. Wir haben uns gut verstanden.« Die Worte klangen seltsam endgültig. Matilda bemerkte, dass Anne nervös an einem Faden zupfte, der aus dem Saum ihres Ärmels hing.

»Ich bedauere es auch. Sie ist eine sehr begabte Schülerin, und ich hoffe, dass sie zurückkommt.«

Anne nickte nur.

»Laura wirkte am Ende des Schuljahrs noch völlig gesund. Daher war ich sehr betroffen, als ich von ihrer Krankheit hörte. Ist sie plötzlich aufgetreten?«

»Wir haben uns seit Juni nicht gesehen«, erwiderte Anne bedrückt.

»Weißt du, wo sie den Sommer verbracht hat?«

Anne zögerte, bevor sie antwortete. »Sie war wohl bei ihrem Vormund.«

»Habt ihr euch denn geschrieben? Ich möchte nur wissen, wie es Laura geht und wann wir mit ihrer Rückkehr rechnen können.«

Anne stand auf und sah aus dem Fenster, wobei sie Matilda den Rücken kehrte. »In den ersten beiden Wochen hat sie mir dreimal geschrieben, über Bücher und Konzerte und die Hündin der Nachbarn, die Junge bekommen hatte. Sie hatte auch eine Zeichnung dazugelegt.« Anne öffnete eine Schublade und holte ein Blatt heraus, das eine Cockerspaniel-Hündin zeigte, die mit ihren drei Welpen eingerollt in einem Korb lag. »Danach kam zwei Wochen gar nichts. Anfang August erhielt ich einen ziemlich kurzen Brief, in dem Laura von einem starken Husten berichtete, der sich einfach nicht bessern wollte. Sie müsse womöglich mit ihrem Vormund in ein wärmeres Klima reisen, auch wenn sie dann nicht pünktlich zum Schuljahresbeginn zurück sei.«

»Und danach hast du nichts mehr von ihr gehört?«

Anne schüttelte den Kopf. »Gestern war ihr Vormund hier. Es hat sich schnell herumgesprochen, dass er Laura zumindest bis zum Jahresende bei Miss Haddon entschuldigt hat.«

Matilda wartete darauf, dass Anne sich umdrehte, doch diese blieb am Fenster stehen. Das erschien Matilda ungewöhnlich, denn Anna war ein eher schüchternes Mädchen, das den Lehrerinnen stets respektvoll begegnete.

»Gut.« Matilda stand auf. »Dann will ich dich nicht länger von deinen Aufgaben abhalten. Hoffen wir, dass Laura sich bald erholt.«

Nun endlich wandte Anne sich um, und Matilda las etwas in ihrem Gesicht, das an Erleichterung grenzte. Sie warf einen Blick auf das unberührte Bett.

»Hättest du gern eine neue Mitbewohnerin? Ich glaube zwar, dass alle Mädchen untergebracht sind, aber ich könnte einmal nachfragen.«

»Danke, nein«, stieß Anne rasch hervor, »es … es käme mir vor, als würde ich Laura hintergehen. Klingt das albern?«

Matilda bemerkte, wie Anne die Röte vom Hals ins Gesicht kroch, und schüttelte den Kopf. »Nein, ich verstehe dich gut. Du kannst fürs Erste allein hier wohnen.« Sie nickte ihr noch einmal zu und verließ das Zimmer.

Auf dem Weg zum Bahnhof nahm Matilda ihre Umgebung kaum wahr. Sie hörte den Lärm der Straßen wie ein fernes Rauschen, das sie nichts anging.

Anne hatte sich seltsam verhalten. Es schien, als sei sie gekränkt, weil ihre Freundin die Ferien nicht bei ihr verbracht hatte. War etwas zwischen den Mädchen vorgefallen? Oder war Anne einfach nur besorgt wegen Laura? Jedenfalls schien sie die Einzige in der ganzen Schule zu sein, die Laura aufrichtig vermisste.

Vorhin hatte Matilda Miss White noch auf Laura angesprochen. Die Mathematiklehrerin hatte erklärt, das Mädchen werde ihr im Unterricht fehlen, dann aber hinzugefügt: »Mr. Easterbrook ist ein Gentleman und nimmt seine Pflichten sehr ernst. Laura könnte sich keinen besseren Vormund wünschen. Wir sollten aber auch nicht zu viel Aufhebens um eine einzelne Schülerin machen. Ich bin mir sicher, Mr. Easterbrook wird die richtigen Entscheidungen treffen.«

Matilda bewegte sich, als lenke etwas von außen ihre Schritte, während sie tief in Gedanken versunken war. Unvermittelt fand sie sich auf dem Bahnsteig wieder, als gerade ihr Zug einfuhr. Sie erwischte den letzten Sitzplatz neben einer älteren Dame, die über das Wetter plauderte, bis Matilda in Clapham umsteigen musste. Erleichtert verließ sie den Zug, denn sie konnte es nicht leiden, wenn man ihr nach einem langen Schultag in der Bahn Gespräche aufzwang.

Ihre Gedanken kehrten zu Anne zurück.

Sie hatte Matilda nicht in die Augen gesehen, ihr den Rücken gekehrt, seltsam förmlich über ihre Freundin gesprochen und geradezu erleichtert gewirkt, als Matilda sich zum Gehen wandte.

Gewiss, junge Mädchen waren Launen unterworfen. Vielleicht vermisste Anne ihre Freundin sehr und war zugleich eingeschüchtert, weil eine Lehrerin sie in ihrem Zimmer aufgesucht hatte.

Etwas ließ Matilda allerdings keine Ruhe. Hätte Laura einfach so die Schule verlassen, wäre sie enttäuscht gewesen, hätte sich aber damit abgefunden. Doch sie erinnerte sich an die Gefühle, die Laura ihr gestanden hatte, und hörte noch immer, mit welcher Leidenschaft das Mädchen die Gedichte rezitiert hatte, während die Junisonne warm ins Zimmer schien. Ein solches Mädchen gab die Schule nicht leichtfertig auf. Die Endgültigkeit, mit der alle über Laura sprachen, stimmte sie bedenklich.

4

Oktober 1900

In den folgenden Wochen war Matilda tagsüber so beschäftigt, dass sie kaum an Laura dachte. Eine Kollegin war erkrankt, und Matilda musste einen Teil ihres Unterrichts übernehmen. In der Schule wurde Laura kaum erwähnt; anscheinend hatten sich alle damit abgefunden, dass sie vorerst nicht wiederkommen würde. Anne wirkte allerdings noch stiller und in sich gekehrter als sonst. Doch Matilda war vorsichtig und sprach sie nicht mehr auf Laura an.

Wenn sie nach Hause kam, wartete Mrs. Westlake oft mit einem neuen Kapitel auf sie – Adela hatte es mittlerweile von den Karpaten in die Innere Mongolei verschlagen –, und der Abend verging wie im Flug. Erst im Bett fand Matilda Muße zum Nachdenken. Dann dachte sie zum Beispiel an die Begegnung in ihrem Zimmer – wie Lauras Hände das Buch umklammert hatten, wie hingerissen sie von den Gedichten gesprochen hatte, und sie fragte sich, ob das Buch sie wohl auf ihrer Reise in den Süden begleitete. Der Reise mit einem Mann, der schön war wie ein »präraffaelitischer Heiliger«. Seltsam, dass weder Miss Haddon noch ihre Kolleginnen sich zu fragen schienen, ob eine solche Reise den Anstand verletzte. Es reichte offenbar, dass Mr. Easterbrook Lauras Vormund und ein angesehener Rechtsanwalt war.

Mitunter stellte Matilda sich vor, wie Laura mit einem

Buch in der einen und einem Sonnenschirm in der anderen Hand durch antike Ruinen wanderte und den präraffaelitischen Mr. Easterbrook einfach hinter sich ließ.

Und dann, an einem trüben Morgen im November, fand sie die Postkarte in ihrem Fach.

Sie zeigte ein rundes Gemälde, das eine junge Frau mit einem goldenen Haarnetz und goldenen Ohrringen darstellte. Sie hielt ein Schreibgerät in der rechten Hand, das sie nachdenklich an die Lippen führte, und in der Linken einige Schreibtafeln, die von einem Band zusammengehalten wurden. Mit dem offenen Blick, der zarten Haut und den lockigen Haaren wirkte sie ungemein lebendig, obwohl das Bild sehr alt sein musste.

Matilda drehte die Karte um. Sie war in Neapel abgestempelt. Oben links stand sehr klein: *Donna con tavolette cerate e stilo, affresco, Pompei, Museo Archeologico Nazionale di Napoli.*

Dank ihrer Lateinkenntnisse konnte sie es übersetzen: Frau mit Wachstafeln und Stilus. Fresko. Pompeji. Archäologisches Nationalmuseum Neapel.

Dann fiel ihr Blick auf die Unterschrift, und sie atmete heftig ein. Rasch schob sie die Karte in die Rocktasche, da ihr jetzt keine Zeit blieb, sie in Ruhe zu lesen.

Während der folgenden Unterrichtsstunde meinte sie ständig, das kleine Papprechteck zu spüren, obwohl es leichter war als ein Taschentuch. Dennoch zwang sie sich, ihre Aufmerksamkeit den Schülerinnen zu widmen, auch wenn ihre Gedanken immer wieder zu der Karte wanderten.

In der Mittagspause eilte sie in ihr Arbeitszimmer, schloss die Tür und holte die Karte hervor. Die Schrift war klein, doch so gestochen scharf, dass die eng geschriebenen Zeilen gut zu lesen waren.

Liebe Miss Gray,
allerbeste Grüße aus Italien. Mein Husten hat sich gebessert. Das Essen ist ausgezeichnet, das Wetter immer noch recht mild. Als Nächstes reisen wir nach Griechenland.
    Herzliche Grüße,
    Ihre Laura Ancroft

Matilda atmete tief durch. Laura erholte sich und war ihr nicht böse. Das waren gute Nachrichten. Eine Bildungsreise nach Italien, träge Nachmittage in Galerien und Museen, bei denen sie Fresken aus Pompeji betrachtete. Sie drehte die Karte um und betrachtete noch einmal die junge Frau auf dem Bild – sie hatte ein wenig Ähnlichkeit mit Laura, und dass sie mit Schreibutensilien dargestellt war, machte sie noch sympathischer.

Matilda steckte die Karte in ihre Aktentasche und begab sich leichteren Herzens in den Speisesaal.

Am späten Nachmittag saß Matilda auf der Heimfahrt in einem überwarmen Zugabteil. Sie tastete in ihrer Aktentasche nach etwas, womit sie sich Luft zufächeln konnte, wobei ihr unversehens Lauras Karte in die Hände fiel. Sie las noch einmal, was das Mädchen geschrieben hatte. Ein unverbindlicher Urlaubsgruß, der von Wetter, Essen und persönlichem Befinden berichtete. Doch die Karte bedeutete ihr viel. Laura hatte die Schule nicht verlassen, um ihrer Lehrerin aus dem Weg zu gehen, sondern weil ihre Gesundheit tatsächlich angegriffen war.

Nun aber kam ihr eine neue Frage in den Sinn.

Wenn Laura sich schon die Mühe machte zu schreiben,

warum dann keinen Brief, in dem sie Matilda mehr über ihr Befinden und die interessante Reise hätte berichten können?

Kurz vor Chelsea wollte Matilda die Karte einstecken, als sie einen Fleck knapp unterhalb der Briefmarke bemerkte. Bisher hatte sie nicht darauf geachtet, weil sie sich ganz auf die Nachricht und das Gemälde konzentriert hatte; außerdem wurde er fast vom Stempel *Poste Italiane* verdeckt. Sie sah angestrengt hin, doch das Licht in der Bahn war nicht gut, und Matilda konnte mit bloßem Auge nicht erkennen, ob es Schmutz oder etwas anderes war.

Zu Hause ging sie sofort in ihr Zimmer, holte eine Lupe und trat mit der Postkarte unter eine Lampe, um den Fleck zu untersuchen. Im nächsten Moment erkannte sie, dass es gar kein Fleck, sondern ein winziger Pfeil war, der auf die Briefmarke wies. Was hatte das wohl zu bedeuten? Matilda eilte aus dem Zimmer.

»Wasserdampf?« Mrs. Roberts, die Köchin, schaute sie verwundert an.

»Ja, und bitte ganz rasch«, sagte Matilda.

Kurz darauf stand ein Topf mit Wasser auf dem Herd, das bald zu brodeln begann. Mrs. Roberts schob ihn vom Feuer und kehrte Matilda den Rücken zu. Ob es aus Diskretion oder Missbilligung geschah, weil die Mieterin sich in ihr Reich gedrängt hatte, war nicht zu erkennen.

Matilda bewegte die Karte vorsichtig über dem Dampf, bis sich die Ränder der Briefmarke einrollten und sie das Papierchen vorsichtig abziehen konnte. Sie bedankte sich bei der Köchin und lief zurück in ihr Zimmer. Dort untersuchte sie die Briefmarke, konnte aber nichts Besonderes daran feststellen. Doch als sie die Lupe über die Stelle hielt, an der die Marke geklebt hatte, sah sie es – winzige Buchstaben, mit Bleistift geschrieben.

Mein Zimmer, das bunte Spiel des Holzes, wo die Sonne hinfällt.

Matilda ließ sich auf einen Stuhl fallen, stützte die Ellbogen auf die Knie und legte die Fingerspitzen aneinander. Eine Botschaft unter der Briefmarke, geradezu melodramatisch – wie bei Adela Mornington! War es ein Rätsel, mit dem Laura sie unterhalten wollte? Ein kleines Spiel? Oder steckte etwas anderes dahinter?

Sie las den Satz noch einmal. *Mein Zimmer, das bunte Spiel des Holzes, wo die Sonne hinfällt.* Welches Zimmer meinte Laura? Ihr Zimmer in dem Hotel, das sie gerade bewohnte? Aber das ergab keinen Sinn. Der Satz musste sich auf ein Zimmer beziehen, das sie beide kannten – da blieb nur Lauras Zimmer in der Schule.

Das bunte Spiel des Holzes, wo die Sonne hinfällt. Welches Holz war gemeint – ein Möbelstück, die Bodendielen, die Wandtäfelung? Und was befand sich dort? Hatte Laura eine Nachricht hinterlassen? Oder gar etwas versteckt?

Matilda rollte die Lupe gedankenverloren auf der Tischplatte hin und her. Dann stand sie auf und schaute aus dem Fenster. Ihr Arbeitszimmer in der Schule blickte nach Westen, dort kam die Sonne erst abends hin. Wenn sie sich nicht irrte, lag das Zimmer, das Laura und Anne bewohnten, im entgegengesetzten Flügel, also nach Osten.

Morgensonne.

Am nächsten Tag sprang Matilda zeitiger als sonst aus dem Bett, da sie sah, dass die Sonne durchs Fenster schien. Auf dem Weg zur Schule blickte sie immer wieder besorgt zum Himmel und hoffte, das Wetter möge halten, bis sie in Lauras Zimmer gewesen war.

Im Klassenraum schrieb sie etwas an die Tafel und sah dann in die Runde. »Ich habe kurz etwas zu erledigen. Ihr beantwortet bitte die Fragen zu dem Gedicht von Wordsworth, mit dem wir gestern begonnen haben.«

Matilda wusste, dass Anne um diese Zeit bei Miss White im Mathematikunterricht saß. In der Schule herrschte die unausgesprochene Regel, die Zimmer nicht abzuschließen, aber stets zu klopfen, bevor man eintrat.

Als Matilda Annes Zimmer erreicht hatte, konnte sie ihr schlechtes Gewissen nicht ganz unterdrücken. Sie schaute sich verstohlen um und drehte vorsichtig den Knauf.

Die Tür schwang auf. Ein letzter Blick in den Flur, dann trat Matilda ein und schloss die Tür hinter sich. Die Sonne fiel schräg ins Zimmer. Sie rief sich die Worte ins Gedächtnis: *das bunte Spiel des Holzes, wo die Sonne hinfällt.*

Sie folgte dem Strahl vom Fenster durch den Raum, sah Staubpartikel darin tanzen und richtete den Blick auf den Dielenboden. Das Licht fiel auf den Schreibtisch am Fenster, auf den Boden, den Teppich vor Lauras Bett; es reichte bis in die Ecke links neben der Tür, wo ein hölzerner Handtuchhalter neben dem Waschbecken stand.

Im Flur erklangen Schritte. Matilda hielt erschrocken inne und horchte, hoffte, dass es nicht Anne war, die etwas vergessen hatte. Die Schritte wurden lauter und verklangen wieder.

Erleichtert kehrten Matildas Augen zum Sonnenstrahl zurück und folgten seiner Bahn. Da war der Schreibtisch, bedeckt mit Annes Büchern und Heften. Sie öffnete nacheinander alle Schubladen, keine war verschlossen. Sie tastete nach Fächern und doppelten Böden, doch vergeblich. Auch an der Rückseite war nichts zu finden.

Dann bemerkte sie aus dem Augenwinkel ein Flackern. Draußen war Wind aufgekommen, das Spiel der Zweige ließ Sonnenflecken über die Dielen tanzen. Das bunte Spiel des Holzes!

Matilda kniete sich hin, schob den Teppich beiseite und tastete den Boden ab. Drückte auf einzelne Dielenbretter. Nichts. Kein auffälliger Spalt, keine Öffnung, nichts, das ungewöhnlich aussah, kein Brett, das sich hätte herausheben lassen.

Vor dem Kleiderschrank zögerte sie. Er gehörte nicht zur Ausstattung der Schule, war vielleicht ein Erbstück, das eines der Mädchen mitgebracht hatte. Sie betrachtete nachdenklich die Türen, die mit Intarsien versehen waren. Dann schloss sie mit großem Unbehagen nacheinander beide Seiten auf. Lauras Hälfte war fast leer, nur ihr Schulkleid hing darin, im Fach darüber lag der passende Strohhut. Matilda klopfte gegen Rückwand und Seitenwände, öffnete die Wäscheschubladen – nichts. Enttäuscht schloss sie die Schranktür und schaute sich um.

Blieb nur die Ecke mit dem Handtuchhalter. Matilda schob ihn beiseite und unterzog den Boden der gleichen Untersuchung wie vorhin, fuhr die Rillen zwischen den Dielenbrettern ab und klopfte mit den Knöcheln dagegen. Zwischendurch sah sie auf ihre Taschenuhr, denn ihr lief die Zeit davon. Aber auch hier war nichts zu entdecken.

Matilda wollte gerade aufgeben, als sie erkannte, was sie übersehen hatte. Die Wände des Zimmers waren bis auf halbe Höhe mit Holz getäfelt, einem warmen, rotbraunen Holz, das zahlreiche Astlöcher und natürliche Muster aufwies. Der

Sonnenstrahl fiel bis in die Ecke, in der sich ein rechteckiger Vorsprung bis zur Decke zog, vielleicht ein verkleideter Kamin, der nicht mehr benutzt wurde und den man hinter der Täfelung verborgen hatte.

Sie spürte, wie ihre Haut kribbelte, als sie die Paneele und Zierleisten abtastete, unter denen sich die Stoßkanten verbargen. Knapp über dem Boden rutschte ihr Finger in einen Spalt unter einer Zierleiste. Sie drückte, und sofort fiel ihr die Leiste entgegen. Matilda holte einen Brieföffner vom Schreibtisch und schob ihn in die Rille zwischen den Paneelen. Mit einem Knacken löste sich das linke Paneel.

Dahinter waren die gemauerten Steine des alten Kamins zu sehen, und in der Öffnung, in der früher das Feuer gebrannt hatte, stand ein kleiner, hölzerner Kasten.

Matilda nahm ihn vorsichtig heraus. Dann setzte sie das Paneel wieder ein und stellte den Handtuchhalter zurück an seinen Platz. Sie klopfte ihren Rock ab, nahm den Kasten und ging zur Tür, wo sie erst horchte und dann vorsichtig in den Flur schaute. Niemand zu sehen. Die ganze Suche hatte keine zehn Minuten gedauert, ihr war es nur viel länger vorgekommen.

Sie eilte in ihr Arbeitszimmer, versteckte den Kasten im Schreibtisch und kehrte ins Klassenzimmer zurück. Erst als sie vor die Mädchen trat, spürte sie den Schweiß, der ihr über den Rücken rann.

Ausgerechnet an diesem Tag stand eine Theaterprobe an, und Matilda musste bis sieben Uhr in der Schule bleiben. Solange sie unterrichtet hatte, war es ihr gelungen, an die Arbeit zu denken und nicht an den Holzkasten in ihrem Schreibtisch. Nun saß sie im abgedunkelten Theatersaal und erteilte Mary

Clutterworth, die den Malvolio in Shakespeares »Was ihr wollt« spielte, Regieanweisungen.

»Du wolltest die Rolle unbedingt haben, Mary. Dann musst du auch versuchen ihre Tragik und Komik gleichermaßen zu erfassen. Wir sollen ihn zuerst lächerlich finden und am Ende bemitleiden. Das schaffst du bestimmt! Also bitte noch einmal von vorn.«

Sie lehnte sich auf dem harten Stuhl zurück und gab den Mädchen ein Zeichen. Nur die Bühne war beleuchtet und die Versuchung, mit den Gedanken abzuschweifen, wurde beinahe übermächtig.

Was mochte sich in dem Kasten befinden? Warum hatte Laura ihn in der Schule versteckt und nicht bei sich zu Hause? Warum hatte sie ihn überhaupt versteckt? Und warum der Hinweis unter der Briefmarke?

Matilda zuckte zusammen, als die Mädchen auf der Bühne zu sprechen begannen, und bekam ein schlechtes Gewissen. Nach der Arbeit, sagte sie sich, nach der Arbeit.

Als die Probe zu Ende war und die Schülerinnen die Bühne aufräumten, klopfte es. Matilda ging zur Tür des Theatersaals und zuckte zusammen, als sie sich Anne Ormond-Blythe gegenübersah.

Sie hat etwas gemerkt, durchfuhr es sie.

»Miss Chedley hat mich zu Ihnen geschickt«, sagte Anne. »Wegen der Musik … Ich soll doch zwischen den Szenen spielen.«

Matilda stieß erleichtert die Luft aus. »Ja, natürlich, Anne, komm herein.«

»Ich habe einige Passagen ausgesucht, die nicht lang sind und zum Stück passen würden«, sagte Anne und reichte Matilda eine Liste.

»Danke, ich sehe sie mir an. Ich freue mich, dass du mitmachst.« Matilda zögerte kurz, ehe sie fortfuhr: »Hast du mal wieder von Laura gehört?«

»Nein, leider nicht. Brauchen Sie mich noch, Miss Gray?«

»Danke, du kannst gehen. Wir besprechen morgen, wann du zu den Proben kommen musst.«

Als die Tür des Theatersaals hinter Anne zugefallen war, blieb Matilda in Gedanken versunken stehen. Auf der Bühne hörte sie die Mädchen kichern, ein Stuhl fiel um, jemand sagte »huch« und begann zu lachen. Gleich darauf kamen die Schülerinnen von der Bühne zu Matilda gelaufen.

»Wir sind fertig, Miss Gray!«

»Gut, ihr könnt gehen. Bis morgen!«

Als alle verschwunden waren, warf sie noch einen nachdenklichen Blick durch den Raum und schaltete dann das Licht aus.

Keine Ansichtskarte für Anne, ihre beste Freundin.

Stattdessen eine Botschaft für die Lehrerin.

Matilda ging in ihr Arbeitszimmer, verstaute den Kasten behutsam in ihrer Tasche und verließ die Schule. Sie rannte fast zum Bahnhof.

5

»Das war aber ein langer Tag. Essen Sie mit mir?«, ertönte Mrs. Westlakes Stimme, sobald Matilda die Tür aufschloss.

»Ich komme gleich, ich ziehe mich nur um!«, rief sie von der Treppe aus und eilte in ihr Zimmer. Sie schloss die Tür und holte den Holzkasten aus der Tasche. Dann schaltete sie die Schreibtischlampe ein. Tageslicht wäre natürlich besser gewesen, aber für einen ersten Blick genügte es.

Der Kasten war aus dunklem Holz gefertigt und recht verschmutzt, doch bei genauerem Hinsehen war auf dem Deckel und auch an den Seiten ein Muster zu erkennen. Matilda goss Wasser in die Waschschüssel, tauchte ein Taschentuch hinein und drückte es sorgfältig aus. Dann wischte sie behutsam über den Deckel. Der Schmutz löste sich, und wie durch ein Wunder tauchten fantastische Intarsien auf, Blumen und exotische Tiere, die in einem helleren Material gehalten waren. Sie strich mit dem Finger darüber. Konnte es Elfenbein sein?

Der Kasten war das Werk eines Künstlers.

»Der ist ja hübsch!«, rief Mrs. Westlake. »Ein bisschen ramponiert, aber wunderbar gearbeitet.«

»Ja, er ist zauberhaft«, sagte Matilda. »Und ich bin furchtbar neugierig auf den Inhalt.«

Mrs. Westlake hatte den Esstisch frei geräumt, über dem eine helle Lampe hing, und betrachtete hingerissen Matildas Entdeckung.

»Woher haben Sie ihn?«

Als Matilda ihr nach kurzem Zögern die Geschichte erzählte, wanderten Mrs. Westlakes Augenbrauen immer weiter in die Höhe. »Das ist ja wie in meinen Romanen!«, rief sie aufgeregt. »Eine Botschaft unter der Briefmarke? Ein Geheimversteck hinter der Wandtäfelung? Ich bin begeistert.«

Matilda lächelte. »Soll ich ihn öffnen? Die Bilder auf dem Kasten können wir uns später noch genauer ansehen.«

»Ich bitte darum!«

Matilda klappte den Deckel hoch. Obenauf lag ein Beutel aus dunkelblauem Samt, ein wenig verstaubt und mit dem Buchstaben K als Stickerei versehen. Sie nahm ihn heraus und lockerte die golddurchwirkte Schnur, mit der er verschlossen war. Dann drehte sie ihn um und ließ den Inhalt vorsichtig in ihre Hand gleiten.

Ein rundes Silbermedaillon.

Oben befand sich eine Öse, durch die man eine Kette fädeln konnte, und an der linken Seite ein Scharnier, mit dem sich die beiden Hälften aufklappen ließen. Auf dem Deckel war ein Muster eingraviert, das ohne Lupe nicht genau zu erkennen war.

Matilda merkte, dass sie den Atem angehalten hatte. »Wie wunderschön …« Sie legte das Medaillon auf den Beutel, schob den Fingernagel zwischen die Hälften und klappte es behutsam auf.

Den beiden Frauen entfuhr ein leises »Oh«, als sie den Inhalt erblickten. Kein Porträt eines geliebten Menschen, keine Haarsträhne oder ein anderes Erinnerungsstück, wie man sie häufig in solchen Schmuckstücken fand. Stattdessen enthielt die rechte Seite des Medaillons eine Zeichnung, fein, präzise und so rätselhaft, dass die beiden einander erstaunt anschauten.

»Das sieht aus wie Bienenwaben«, sagte Matilda.

»Eine Bohne mit Bienenwaben darauf«, ergänzte Mrs. Westlake. »Können Sie sich vorstellen, was das zu bedeuten hat?«

Matilda schüttelte den Kopf. »Nein, aber es sieht hübsch aus. Für eine Tuschezeichnung ist es beinahe zu fein.«

»Sehr ungewöhnlich jedenfalls. Man würde das Porträt eines Kindes oder des Ehemannes darin erwarten, nicht etwas so … Wissenschaftliches.«

Matilda klappte das Medaillon zu und strich über die Außenseite. »Haben Sie eine Lupe?«

Mrs. Westlake ging zur Anrichte und kramte in einer Schublade. Dann kehrte sie mit einer lederbezogenen Schatulle zurück, in der eine große Leselupe mit silberner Fassung lag.

»Möchten Sie?«, fragte Matilda höflich, doch Mrs. Westlake schüttelte den Kopf. »Sie haben die Karte entschlüsselt und sich in Gefahr gebracht, um diesen Schatz zu finden. Also dürfen Sie als Erste schauen.«

»Nun, in Gefahr ist sicher etwas übertrieben«, sagte Matilda lächelnd und nahm die Lupe entgegen.

»Stellen Sie sich vor, man hätte Sie dabei überrascht, wie Sie das Zimmer einer Schülerin durchsuchen … das hätte sehr unangenehme Folgen gehabt!«

Matilda schluckte bei der Erinnerung an die wenigen Minuten, die sie in Lauras Zimmer verbracht hatte. Mrs. Westlake hatte recht – sie hatte ihre Stelle aufs Spiel gesetzt; ein solches Risiko durfte sie nicht noch einmal eingehen.

Sie setzte sich hin, schob das Medaillon genau unter die Lampe und hielt die Lupe darüber. Dann bewegte sie sie vorsichtig hin und her, kniff die Augen zusammen, veränderte den Abstand.

»Was ist?«, fragte Mrs. Westlake gespannt.

»Ich glaube, das sind Ranken. Schwer zu erkennen. Irgendetwas Pflanzliches, würde ich sagen. Vielleicht nur eine Verzierung.« Sie drehte das Medaillon um und stieß ganz undamenhaft einen Pfiff aus. »Oh, das ist interessant. Irgendein Symbol.«

Sie reichte die Lupe weiter. »Schauen Sie mal.«

Mrs. Westlake setzte sich neben sie und hielt die Lupe über das Medaillon. Dann holte sie einen Bleistift und ein Blatt Papier aus einer Schublade und zeichnete das Symbol ab.

»Hm, so ungefähr, oder? Haben Sie so etwas schon einmal gesehen?«

Matilda schüttelte den Kopf. »Der obere Teil erinnert an die Zahl vier in Druckschrift. Das darunter könnte ein C sein. Aber beides zusammen sagt mir nichts.«

»Was steht auf dem Beutel?«, fragte Mrs. Westlake.

»K. Vielleicht für den Vornamen der Besitzerin. Aber wie passen das Symbol und die Zeichnung von der Bohne im Innern des Medaillons zusammen?«

»Das werden Sie schon noch herausfinden, meine Liebe.« Mrs. Westlake warf einen Blick auf den Holzkasten. »Darf ich? Da ist ja noch mehr drin.« Sie holte eine angelaufene Metallkette heraus, an der ein länglicher Gegenstand hing.

Matilda nahm ihn in die Hand und drehte ihn zwischen den Fingern. Eine grüne Glasflasche, eingefasst von einem metallenen Gitter. Sie hielt den Anhänger an der Unterseite fest und zog vorsichtig am oberen Ende. Ein Stöpsel löste sich. Matilda hob ihn an die Nase.

»Sie riecht nach nichts, sieht aber aus wie eine Parfümflasche.«

»Die waren früher recht verbreitet. Es gibt ganz wunderbare Exemplare, mit Perlen und Edelsteinen besetzt«, sagte Mrs. Westlake. »Adela hat auch so eine, allerdings mit Gift darin. Man weiß nie, wozu man es gebrauchen kann.«

Matilda lächelte, hatte jetzt aber keinen Sinn für Adelas Abenteuer. »Schauen Sie nur!« Sie griff in den Kasten und holte behutsam ein Stück Stoff heraus, in das etwas eingewickelt war. »Ein besticktes Halstuch. Für ein Taschentuch ist es zu groß. Sehen Sie die Blumen? Das könnten Vergissmeinnicht sein.«

Das Stickgarn war verblichen und stellenweise zerfasert, doch einige Blumen waren noch zu erkennen. Der Batist war wohl einmal weiß gewesen, nun aber gelbgrau verfärbt. Dann schlug Matilda den Stoff vorsichtig auseinander.

»Ein kleines Buch«, sagte Mrs. Westlake.

»Es scheint sehr alt zu sein, genau wie das Tuch.« Matilda strich über den roten Ledereinband und klappte es auf. »Oh, nein, schauen Sie!«

Mrs. Westlake beugte sich näher zu ihr. »Es muss irgendwann nass geworden sein. Die Seiten sind gewellt, und die Tinte ist verlaufen. Aber warten Sie …« Sie blätterte weiter nach hinten. »Es ist nicht alles unleserlich geworden. Es erfordert sicher Mühe, aber ich glaube, man könnte einiges entziffern.«

Wo die Buchstaben nicht zu blassen Tintenflecken zerlaufen waren, war die Handschrift klein und gestochen scharf, wurde gegen Ende aber zunehmend fahriger.

Matilda spürte ein Kribbeln, als sie das Buch durchblätterte, als stiege etwas aus den Seiten in ihre Fingerspitzen. Ob Laura Ancroft genauso empfunden hatte, als sie das Buch zum ersten Mal in Händen hielt? Der Gedanke zog die nächste Frage nach sich: Warum hatte Laura gewollt, dass ausgerechnet sie den Kasten fand?

Als sie zur letzten Seite kam, rutschte ein gefaltetes Stückchen Papier heraus. Darauf stand mit Bleistift und in einer Schrift, die sie nur zu gut kannte: *Ein Haus unter dem Haus.*

»... kein Ende ... Apotheke ... grauenhaft und unermesslich ... übers Meer ... fürchtete mich sehr ... auch in St. Giles ... Mutter ...«

Matilda massierte mit allen zehn Fingern ihre Kopfhaut, um die Müdigkeit zu vertreiben. Sie saß seit zwei Stunden über dem Buch, doch die Wasserschäden waren beträchtlich, und sie hatte erst wenige Fragmente entziffert.

Sie verschränkte die Hände im Nacken und lehnte sich zurück. Laura hatte einen Plan verfolgt, als sie Matilda die Postkarte mit der geheimen Botschaft schickte, wollte sie eindeutig zu dem Kasten führen – doch was sollte Matilda damit anfangen? Laura musste wissen, dass das Buch kaum zu entziffern war. Es schien auch kein richtiges Tagebuch zu sein, da keine Daten über den Einträgen standen. Die Bruchstücke, die sie bisher entziffert hatte, erklärten gar nichts.

Und was war mit den anderen Gegenständen? Was sollte Matilda damit anfangen – sie für Laura aufbewahren?

Matilda stand auf, öffnete die Zimmertür und horchte. Mrs. Westlake hatte noch Besuch, von unten waren mehrere Frauenstimmen zu hören. Natürlich konnte sie warten, bis die Damen gegangen waren, doch Mrs. Westlakes Freundinnen blieben oft sehr lange. Entschlossen legte sie ein Tuch um die Schultern und ging nach unten, wo sie an die Wohnzimmertür klopfte.

»Herein, meine Liebe.«

Matilda sah sich Mrs. Westlake und zwei Damen gegenüber, die beim Wein saßen. Eine von ihnen war füllig und hatte rot gefärbte Haare. Die andere war schmal gebaut, trug eine runde Brille und eine Art Überwurf, der mit farbenfrohen afrikanischen Mustern bedruckt war.

»Oh, welch eine Freude«, sagte die Füllige und gab Matilda die Hand. »Endlich lernen wir deine zauberhafte Mieterin kennen. Mrs. Florence Lark, nicht Nightingale.« Sie brach in dröhnendes Gelächter aus.

»Matilda Gray, es ist mir ein Vergnügen«, sagte Matilda lächelnd.

»Die gute Florence illustriert meine Geschichten«, erklärte Mrs. Westlake. »Und hier haben wir Miss Dorothy Mulcaster. Sie ist eine gefürchtete Kritikerin in meinem Genre. Sie hat schon einige zunächst vielversprechend erscheinende Karrieren zerstört.«

»Jetzt hält Miss Gray mich für ein Ungeheuer«, sagte Miss Mulcaster und drohte spielerisch mit dem Zeigefinger. »Ich erhebe auch die eine oder andere zu Sternen am Firmament des Groschenromans. So wie dich, liebste Bea.«

Matilda überlegte, wie sie möglichst rasch ihre Frage stellen und sich wieder zurückziehen konnte.

»Ein Glas Wein?«, fragte Mrs. Westlake.

»Nein danke, ich möchte nicht lange stören. Ich habe nur eine Frage.« Sie zögerte, weil sie ihren Fund den Fremden gegenüber lieber nicht erwähnen wollte. »Können Sie mir jemanden empfehlen, der mir bei meinen Forschungen weiterhelfen kann?«, fragte sie daher mit einem bedeutungsvollen Blick.

»Ach ja, die Forschungen«, sagte Mrs. Westlake. »Mal überlegen. Alte, kaum entzifferbare Manuskripte, Kunsthandwerk, Schmuck – wer kommt euch da in den Sinn?«

»Der Sammler«, sagte Mrs. Lark, »wer sonst?«

»Der Sammler?« Matilda schaute von einer Frau zur anderen. Alle drei nickten in tiefem Einverständnis. »Wer ist das bitte?«

»Oh, den müssen Sie kennenlernen, Matilda, er ist eine Londoner Institution! Von undefinierbarem Alter, zweifelhaftem Aussehen und ungemein verdrießlich, aber eine Koryphäe für alles, was alt und wertvoll ist.«

»Wobei er ›Wert‹ auf sehr eigene Weise definiert«, fügte Miss Mulcaster hinzu. »Nicht nur im schnöden materiellen Sinn. Er hat mir einmal eine Sammlung mittelalterlicher Gedichte gezeigt … nichts, das man in guter Gesellschaft zitieren könnte, aber die hätte er um keinen Preis hergegeben.«

»Interessant«, sagte Matilda.

»Er ist wirklich ein Fachmann«, versicherte Mrs. Westlake, die ihr Zögern zu bemerken schien. »Wenn Ihnen jemand mit den Funden weiterhelfen kann, dann er. Ich schreibe Ihnen die Adresse auf.«

Sie riss ein Blatt aus dem Notizbuch, das sie immer neben sich liegen hatte, um Ideen festzuhalten, notierte etwas darauf und reichte es Matilda. »Darf ich Ihnen wirklich nichts anbieten?«

Matilda schüttelte den Kopf. »Danke, ich habe einiges an Schlaf nachzuholen. Ich wünsche Ihnen allen noch einen angenehmen Abend.«

Sie verließ den Raum so rasch es die Höflichkeit erlaubte und entfaltete in ihrem Zimmer das Blatt.

Joseph Arkwright
Feine Antiquitäten & Kuriosa
23c Folgate Street
Spitalfields

Matilda schluckte. Spitalfields war eine der verrufensten Gegenden der Stadt. Und ausgerechnet dort sollte es jemanden geben, der ihr bei den Nachforschungen helfen konnte?

Schweren Herzens ging sie zu Bett, lag da und schaute zu den Schatten an der Decke empor. Nicht zum ersten Mal fragte sie sich, was sich Laura Ancroft gedacht hatte, als sie ihr die Karte schrieb. Und ob Matilda ihr Vertrauen wirklich verdiente.

Am nächsten Morgen konnte sie sich nicht erinnern, was sie geträumt hatte, wachte aber mit neuem Mut auf. Ihr Blick fiel auf den Zettel, den sie auf den Nachttisch gelegt hatte, und sie lächelte. Es war undenkbar, nach dem Unterricht im Dunkeln noch nach Spitalfields zu fahren, doch heute war Samstag, und da fand in Riverview traditionell kein Unterricht statt. Der Tag war der stillen Arbeit, dem Musizieren oder sportlichen Aktivitäten vorbehalten, die als wichtige Bestandteile der Erziehung galten.

Sie reckte und streckte sich, die Bettdecke bis ans Kinn gezogen. Neun Uhr. Sie würde noch ein paar Minuten liegen bleiben, um Kraft für ihre Unternehmung zu sammeln.

6

Der Tag brachte kühles, trockenes Wetter, das wie geschaffen war für ihren Ausflug. Sie würde mit Mr. Arkwright sprechen und vielleicht dem einen oder anderen Hinweis nachgehen. Oder sich, falls der Besuch enttäuschend verlief, in einer Konditorei mit Kuchen und Tee trösten. Ein guter Plan, dachte sie, bevor sie unschlüssig vor dem Schreibtisch stehen blieb, auf dem der Kasten stand.

Matilda besaß eine Handtasche, die groß genug war, um ihn darin zu verbergen, aber es bestand die Gefahr, dass in dieser unsicheren Gegend jemand versuchte, sie zu bestehlen … Doch ihr blieb nichts anderes übrig, als den Kasten einzupacken, schließlich musste sie ihn diesem Sammler zeigen, wenn sie sich eine zuverlässige Auskunft erhoffte. Sie hatte zudem ihre schlichteste Kleidung gewählt und statt eines Hutes eine gestrickte Wollmütze aufgesetzt.

Matilda nahm die Untergrundbahn. Die Fahrt bis Aldgate East dauerte lange, aber sie musste wenigstens nicht umsteigen.

Je weiter sie fuhr, desto leerer wurde das Abteil und desto ärmlicher wirkten die Menschen, die ein- und ausstiegen. Matilda saß auf ihrer Bank, die Tasche auf dem Schoß, bemüht, den Griff nicht zu fest zu umklammern, denn sie wollte nicht die Aufmerksamkeit darauf lenken.

Als der Zug in den Bahnhof fuhr, der der Folgate Street am nächsten lag, stieg sie rasch aus und begab sich zielstrebig zum Ausgang.

Das Gebäude aus dunklem Backstein war niedrig, da sich

die Station selbst unter der Erde befand. Der Eingang wurde von mannshohen Mauern gesäumt, an denen dicht an dicht bunte Reklameplakate klebten und die von einem zackenbewehrten Eisengitter gekrönt waren. Die Häuser daneben waren viel höher, das Bahnhofsgebäude schien sich zwischen die großen Nachbarn zu ducken.

Matilda erinnerte sich, dass hier einmal das östlichste Stadttor Londons gestanden hatte, von dem nur noch der Straßenname zeugte. Die Stadt war weit darüber hinausgewachsen, hatte die engen Grenzen hinter sich gelassen und wucherte immer weiter.

War es der Inhalt ihrer Tasche, der ihre Gedanken wandern ließ? Die Vorstellung, dass dieses Tor vielleicht noch hier stand, als ein Mensch das Medaillon getragen und in das Buch geschrieben hatte? Matilda gab sich einen Ruck und sah sich um. Dort war die Kreuzung, an der die Commercial Street begann. Sie hatte sich den Weg zu Hause mithilfe eines Stadtplans eingeprägt, damit sie hier nicht suchend herumlaufen musste. Wer sich in dieser Gegend anmerken ließ, dass er sich nicht auskannte, war sicherlich verloren. Entschlossen überquerte Matilda vor einem Pferdeomnibus die Straße und bog an der nächsten Ecke nach links ab.

Ihr erster Eindruck war Chaos, der zweite, dass dies London war und doch eine völlig andere Stadt als jene, in der sie lebte. Die Fahrbahn war verstopft mit Pferdefuhrwerken, Omnibussen und Straßenbahnen, deren Schienen sich wie Schnitte durch das Pflaster zogen. Sie als Fußgänger zu überqueren, schien ein reines Glücksspiel, bei dem die eigene Gesundheit als Einsatz diente.

Zum Glück konnte Matilda auf ihrer Straßenseite bleiben. Auch hier drängten sich die Menschen, Händler bauten ihre

Waren auf und machten den Gehweg dadurch so eng, dass Matilda ständig von dahineilenden Passanten angerempelt wurde. Sie umfasste ihre Tasche fester, straffte die Schultern und ging schneller.

Ganz unterschiedliche Menschen waren hier unterwegs. Noch nie hatte sie so viele Dunkelhäutige gesehen, manche in der Kleidung ihrer Heimat, mit Turbanen und in fremdartigen Gewändern. Matilda fing im Vorübergehen Wortfetzen in Sprachen auf, deren Klang ihr nicht vertraut war. Während sie an den braunen und roten Ziegelfassaden der Geschäfte, Lagerhäuser und Pubs vorbeiging, versuchte sie möglichst zu verdrängen, was sie über die Straße, die umliegende Gegend und deren Bewohner wusste.

Geschichten über die Rookeries, die berüchtigten Slums, wo sich die Menschen in den Häusern auf engstem Raum drängten, wo gähnende Fenster mit Lumpen und Papier notdürftig zugestopft waren, wo schmale Durchgänge und Sackgassen im Nichts endeten. Dort herrschten eigene Gesetze.

Und dann waren da die Whitechapel-Frauenmorde, die vor zwölf Jahren ganz England entsetzt hatten. Sie waren nie aufgeklärt worden und beschäftigten nach wie vor die Fantasie der Menschen. Wer an Spitalfields und Whitechapel dachte, erinnerte sich unwillkürlich an den geisterhaften Mörder, der die Gassen und Hinterhöfe in- und auswendig kannte und unerkannt im Dunkeln zugeschlagen hatte.

Matilda gab sich einen Ruck. Sie spürte neben der Angst auch ein leises Flattern im Bauch, das nichts mit Furcht zu tun hatte. Um nichts in der Welt hätte sie sich im Dunkeln nach Spitalfields gewagt, doch bei Tag fühlte sie sich halbwegs sicher. Und abenteuerlustig.

Kurz vor der Kreuzung Wentworth Street sprach sie ein

Mann an, der an einer Hauswand lehnte – einen Fuß gegen die Mauer gestemmt, die Mütze schief auf dem Kopf, die Daumen in den Hosenbund gehakt. »Wohin so eilig, meine Hübsche?«

Matilda wollte weitergehen, doch der Mann stieß sich von der Hauswand ab und vertrat ihr den Weg. Sein Grinsen entblößte gelbe, lückenhafte Zähne. »Feine Damen wie dich sieht man hier selten.«

Sie schaute sich um, doch niemand schien sich für ihre Lage zu interessieren. Sie wollte nach rechts ausweichen, worauf der Mann einen Schritt nach links machte. Matilda spürte, wie ihre Kehle eng wurde. Nicht schon auf dem Hinweg, dachte sie, nicht bevor sie ihr Ziel erreicht hatte.

In diesem Augenblick legte sich eine Pranke auf die Schulter des Mannes und schob ihn beiseite. »Weg da, Bill, sonst kann du heute auf der Straße pennen.« Der Hinzugekommene, ein hünenhafter Kerl mit rötlichem Vollbart, tippte sich an den Hut. »Verzeihung, Miss, kommt nicht wieder vor.«

Matilda sah zu, wie der Riese den anderen in den Eingang des Hauses zerrte. »Du kennst die Regeln, Bill. Wer sich nicht benimmt, ist draußen.« Er schubste den Mann durch die Tür, dann waren beide verschwunden.

Erst jetzt bemerkte Matilda das Schild über dem Eingang: VICTORIA-HEIM FÜR ARBEITENDE MÄNNER. Das musste eine der preiswerten Unterkünfte für alleinstehende Männer sein, in denen diese für wenig Geld übernachten und sich waschen oder baden konnten. Sie hatte in der Zeitung gelesen, dass dort sehr strenge Vorschriften herrschten, um den ohnehin zweifelhaften Ruf der Häuser nicht noch weiter zu beschädigen.

Als sich ihr Herzschlag beruhigt hatte, ging sie weiter. Wie dumm, sich so leicht einschüchtern zu lassen! Eigentlich war sie nicht ängstlich, es lag wohl am Gefühl der Fremdheit. London barg eine ganze Welt in sich. Hier gab es Viertel, in denen unaussprechliche Armut herrschte, in denen ein ganzer Straßenzug weniger Geld besaß, als eine Familie im Westen wöchentlich für Lebensmittel ausgab.

Noch einmal würde ihr das nicht passieren. Beim nächsten Mal würde sie demjenigen gewaltig auf den Fuß treten oder einen Polizisten rufen. Sie schritt entschlossen aus und las im Vorbeigehen die Namen der Querstraßen. Bis zur Folgate Street war es ein ganzes Stück, und Matilda war froh, dass sie bequeme Schuhe angezogen hatte.

An der nächsten Ecke zweigte links die Dorset Street ab. Mrs. Westlake hatte ihr kürzlich einen Zeitungsartikel vorgelesen, in dem sie als verrufenste Straße Londons bezeichnet wurde. Hier gab es nur zwei Etablissements, die ehrlich ihr Geld verdienten – ein Postamt und einen Pub. Hinter den übrigen rußgeschwärzten Fassaden verbargen sich billige Absteigen und schäbige Mietwohnungen. In einer der Hinterhofwohnungen hatte man das letzte, unaussprechlich zugerichtete Opfer des Whitechapel-Mörders gefunden. Matilda schluckte und warf einen flüchtigen Blick in die Straße. In den Rinnsteinen sammelte sich Unrat, und der Geruch, der ihr entgegenwehte, ließ sie noch schneller gehen.

Sie kam an der lang gestreckten roten Backsteinfassade des Spitalfields Market vorbei, der einen ganzen Häuserblock einnahm. In den Läden türmten sich Körbe, Kisten und Kartons mit Früchten und Gemüsesorten, es wurde gefeilscht, und die lauten Rufe der Händler, die einander zu übertönen suchten, hallten über die ganze Straße. Männer in Schürzen stapelten leere Kisten aufeinander, Jungen mit schweren Tragekörben auf dem Rücken eilten vom Markt in alle Richtungen.

»Eine Orange für die Dame! Erst kosten, dann kaufen!«
Ein zahnloser alter Mann mit Turban hielt ihr das Obst hin.
Matilda zögerte kurz, holte dann aber eine Münze aus der Ta-
sche. »Die esse ich später.«

Hinter der Markthalle beschrieb die Straße eine Links-
kurve. Gleich hatte sie es geschafft. Die nächste musste die
Folgate Street sein.

Die Straße lag verlassen da. Kopfsteinpflaster, rote, gelbe
und braune Backsteinfassaden aus georgianischer Zeit. Die
Häuser wirkten gepflegter als die bisherigen, und es roch auch
nicht so unangenehm. Matilda atmete erleichtert auf.

Sie blieb vor einem ehemals eleganten Haus stehen, dessen
weiß gefasste Schiebefenster und schön geformter Messing-
klopfer von besseren Zeiten kündeten. Neben der Haustür war
ein Schild mit einem Pfeil nach unten angebracht.

Joseph Arkwright
Feine Antiquitäten & Kuriosa

Drei ausgetretene Stufen führten zum Souterrain hinunter, das
man nur durch ein glänzend schwarz gestrichenes Eisengitter
erreichte. Es gab eine schmale Tür und ein Schaufenster, durch
das ein buntes Sammelsurium von Gegenständen zu sehen
war. Matilda drückte gegen die Tür, die knarrend nach innen
aufschwang.

Der Geruch, der sie umfing, war fremd und doch vertraut.
Staub, Papier, Parfüm, Holz, Gewürznelken, Lampenöl – all
das kitzelte gleichzeitig ihre Nase. Hier drinnen war es viel
dunkler als auf der Straße. Es gab kein elektrisches Licht, nur
wenige Petroleumlampen, die auf Tischen standen, und den
trüben Schein, der durch die schmierigen Fensterscheiben fiel.

Matilda schaute sich um. Der Raum, in dem sie stand, war klein und ungeheuer vollgestopft.

»Was bringen Sie mir da?«

Sie zuckte zusammen, als sich ein älterer Mann aus den Schatten löste und auf sie zukam. Er trug eine Art Morgenrock aus verschlissenem Samt, dessen Kordel bis zum Saum herunterbaumelte, und auf dem Kopf eine bestickte Mütze. Seine Stimme klang rau, als spräche er selten.

Er blieb vor Matilda stehen. Ein faltiges Gesicht mit tiefen Furchen, die von der Nase zum Mund verliefen. Unrasiert. Schmale Lippen. Hinter einem Kneifer auffallend lebhafte dunkle Augen, die zu einem jüngeren Mann gepasst hätten.

»Sind Sie Mr. Arkwright?«, fragte sie.

»Höchstpersönlich. Jemand anderen werden Sie hier selten antreffen.« Er lachte, was beinahe wie ein Gackern klang.

»Man hat Sie mir empfohlen. Ich würde Ihnen gern etwas zeigen.«

Er zog eine Augenbraue hoch und warf einen Blick auf ihre Tasche. »Ich weiß. Etwas, woran Ihnen viel liegt. Darum halten Sie den Griff so fest umklammert.« Er reckte sich und nahm eine große Petroleumlampe vom Regal. Er stellte sie auf einen Tisch und zündete sie an, worauf sich ein deutlich helleres Licht ausbreitete.

»Die mache ich nur selten an«, sagte er. »Öl und Petroleum sind teuer.«

»Darf ich mich umsehen?«, fragte Matilda.

»Wenn's sein muss.« Er nahm den Kneifer ab, hauchte darauf und rieb ihn am Morgenmantel sauber. »Möchte wetten, Sie wollen Geld bekommen statt welches auszugeben.«

Aladins Zauberhöhle, dachte Matilda staunend, während sie langsam umherschlenderte, sich bückte oder Dinge in die

Hand nahm. Nichts passte zueinander, keine zwei Gegenstände gehörten in dieselbe Epoche oder dienten demselben Zweck. Figuren, Porzellan, Bilder, Bücher, Schmuck, Werkzeuge, Nähutensilien, Parfümflaschen, Kerzenleuchter, Küchengeräte, Kleidung, Stoffe, Landkarten, Spielzeug, Hutschachteln, Taschentücher – alles wie von Riesenhand durcheinandergewirbelt.

Von der Decke hingen ein Fischernetz, eine Seidengirlande, ein papierner Sonnenschirm, ein hölzerner Ventilator – und das waren nur die Dinge, die sie auf den ersten Blick erkannte.

Matilda drehte sich um und raffte dabei den Rock, um nicht die meterhohe chinesische Vase umzuwerfen, die sie beinahe übersehen hätte. Dann deutete sie auf einen angrenzenden, besser beleuchteten Raum. »Darf ich?«

»Gehen Sie nur«, knurrte Mr. Arkwright und zündete eine Pfeife an, die plötzlich in seiner Hand lag. Der Tabak verströmte einen schweren, süßlichen Duft.

Matilda war es nicht gewohnt, dass man in ihrer Gegenwart rauchte, und der Geruch stieg ihr zu Kopf. Sie spürte eine sonderbare Leichtigkeit, als schwebte sie über dem Boden. Das alles war faszinierend genug, um die unfreundliche Art des Besitzers wettzumachen.

Der nächste Raum war weniger überfüllt und mit Holztischen versehen, auf denen unter Glas Landkarten und alte Dokumente ausgestellt waren.

Matilda beugte sich über einen Schaukasten. »Oh, ein alter Plan von London!«, sagte sie aufgeregt. Anders als bei den modernen Stadtplänen waren Häuser, Kirchen und Felder bildlich und in leuchtenden Farben dargestellt, ebenso die Segel- und Ruderboote, die auf der Themse fuhren. Unten in der Mitte waren mehrere Personen abgebildet. Matilda schaute sich die Kleidung genauer an. »Sechzehntes Jahrhundert? Und es gibt nur eine Brücke, das muss wohl die London Bridge sein. Man erkennt sogar die Häuser, die daraufstehen.« Dann fuhr sie mit dem Finger nach links. »Und hier, zwei Theater. Vielleicht ist eins davon Shakespeares Globe.«

Sie zuckte zusammen, als sie Arkwrights Stimme unmittelbar hinter sich hörte. »Fast alles richtig – nur mit Shakespeare irren Sie. Der Kupferstich ist um 1560 entstanden, da war er noch nicht geboren. Das Bild stammt aus dem Buch ›Civitiates Orbis Terrarum‹, erschienen 1572.«

Matilda schaute versonnen auf den Plan. »Wie anders die Welt aussah … Hier, die Stadtmauer. London war so klein!«

Der Sammler trat auf die andere Seite des Schaukastens. »Ich weiß noch immer nicht, was Sie herführt. Interessiert Sie die Geschichte der Stadt?« Er klang nun etwas verbindlicher.

Matilda dachte rasch nach und entschied sich für eine ehrliche Antwort. »Ich weiß nicht viel darüber, nur was man in der Schule lernt. Und ich habe das eine oder andere gelesen.«

»Falsche Bescheidenheit ist mir ein Gräuel. Sie haben den Plan recht gut gedeutet. Ich verrate Ihnen was, Miss …«

»Gray.«

»Miss Gray, das wahre Geheimnis liegt unter unseren Füßen.«

Sie schaute unwillkürlich auf den Boden. Steinerne Fliesen, nicht ganz sauber.

Wieder das gackernde Gelächter. »Nicht unter diesem Boden.« Arkwright holte weit aus, dass die Ärmel seines Morgenrocks zurückrutschten und sehnige weiße Arme entblößten. »Unter der ganzen Stadt.«

Die Unterhaltung hatte eine Richtung genommen, die Matilda faszinierte. Warum sollte sie sich nicht von einem alten

Mann in die Geschichte entführen lassen? Er mochte menschenscheu oder ein bisschen verrückt sein, aber seine Worte zogen Matilda magisch an.

»Unter der Stadt gibt es ein Geheimnis?«

»Nicht eins, viele. Kennen Sie Eisberge?«

»Ich habe von ihnen gehört«, sagte Matilda, verwundert über den neuerlichen Gedankensprung.

»Dann wissen Sie auch, was das Besondere an ihnen ist. Der größte Teil verbirgt sich unter Wasser.«

»Und was hat das mit London zu tun?«

»Mit der Stadt verhält es sich genauso. Wir sehen die Häuser und Straßen, die Parks und Fabriken, Lagerhäuser, Kirchen, Schlösser ... aber es gibt auch ein London darunter, eine Stadt unter der Stadt. Straßen, Flüsse, Mauern, Ruinen, verborgene Räume, Rohrleitungen, manches jünger, vieles uralt. Wir gehen täglich darüber hinweg, ohne je daran zu denken, dass unsere Stadt unter der Oberfläche weitergeht, sich in die Tiefe erstreckt, in längst vergangene Zeiten.«

Der Sammler schien nur darauf gewartet zu haben, dass er jemandem davon erzählen konnte.

»Sind Sie mit der Untergrundbahn gekommen?«

»Ja, ich bin in Aldgate East ausgestiegen.«

Er wirkte enttäuscht. »Über diesen Bahnhof kann ich Ihnen nichts erzählen. Aber falls Sie nach Cannon Street kommen ...« – er legte eine dramatische Pause ein –, »... dann denken Sie an den Fluss.«

»Welchen Fluss? Die Themse?« Der Bahnhof stand unmittelbar am Ufer.

Mr. Arkwright schüttelte den Kopf, ein selbstzufriedenes Lächeln auf den Lippen. »Das Wasser unter der Stadt. Dreizehn Ströme und Bäche, alle unter Mauern und Pflaster begraben. Sie fließen noch immer, auch wenn wir sie nicht sehen können. Die Straßennamen sind das Einzige, was an sie erinnert.«

»Und was hat das mit Cannon Street zu tun?«

»Der Walbrook mündet unter diesem Bahnhof in die Themse. Er ist der heiligste aller Flüsse Londons. Wo er entspringt, stand in römischen Zeiten ein Schrein, und er passierte auf seinem Weg nach Süden mindestens fünf Kirchen, von denen einige seinen Namen trugen, darunter St. Stephen Walbrook. Man erzählt sich, irgendwo an seinem Lauf habe ein römischer Tempel gestanden, doch er wurde nie gefunden. Also denken Sie daran, wenn Sie einmal in Cannon Street sind – unter Ihnen fließt heiliges Wasser.«

»Das klingt fast wie in einem Roman.«

Mr. Arkwright hob einen knochigen Zeigefinger und bewegte ihn energisch hin und her. »Falsch, ganz falsch. Ich bin kein Schriftsteller, ich erfinde nichts. Ich bin ein Sammler.« Er deutete auf die Schaukästen.

Matilda erkannte nun, dass der Trödel im vorderen Raum nur ein Vorgeschmack auf das war, was sich hinten bot: papierne Zeugnisse, die wahre Geschichten erzählten.

Wie gern hätte sie sich alles angesehen und Fragen gestellt, die den alten Mann zum Erzählen anregten, doch dazu war sie nicht hergekommen. »Mr. Arkwright, ich möchte Ihnen zeigen, was ich mitgebracht habe …«

»Na endlich. Wird auch Zeit.«

Sie hob Lauras Kasten behutsam aus ihrer Tasche und stellte ihn auf einen kleinen Tisch. »Wenn Sie mir etwas über diesen Kasten und seinen Inhalt sagen könnten …«

Der Sammler holte eine große Lupe aus einer Schublade und beugte sich über den Tisch. Sein keuchender Altmänneratem war zu hören. Er murmelte leise vor sich hin und strich vorsichtig über die Bilder. »Ceylon-Ebenholz, das beste überhaupt. Sehen Sie nur« – er hielt die Lupe darüber –, »keine Poren zu erkennen. Die Oberfläche ist makellos wie Glas. Exquisit. Und Intarsien aus Elfenbein.« Er nahm den Kasten vorsichtig in die Hand, ohne ihn zu öffnen, fuhr mit den Daumen über die Ecken und Kanten, tastete behutsam über die Scharniere des Deckels. »Mitte des siebzehnten Jahrhunderts, würde ich sagen. Keine englische Arbeit. Asiatisch, vielleicht indisch.«

Er stellte ihn zurück. »Ein Tiger, ein Elefant, eine Schlange – das würde zu Indien passen. Schauen Sie, wie fein die Bilder gearbeitet sind, die Muster auf der Haut der Schlange … Eine ungewöhnlich schöne Arbeit. Wer zu mir kommt, sucht solche ausgefallenen Dinge, Einzelstücke, die man nicht im Kaufhaus bekommt. Doch für mich ist das nur Beiwerk.«

Sie deutete auf die Schaukästen. »Und das ist es, was wirklich zählt?«

»Jedes Blatt Papier und jedes Bild erzählt eine Geschichte. Ich brauche keine Landkarten von fernen Ländern. Ich brauche keinen Nil, solange ich die unterirdischen Flüsse von London habe. Aber verzeihen Sie, es geht um Ihren Schatz. Ich nehme an, der Kasten ist nicht leer.«

Matilda öffnete den Deckel.

Arkwright nahm den Samtbeutel heraus, wog ihn in der Hand, strich über den gestickten Buchstaben. Er sagte nichts, doch sein Gesicht verriet gespannte Konzentration. Er zog das Medaillon hervor und betrachtete es unter der Lupe. »Nicht sonderlich wertvoll, aber eine schöne Arbeit. Englisch. Frühes 17. Jahrhundert, würde ich sagen.«

»Schauen Sie hinein«, sagte Matilda, da sie ahnte, dass

nicht das Schmuckstück selbst, sondern sein Inhalt ungewöhnlich war.

Arkwright schob einen gelblichen Fingernagel in den Spalt zwischen den beiden Hälften und klappte sie auf. »Oh.« Er griff zur Lupe. »Das ist wirklich etwas Besonderes.«

»Wissen Sie, was das ist? Diese Bohne?«

Er lachte. »Das ist keine Bohne.« Er legte das Medaillon hin, öffnete einen Schrank und bückte sich ächzend. Eine Weile lang suchte er zwischen Bücherstapeln und zog dann einen schweren Band hervor. Er stellte ihn auf ein Lesepult und blätterte, bis er die richtige Seite gefunden hatte. Dann winkte er Matilda zu sich.

»Da haben Sie Ihre Bohne.«

Es war ein altes botanisches Fachbuch. Die Überschrift auf der Seite lautete:

Papaver somniferum
Eudikotyledonen
Ordnung: Hahnenfußartige (Ranunculales)
Familie: Mohngewächse (Papaveraceae)
Unterfamilie: Papaveroideae
Gattung: Mohn (Papaver)
Art: Schlaf-Mohn

Darunter war ein Mohnsamen abgebildet. Er sah der Bohne zum Verwechseln ähnlich.

»Das sind Mohnsamen?«, fragte Matilda überrascht.

»Wenn etwas alt und selten ist, kaufe ich es an. Einige Stammkunden sammeln naturwissenschaftliche Werke. Natürlich muss ich mir die Bücher vorher ansehen, um ihren Wert zu prüfen.«

»Und daher kennen Sie diese Samen?«

Wieder das gackernde Lachen. »Was dachten Sie? Aus eigener Erfahrung?«

Matilda wurde rot. »Nein … das nicht. Natürlich nicht.«

Seine magere Hand umfasste ihren Unterarm, und sie wich zurück. »Sie haben mir ein faszinierendes Rätsel gebracht.« Er deutete auf das Bild in dem Medaillon. »Sie sehen, das Muster ist auf beiden Bildern gleich. Aber die Samenkörner sind in Wirklichkeit so klein, dass man sie nicht mit bloßem Auge erkennen kann.« Er schaute Matilda erwartungsvoll an.

»Natürlich! Der Zeichner hat ein Mikroskop verwendet.«

Arkwright hob eine Augenbraue. »Und?«

Kurz war Matilda verwirrt, dann begriff sie. »Sie haben gesagt, das Medaillon stamme aus dem 17. Jahrhundert. Falls auch die Zeichnung aus dieser Zeit stammt …«

Er nickte ermutigend. Matilda kam sich vor wie eine ihrer Schülerinnen, doch ihr Ehrgeiz war geweckt.

»Der Künstler müsste ein Mikroskop besessen oder jemanden gekannt haben, der eines hatte. Gab es damals überhaupt schon Mikroskope?«

Arkwright lächelte verhalten. »Sie wissen Ihren Kopf zu gebrauchen. Es gab tatsächlich Mikroskope, und einige sind sogar erhalten geblieben.«

»Aber sie waren selten, oder?«

»Ja.« Der Sammler schaute wehmütig zu seinen Regalen. »Ich hatte einmal eine Ausgabe der ›Micrographia‹. Leider habe ich sie verkauft, weil ich dem Angebot nicht widerstehen konnte.«

»Ist das ein Buch?«

»Eines der wunderbarsten Bücher, die ich kenne. Kommen Sie.« Er drang noch tiefer in die Schatzhöhle vor. Hinter dem

Raum mit den Karten und Büchern befand sich eine Nische, in der ein mit Papieren überhäufter Tisch und zwei Stühle standen. »Möchten Sie Tee?«

Matilda nickte. Er verschwand kurz im Inneren des Hauses und kehrte mit einem Tablett zurück. Der Tee war unerwartet heiß und aromatisch, und beim Trinken spürte sie plötzlich ihren leeren Magen.

»Robert Hooke.«

»Wer?«

»Ein Wissenschaftler, dem man viel zu wenig Anerkennung zollt, ein Universalgenie, das bisweilen mit da Vinci verglichen wird. Er war Mitglied der Royal Society. Man ernannte ihn zum Kurator für Experimente, die er regelmäßig seinen Kollegen vorzuführen hatte. Er entwarf sein eigenes Mikroskop und hielt jede Woche einen Vortrag über seine Beobachtungen. Aber das ist noch nicht alles.« Arkwright legte eine dramatische Pause ein. »Hooke schrieb ein Buch über seine Beobachtungen. Samuel Pepys bezeichnete es als das genialste Buch, das er je gelesen habe, er sei dafür bis zwei Uhr nachts wach geblieben.«

»Und Sie hatten eins davon und haben es verkauft?«, fragte Matilda ungläubig. Sie sah, wie sich Arkwrights Gesicht verdüsterte.

»Ich habe es mir nie verziehen.«

»Was ist so besonders an dem Buch?«

»Die Bilder. Herrliche Kupferstiche. Hooke erschloss den Lesern die Welt des Kleinen und Allerkleinsten, einen völlig neuen Kosmos, den sich bis dahin niemand vorstellen konnte. Die Facettenaugen einer Fliege, einen ganzen Floh – furchterregend wie ein Ungeheuer –, ein simples Stück Kork und Mohnsamen mit ihrem Muster, das Bienenwaben gleicht.«

Matilda zeigte auf das Medaillon. »Sie meinen, das Bild stammt von diesem Hooke?«

Arkwright wiegte den Kopf. »Es könnte auch einer späteren Ausgabe der ›Micrographia‹ entnommen worden sein, aber da sind ja noch der Kasten und das Medaillon, die zweifellos aus dem 17. Jahrhundert stammen. Das Bild kann nicht aus dem Buch stammen – wer würde so etwas zerschneiden? Vielleicht hat die Besitzerin Hooke gekannt oder jemand aus ihrer Familie oder ihrem Freundeskreis. Es könnte ein Geschenk gewesen sein.«

Matildas Herz schlug heftiger. »Es ist also alt und wertvoll?«

Der Sammler warf den Kopf in den Nacken und stieß wieder sein seltsam hohes Gelächter aus. »Was bedeutet schon wertvoll? Am Ende sind alle immer nur auf Geld aus!«

Sie schluckte. »Mir liegt viel an diesem Fund. Falls Sie das nicht verstehen, gehe ich lieber.« Matilda wollte schon die Gegenstände in den Kasten legen, als seine Hand vorschoss.

»Ich wollte damit sagen, dass es Dinge gibt, deren materieller Wert eher gering ist, der immaterielle hingegen ungeheuer groß. Ich besitze einen Plan der Londoner Kanalisation, für den niemand ein Vermögen bezahlen würde, der für Forscher und Sammler aber bedeutend ist. Wert lässt sich nicht immer in Zahlen bemessen.«

Sie gab nach. »Sprechen wir also über den immateriellen Wert. Warum sollte jemand diesen Kasten verstecken?«

Der alte Mann schaute sie scharf an.

»Er war versteckt? Wo?«

»Das kann ich nicht sagen. Die Person, der der Kasten gehört, hat ihn mir anvertraut.«

»Ich wüsste gern mehr.«

»Das geht nicht.«

Arkwright rieb sich die Hände. Es raschelte trocken, und Matilda kam der kuriose Gedanke, er könnte so lange in seinem papiernen Reich gelebt haben, dass er selbst zu Papier geworden war. »Bedauere, aber wenn Sie mir nicht alles sagen, was Sie wissen, kann ich Ihnen auch nicht alles sagen, was *ich* weiß.«

»Sie wurden mir als jemand empfohlen, der sich mit alten Dingen auskennt.« Matilda stutzte und schaute wieder zu dem Kasten. »Da wäre noch etwas.« Sie holte die kleine Flasche heraus und reichte sie ihm.

Arkwright hielt sie ans Licht und drehte sie in seiner mageren Hand. »Weder besonders selten noch wertvoll, aber eine hübsche Kuriosität.«

»Ist das eine Parfümflasche zum Umhängen?«

»Ja. Und sie könnte vom Alter her durchaus zu Ihrem Kasten und dem Medaillon passen. 17. Jahrhundert. Möglicherweise ein Schutz gegen die Pest.«

»Davon habe ich gehört«, warf Matilda ein. »Man roch daran, um sich gegen die Dämpfe zu schützen, die angeblich die Krankheit auslösten.«

»Und stärkte die eigene Widerstandskraft. Wie gesagt, solche Flaschen sind nicht selten, aber zusammen mit den übrigen Gegenständen …«

»Sie haben noch nicht alles gesehen.«

»Es gibt *noch* mehr?«

»Ein Dokument.« Matilda sah, wie die Augen des Sammlers glitzerten.

»Kommen Sie morgen Nachmittag zum Tee«, sagte er unvermittelt. »In meine Wohnung.« Er deutete mit einem dünnen Finger nach oben. Als er ihr Zögern bemerkte, fügte er hinzu: »Dann kann ich Ihnen vielleicht mehr über Medaillon und Bild sagen. Und Sie zeigen mir bei einem ausgezeichneten Lapsang Souchong, was Sie sonst noch haben.«

Morgen war Sonntag. Sie hatte Mrs. Westlake versprochen, die neuesten Kapitel des Karpaten-Romans Korrektur zu lesen, würde aber nicht den ganzen Tag dafür brauchen. »Also gut. Um wie viel Uhr?«

»Um drei?«

»Einverstanden.«

Matilda wollte das Medaillon in den Kasten legen, doch Arkwright hob die Hand. »Ich muss es mir schon genauer ansehen können, wenn ich etwas darüber sagen soll.«

Sie gab den Beutel mit dem Medaillon nur ungern aus der Hand, doch ihr blieb keine Wahl, wenn sie mehr erfahren wollte. »Bis morgen, Mr. Arkwright.«

Sie spürte seinen Blick im Rücken, als sie den Laden verließ.

7

Als sie zur Untergrundbahn zurückging, achtete Matilda nicht mehr auf die Umgebung. Sie konnte nur an den verschrobenen Mr. Arkwright und seine verschachtelte Zauberhöhle denken, an Mohnsamen, das Buch in ihrer Tasche und dass sich unter ihren Füßen eine Welt befand, von der sie nichts gewusst hatte. Wie gern hätte sie dem Sammler weitere Fragen gestellt oder ihn einfach von dem erzählen lassen, was ihn faszinierte! Aber sie war nicht deswegen gekommen, sondern um Laura zu helfen.

Matilda fragte sich, ob sie ihm den Kasten überhaupt hätte zeigen dürfen, geschweige denn das Medaillon überlassen. Hatte sie vorschnell gehandelt? Es war, als überquerte sie einen Fluss, dessen Trittsteine halb im Wasser versunken waren. Sie streckte den Fuß aus und tastete sich langsam vorwärts, ohne zu wissen, wohin ihr Weg führte.

Auf der Heimfahrt wurde sie zunehmend unsicherer. Sie bereute jetzt, dass sie das Medaillon aus der Hand gegeben hatte, und malte sich aus, dass Arkwright ihr am nächsten Tag nicht die Tür öffnen würde. Oder, schlimmer noch, wie sie in der Folgate Street eintreffen und vor einem leeren, vergitterten Ladenlokal stehen würde. Dass sie Passanten nach ihm fragen und verständnislosen Gesichtern begegnen würde – als hätten sie den Namen noch nie gehört.

In diesem Augenblick hielt die Bahn in Chelsea und brachte Matilda ruckartig zurück in die Wirklichkeit. Sie stand auf und schalt sich selbst, weil sie sich in diese Sorgen hineinsteigerte.

Draußen empfing sie ein windiger, aber trockener Nachmittag. Spontan kaufte sie sich in einer französischen Patisserie ein Stück Cremetorte.

Zu Hause gab sie Sally, dem Hausmädchen, die Torte und bat sie, ihr Tee zuzubereiten.

»Miss, Sie sehen ganz verfroren aus! Setzen Sie sich schön an den Kamin, ich bringe Ihnen alles.«

Matilda gehorchte, ließ sich in einem Sessel nieder und streckte die Füße bequem vor sich aus. Sally war schon lange im Haus, ein sogenanntes gefallenes Mädchen, wie Mrs. Westlake ihr einmal anvertraut hatte. »Denken Sie nur, sie war erst vierzehn! Das Kind kam zu einer Pfarrersfamilie auf dem Land, und Sally kam zu mir. Ich habe es nie bereut. Sie ist manchmal etwas vorlaut, aber geschickt, und hat ein gutes Herz.«

Nachdem Matilda die Torte gegessen und zwei Tassen Tee getrunken hatte, wurde sie schläfrig. Sie fuhr noch einmal hoch, als ein Scheit knackte, bevor sie endgültig einnickte.

Es klopfte. Matilda öffnete die Tür und sah sich Laura Ancroft gegenüber. Sie trug ihr Schulkleid, das an den Nähten aufgeplatzt war, als sei sie herausgewachsen. Die Ärmel waren zu kurz, der Saum endete am Knie, es spannte an der Brust. Ihre Haare fielen offen bis zur Taille, und die Fingernägel waren lang. Matilda erinnerte sich an das Ammenmärchen, nach dem bei Leichen die Haare und Fingernägel weiterwuchsen.

Das Mädchen trat wortlos ein und ging zu dem Holzkasten, der auf dem Wohnzimmertisch stand. Sie öffnete den Deckel und griff hinein, tastete herum, grub die Finger mit den langen Nägeln ins Holz. Dann wandte sie sich um und schaute Matilda anklagend an. Sie streckte einen Zeigefinger aus und kam näher, als wollte sie –

Matilda fuhr keuchend aus dem Sessel hoch und sah sich um. Der Kasten stand nicht auf dem Tisch. Vor allem aber war sie allein. Keine Spur von Laura. Ihr Herz hämmerte so sehr, dass sie den Puls in den Schläfen spürte, und das Feuer loderte inzwischen unangenehm warm.

Es war ein Traum gewesen. Ein Traum, gesponnen aus den Ängsten, die sie auf dem Rückweg von Arkwrights Laden ergriffen hatten. Es dauerte mehrere Minuten, bis ihr Herzschlag sich beruhigt hatte und sie sich ein Glas Portwein eingießen konnte.

Matilda blieb vor dem Kamin stehen und schaute nachdenklich in die Flammen. Was war nur mit ihr los? Sie hatte sich stets für rational gehalten, für jemanden, der sich zuerst auf seinen Verstand und dann auf seine Gefühle verließ.

Ängste und Träume wie diese waren ihr fremd. Und doch konnte sie nicht leugnen, dass sich etwas in ihr verändert hatte, seit Laura nicht in die Schule zurückgekehrt war. Manchmal ertappte sie sich dabei, wie sie im Unterricht weit weg war und zusammenzuckte, wenn eine Schülerin sie ansprach. Es schien, als zöge eine Kraft sie mit sich, die stärker war als die Vernunft.

Sie trank ihr Glas aus und schenkte sich noch eins ein. Gleich darauf spürte sie, wie sich eine wohlige Wärme in ihrem Inneren ausbreitete, und sie dachte an ihren Bruder Harry, der einen Drink gern als »Kaminfeuer im Bauch« bezeichnete. An ihn zu denken vertrieb die Erinnerung an den Traum.

Was würde Harry sagen, wenn sie ihm von Laura, der Postkarte und dem geheimnisvollen Holzkasten erzählte? Ihr Lieblingsbild kam ihr in den Sinn, das ihn in weißer Cricketkleidung zeigte, wie er breitbeinig auf einer Wiese stand und lachend den Kopf in den Nacken warf. Es war aufgenommen worden, kurz bevor Enid ihn abgewiesen hatte, und so unbeschwert hatte Matilda ihn nie wieder erlebt.

Dann fiel ihr etwas ein. Sie hatte Harry am Hafen verabschiedet, als sein Regiment nach Südafrika verschifft wurde. Er wollte sie trösten und sagte, das alles sei ein großes Abenteuer, nach seiner Rückkehr habe er gewiss eine Menge zu erzählen. Sie hatte den Kopf geschüttelt, weil es Unsinn und der Krieg für Frauen kein Abenteuer war. Doch er verstand sie falsch und hatte hinzugefügt: »Auch du kannst etwas erleben. Das Abenteuer wartet an der nächsten Straßenecke.«

Es war kein Zufall, dass sie sich gerade jetzt an diese Worte erinnerte, und sie machten ihr Mut. Matilda schaute in die Flammen. Und als sie an den kommenden Tag dachte, spielte ein Lächeln um ihre Lippen.

Am nächsten Morgen schaute Mrs. Westlake ihr erwartungsvoll entgegen, als Matilda sich an den Frühstückstisch setzte.

»Ich wollte Sie gestern Abend, als ich von dem Besuch bei meiner Freundin zurückkam, nicht mehr stören, Sie waren schon in Ihrem Zimmer. Mein Zug hatte Verspätung, und dann musste ich am Bahnhof noch auf eine Droschke warten.«

»Wie geht es Ihrer Freundin?«, fragte Matilda. Sie hatte gut geschlafen, woran die beiden Gläser Portwein nicht ganz schuldlos waren.

»Besser. Sie hat schon als junges Mädchen gekränkelt und neigt ein wenig zur Schwermut. Ich habe ihr gesagt, du musst reisen, unter Menschen gehen, statt im Haus zu sitzen und über deine Gesundheit nachzugrübeln«, sagte Mrs. Westlake und bestrich ihren Toast mit Butter. »Früher hat sie Gedichte geschrieben. Ich habe sie ermuntert, sich einer literarischen Gesellschaft anzuschließen, bezweifle aber, dass sie sich dazu überwinden kann. Ich habe ihr meinen letzten Adela-Roman als Inspiration mitgebracht. Nun aber zu Ihnen – wie war es beim Sammler?«

Mrs. Westlake hörte gespannt zu, als Matilda von ihrem Besuch berichtete.

»Er hat Sie zum Tee eingeladen?« Sie klang beinahe gekränkt.

»Ja, ich war auch überrascht, das können Sie mir glauben. Er wirkt nicht sehr gesellig.«

Mrs. Westlake stützte das Kinn auf die verschränkten Hände und schaute Matilda durchdringend an. »Meine Liebe, Arkwright ist ein Eremit, manche halten ihn für einen Menschenfeind. Ich kenne niemanden, der ihm jemals außerhalb des Ladens begegnet wäre, geschweige denn seine Wohnung betreten hätte. Sie müssen ihn ganz schön neugierig gemacht haben.«

Matilda lächelte. »Ich glaube, es lag weniger an mir als an dem Fund, den ich ihm gebracht habe. Dabei hat er noch nicht einmal alles gesehen. Von seinem Blick in das Buch erhoffe ich mir am meisten, alte Dokumente sind sein Fachgebiet.«

»In der Tat.«

Es klang ein wenig kurz angebunden, und Matilda fragte sich, ob Mrs. Westlake es bereute, sie zu Arkwright geschickt zu haben. Sie hatte so viel Spaß an dem Fund gehabt, der ihre überschäumende Fantasie anregte! Fürchtete sie, Matilda werde nun gemeinsam mit dem Sammler die Geheimnisse des Kastens ergründen statt mit ihr?

»Ich werde Ihnen alles erzählen«, versicherte sie rasch. »Und Ihre neuen Kapitel lese ich, bevor ich zu ihm fahre.«

Ihre Vermieterin legte ihr die Hand auf den Arm. »Keine Sorge, ich gönne Ihnen das Abenteuer. Heute bin ich ohnehin beschäftigt. Adela wartet, der gestrige Tag war verloren, was das Schreiben angeht.«

Matilda lächelte verstohlen, und sie aßen schweigend.

»Granada!«

Matilda hätte fast ihren Tee verschüttet. »Wie bitte?«

»Dorthin schicke ich Adela als Nächstes. Ich plane gerade die neue Geschichte und habe einen wunderbaren Titel gefunden – ›Der Fluch der Alhambra‹. Mein Verlag wollte es wieder etwas *mediterraner* haben, wie sie sagten. Die Exotik der Mongolei sei gut und schön, aber zur Abwechslung solle ich mir etwas suchen, das den Herzen der Leserinnen näher ist. Was halten Sie davon?«

Matilda war froh, dass Mrs. Westlake das Thema gewechselt hatte. »Ja, das hat etwas. Maurische Architektur, die brennende spanische Sonne, heißblütige Männer …«

»Geheimgänge unter dem Alcázar, das funkelnde Wasser des Löwenbrunnens, Graf Damianescu auf ihren Fersen …«

»Hat sie ihn immer noch nicht abgeschüttelt? Der Mann ist wirklich hartnäckig.«

»Er ist ihr den ganzen Weg bis in die Mongolei gefolgt und wird sie auch in Spanien heimsuchen«, erklärte Mrs. Westlake tiefernst. »Natürlich musste er sich erst von der Stichwunde – oh, Verzeihung!« Sie schlug die Hand vor den Mund. »Ich wollte Ihnen nicht die Spannung nehmen.«

Nach dem Frühstück vertiefte sich Matilda in Adelas Karpatenabenteuer und die überstürzte Flucht in die Mongolei. Einige Szenen bewegten sich am Rande des moralisch Vertretbaren, und die Unverfrorenheit, mit der aufplatzende Knospen und tropfende Honigwaben als Metaphern verwendet wurden, belustigte sie ungemein.

Als sie anschließend den Holzkasten vorsichtig in ihrer

Handtasche verstaute, kicherte sie leise. Was würden ihre Kolleginnen denken, wenn sie wüssten, dass Miss Gray ihren Sonntag mit Groschenromanen und Kuriositätenhändlern in Spitalfields verbrachte? Sie wären entsetzt, dachte sie und rieb sich bei dem Gedanken die Hände. Das Abenteuer wartete an der nächsten Straßenecke.

Es war nicht wie in ihren schrecklichen Visionen. Mr. Arkwright beugte sich auf ihr Klopfen hin aus einem Fenster im zweiten Stock und rief, sie solle gegen die Haustür drücken. Matilda fand sich in einem engen, ziemlich dunklen Flur wieder, in dem es durchdringend nach altem Papier roch. Als sich ihre Augen an das Zwielicht gewöhnt hatten, bemerkte sie, dass der ganze Flur mit Regalen und Schubladenschränken vollgestellt war, geradeso, als hätte der Laden unaufhaltsam vom gesamten Haus Besitz ergriffen. Sie konnte Papierstapel und -rollen, Bücher und Zeitschriften erkennen.

»Hier oben, Miss Gray«, erklang Arkwrights Stimme. »Verzeihen Sie, dass ich Ihnen nicht entgegenkomme, aber in meinem Alter vermeidet man unnötiges Treppensteigen.«

Matilda ging die Treppe hinauf. Weiter oben roch es angenehm süß nach Kuchen, überlagert von einem rauchigen Aroma.

Auf dem Treppenabsatz im zweiten Stock wartete der Sammler. Er hatte eine Hand auf den Knauf des Geländers gestützt, in der anderen trug er eine Teekanne. »Lapsang Souchong, wie angekündigt. Ein Tee für Männer, Sie müssen damit vorliebnehmen.«

»Mein Bruder mag ihn auch«, sagte Matilda und folgte seinem ausgestreckten Arm in ein kleines Zimmer, das unter Regalen zu ersticken drohte. Es gab kaum Platz für den quadratischen Esstisch mit den zwei Stühlen. Er war mit einem geblümten Teeservice gedeckt, das sich seltsam häuslich ausnahm.

»Setzen Sie sich.« Arkwright trug ein pflaumenfarbenes Samtjackett mit silbernen Knöpfen, das ähnlich exzentrisch aussah wie der Morgenrock vom Vortag. »Ihr Bruder hat einen ausgezeichneten Geschmack.«

Er schenkte ihr ein und schob ihr den Teller mit Teekuchen hin. »Ganz frisch.«

»Haben Sie die gebacken?«

»Sehe ich aus, als könnte ich backen? Ich habe eine Hilfe, die vormittags kommt und mir das Essen vorbereitet, während ich im Laden bin. In der Wohnung mag ich niemanden um mich haben.«

»Der Kuchen ist sehr gut.«

Arkwright verschränkte die Arme und betrachtete Matilda, als sie den Tee probierte. Der Rauchgeschmack war überwältigend, aber mit genügend Zucker ließ er sich ertragen.

»Zweimal geräuchert, es gibt keinen besseren«, sagte er und leerte seine ungezuckerte Tasse in einem Zug. »So, kommen wir zur Sache. Ich habe mir Ihr Medaillon gründlich angesehen und kann bestätigen, dass es aus dem 17. Jahrhundert stammt.« Er deutete auf das Symbol, das sie schon mit Mrs. Westlake betrachtet hatte. »Ich nehme an, das haben Sie bemerkt.«

Sie nickte. »Ja, aber ich konnte mir keinen Reim darauf machen. Es sieht aus wie eine Vier mit einem C darunter.«

»Haben Sie schon einmal von Handelsmarken gehört? So wie Handwerker, die ihre Arbeit mit einem eigenen Zeichen versehen, um sie als ihr Werk zu kennzeichnen, gab es das auch bei Kaufleuten.« Arkwright schob ihr ein aufgeschlagenes Buch zu und deutete auf ein Zeichen, das ihrem sehr glich.

»Der obere Teil ähnelt einer Vier, der untere gibt den Anfangs-buchstaben des Kaufmannsnamens an. Ich lese auch ein C daraus. Dieses Medaillon hat wohl einer Frau aus einer Kauf-mannsfamilie gehört.«

»Das ist verblüffend.«

Er winkte ungeduldig ab. »Das Medaillon erinnert an die Arbeiten von Nathaniel Lowe, einem Silberschmied aus Beth-nal Green. Der Silberstempel ist vorhanden, aber nicht mehr genau zu erkennen.« Er legte das Medaillon auf den Tisch, holte eine Lupe heraus und reichte sie Matilda. Dann deutete er auf einen dunklen Fleck auf der Rückseite des Schmuck-stücks, den sie noch nicht bemerkt hatte. »Schauen Sie genau hin. Es könnte ein verschlungenes NL sein. Der Stempel lässt auf Fein- oder Sterlingsilber schließen, also auf einen hohen Silbergehalt. Lowe war übrigens der Silberschmied des Bür-gertums, der wohlhabenden Kaufleute, Rechtsanwälte und Apotheker.«

»Kaufleute? Das würde ja passen. Könnte es sich um ein Erbstück handeln?«, fragte Matilda gespannt.

Arkwright wiegte den Kopf. »Wenn Sie mir nicht mehr über die Besitzerin sagen können … ich nehme an, es handelt sich um eine Frau.«

»Die Familie ist in London ansässig.«

»Zweihundertfünfzig Jahre sind eine lange Zeit, Miss Gray. Womöglich hat das Stück die Besitzerin gewechselt. Es kommt immer vor, dass eine Familie in Schwierigkeiten gerät und Wertgegenstände verkaufen muss, dass etwas an einen ande-ren Zweig der Familie weitergegeben wird, verloren geht oder gestohlen wird.«

Matildas Mut sank. »Es wäre also möglich, dass das Me-daillon nur zufällig in die Hände der heutigen Besitzerin gelangt ist und gar keine Verbindung zwischen ihr und den Menschen besteht, für die es ursprünglich angefertigt wurde?«

Arkwright hob die Hand. »Denkbar wäre es. Aber nehmen wir an, es sei ein Familienerbstück. Ich vermute, dass man das Bild eigens für das Medaillon gefertigt hat – oder umgekehrt. Wenn wir herausfinden, welche Bedeutung es für die ursprünglichen Besitzer hatte, hilft uns das womöglich weiter.«

»Sie meinen, die Besitzer waren Kaufleute und haben Hooke gekannt?«

»In der Tat. Die ›Micrographia‹ war etwas Besonderes, eine wissenschaftliche Sensation, deren Bilder Hooke nicht einfach hergegeben hätte, um eine unbekannte Dame zu erfreuen.«

»Vielleicht war er mit der Frau befreundet? Oder verlobt?«

Arkwright schüttelte den Kopf. »Er hat nie geheiratet. Seine Nichte führte ihm den Haushalt und war …« Er schaute Matilda flüchtig an. »Nun, sie führte ihm nicht nur den Haushalt. Nach ihrem Tod wandelte sich sein Wesen, er wurde zum Einzelgänger, zum Menschenfeind, der sich mit vielen Kollegen überwarf. Er und Isaac Newton waren Todfeinde. Newton hat Hooke nach dessen Tod aus der Wissenschaft getilgt. Er hat angeblich sämtliche Porträts des Mannes verschwinden lassen.«

»Aber Hooke könnte die Familie gekannt haben, als er noch kein Menschenfeind war, nicht wahr?«, hakte Matilda nach. »Und hat das Bild in ihrem Auftrag angefertigt oder es der Dame des Hauses zum Geschenk gemacht.«

»Gewiss.«

Matilda dachte laut weiter. »Dann wäre da noch die Frage, ob der Mohn eine bestimmte Bedeutung hat.«

Arkwright schenkte Tee nach, den Matilda tapfer austrank. Den Nachgeschmack vertrieb sie mit einem Teekuchen.

»Der Kaufmann könnte mit Opium gehandelt haben.«

»Oh. Ich verstehe.«

Der Sammler blickte von seiner Tasse auf. »Sagten Sie nicht, in dem Kasten befände sich noch mehr?«

Matilda holte ihn aus der Tasche, öffnete ihn und nahm das Buch heraus, das sie in das bestickte Tuch gewickelt hatte.

Arkwright schlug das Tuch auseinander und betrachtete es flüchtig. »Für Handarbeiten interessiere ich mich nicht.«

Er fuhr mit seinen langen, knotigen Fingern über den roten Ledereinband des Buches, die Zungenspitze zwischen den Lippen. »Eine schöne Arbeit, diese Bindung. Aus derselben Zeit wie Medaillon, Bild und Flasche.«

»Also könnte alles derselben Person gehört haben?«

»Denkbar wäre es.« Er deutete auf den stark umgrenzten Fleck. »Feuchtigkeit.«

Dann schlug er das Buch behutsam auf und blätterte darin, ohne ein Wort zu sagen. Er versuchte nicht, bestimmte Stellen zu lesen, und griff auch nicht zur Lupe, um die teils zerlaufenen Buchstaben besser zu erkennen. Er erinnerte Matilda an ein Kind, das ehrfürchtig in einem besonders schönen Bilderbuch blättert, ohne die Geschichte lesen zu können, und sich an den Illustrationen erfreut.

Schließlich blickte er hoch, und wieder war da dieses Funkeln. »Sie haben mir etwas Wunderbares gebracht.« Er rieb sich die Hände.

»Ein wertvolles Manuskript?«

»Noch besser – ein Rätsel.«

Eine halbe Stunde später saß Matilda verblüfft mit einem vollgeschriebenen Blatt da. Dabei war Arkwright nicht über die erste Seite hinausgekommen.

Er hatte das Papier genau untersucht. »Sie wissen sicher, dass Papier bis vor etwa fünfzig Jahren nicht aus Holz, sondern aus Lumpen hergestellt wurde – Hanf, Leinen, Baumwolle. Je feiner die Fasern, desto hochwertiger und heller das Papier. In England gab es vor allem graues Papier in verschiedenen Schattierungen. Das billigste war beinahe zu dunkel, als dass man die Tinte darauf erkennen konnte. Dieses hier ist hellgrau, eine recht gute Qualität.«

»Aber nicht die beste?«

Er schüttelte den Kopf und hielt die Lupe über das erste Blatt. »Sehen Sie hier – ein Haar.«

Matilda musste ganz genau hinschauen, um die feine, golden schimmernde Linie zu erkennen. »Vermutlich stammt es von einem der Arbeiter, der sich über den Bottich mit dem Papierbrei gebeugt hat. Und hier.« Er deutete auf einen schwachen Fleck. »Papiermachertränen.«

»Was ist das?«

»Solche Flecken entstehen, wenn Wasser auf das noch feuchte Papier tropft.«

Matilda war fasziniert. »Das alles können Sie aus einer Seite lesen?«

»Es ist keine Kunst, wenn man sich mit Papier auskennt. Dies hier ist gutes Papier, wenn auch nicht das teuerste. Das Büchlein ist solide gebunden, womöglich ein Geschenk.«

Da fiel Matilda etwas ein. »Sehen Sie! Ich habe diesen kleinen Zettel hinten im Buch entdeckt, darauf steht ›ein Haus unter dem Haus‹. Er sieht aus, als hätte man ihn irgendwo herausgerissen, und ist gar nicht alt. Auch die Schrift ist eine andere.«

»Kümmern wir uns lieber um die alten Dinge.«

Doch Matilda gab nicht auf. »Außerdem habe ich im Buch

die folgenden Wörter entziffert: ›… kein Ende … Apotheke … grauenhaft und unermesslich … übers Meer … fürchtete mich sehr … auch in St. Giles … Mutter …‹«

Arkwright schaute sie mit hochgezogenen Augenbrauen an. »Sie sind nicht sonderlich geduldig, was?«

Matilda hielt dem Blick stand. Es war ihr gutes Recht, sich eigene Gedanken zu machen.

»Ich gebrauche gern meinen Verstand.«

Seine Mundwinkel zuckten kaum merklich. »Gewiss.« Er räusperte sich. »Und ich ziehe es vor, am Anfang zu beginnen und mich von dort weiterzubewegen, aber wenn Sie das Pferd von hinten aufzäumen möchten …«

Sie musste lachen. »Nein. Sie haben recht. Doch das mit der Apotheke würde zu Ihrer Vermutung bezüglich der Samen passen, nicht wahr? Der Kaufmann könnte eine Apotheke mit Opium beliefert haben.«

Arkwright seufzte und stopfte seine Pfeife, ohne um Erlaubnis zu bitten. »Sie sind anstrengend, Miss Gray.«

»Ist das ein Kompliment?«

Er ging nicht darauf ein. »Wir haben ein handgeschriebenes Buch aus dem 17. Jahrhundert. Es gehörte vermutlich einer Frau, wohlhabend oder mit wohlhabenden Freunden. Es sieht nicht wie ein Tagebuch aus, die Einträge sind nicht mit Daten versehen. Es hat irgendwann einen Wasserschaden erlitten, dadurch sind große Teile unleserlich geworden. Sie sind unwiederbringlich verloren, die Schrift lässt sich nicht rekonstruieren.«

»Aber?«, fragte Matilda, die seinen Tonfall offenbar richtig interpretiert hatte.

»Wir können das eine oder andere aus dem Zusammenhang erschließen. Es würde uns jedoch helfen, wenn wir wüssten, woher die Person, deren Namen Sie nicht nennen möchten, den Kasten hat. Daraus können wir vielleicht schließen, wem das Buch gehört hat. Das herauszufinden ist Ihre Aufgabe. Kommen Sie wieder, wenn Sie mehr erfahren haben.«

Matilda begriff, dass sie entlassen war, und schluckte die Enttäuschung hinunter. Was hatte sie erwartet? Dass er die verlorenen Buchstaben wieder herzauberte und ihr das Buch vor vorn bis hinten vorlas?

Rasch stand sie auf und packte ihre Sachen zusammen. Als sie sich zur Tür wandte, sagte Arkwright: »Sie wissen, wo Sie mich finden.«

Damit war alles gesagt. Er wollte keine Dankesworte, er wollte Informationen. Sie waren der einzige Dank, den er akzeptierte.

8

Miss Chambers war die Schulsekretärin, eine rundliche, gut gelaunte Frau, die Süßigkeiten liebte. Matilda legte ihr die Tüte mit den zarten rosafarbenen Baisers, die sie in einer kleinen Patisserie in der Kew Road erstanden hatte, auf den Schreibtisch und warf einen diskreten Blick aus dem Fenster.

»Oh, Miss Gray! Wie komme ich zu …«

»Weil Sie immer so hilfsbereit sind«, sagte Matilda. Miss Chambers' Hände ruhten auf dem Schreibtisch, näherten sich dann aber unaufhaltsam den Baisers. »Es ist einfach ein Dankeschön.«

Die Sekretärin las das Etikett. »Auch noch von Maison Lejeune, das sind die besten. Herzlichen Dank, aber ich mache doch nur meine Arbeit.« Miss Chambers löste das Band, mit dem die Tüte verschnürt war, öffnete sie und hielt sie Matilda hin. »Darf ich Ihnen eins anbieten?«

»Ich möchte sie Ihnen nicht wegessen, aber wenn Sie mich so fragen …«

Die Baisers waren wirklich köstlich, außen knusprig und innen klebrig-weich. Miss Chambers ließ sich das federleichte Zuckerzeug mit geschlossenen Augen auf der Zunge zergehen.

»Sie könnten mir übrigens einen Gefallen tun. Laura Ancroft erwähnte einmal ihr Elternhaus. Es soll historisch interessant sein, und ich würde es mir gern ansehen. Haben Sie vielleicht die Adresse?«, fragte Matilda beiläufig.

Die Sekretärin schob die Tüte beiseite und tupfte sich damenhaft den Mund ab. »Ich schaue mal nach. Schade, sie war ein so nettes Mädchen.«

Es klang, als wäre Laura gestorben. Miss Chambers blätterte in einem Karteikasten und zog eine Karte hervor. »Oh, ja, das müsste sie sein: *6b Laurence Pountney Hill, City of London.*«

Matilda bat um einen Zettel und notierte die Adresse.

Sie war ungewöhnlich. Die meisten Schülerinnen kamen aus den wohlhabenden Vierteln im Westen und Norden der Stadt, manche auch aus den umliegenden Grafschaften, nicht aber aus der City, in der man vor allem seinen Geschäften nachging.

Matilda lehnte dankend ab, als die Sekretärin ihr ein zweites Baiser anbot, und verließ zufrieden das Büro.

Der Sammler wollte wissen, woher der Kasten stammte. Sie würde mit der Suche dort beginnen, wo das Mädchen hergekommen war.

Da sie nicht bis zum nächsten Wochenende warten wollte, fuhr sie nach dem Unterricht in die Innenstadt. Im Bahnhof Cannon Street kämpfte sie gegen die Massen der Angestellten an, die aus Büros und Lagerhäusern heimwärts strömten. Als sie auf die dunkle Straße trat, fiel ihr ein, was der Sammler gesagt hatte.

Der Walbrook mündet unter diesem Bahnhof in die Themse. Er ist der heiligste aller Flüsse Londons. Wo er entspringt, stand in römischen Zeiten ein Schrein, und er passiert auf seinem Weg nach Süden mindestens fünf Kirchen, von denen einige seinen Namen trugen. Man erzählt sich, irgendwo an seinem Lauf habe ein römischer Tempel gestanden, doch er wurde nie gefunden. Also denken Sie daran, wenn Sie einmal in Cannon Street sind – unter Ihnen fließt heiliges Wasser.

Sie schaute hinunter auf das graue Pflaster, das mit Flecken und Unrat übersät war. Es sah nicht gerade heilig aus. Als sie wieder aufblickte, entdeckte sie gegenüber eine Straße, die Walbrook Street. Dahinter bohrte sich der Turm einer kleinen Kirche in den Nebel. St. Stephen Walbrook.

Wieder klang ihr Arkwrights Stimme in den Ohren. *Aber es gibt auch ein London darunter, eine Stadt unter der Stadt. Wir gehen täglich darüber hinweg, ohne je daran zu denken, dass unsere Stadt unter der Oberfläche weitergeht, sich in die Tiefe erstreckt, in längst vergangene Zeiten.*

Matilda wandte sich nach Osten, ging vorbei an Läden, Handelsfirmen und Lagerhäusern, von denen viele schon geschlossen hatten. In der Dunkelheit, nur durchbrochen vom Schein der Straßenlaternen – in dieser Gegend gab es keine Theater und Tanzhallen, die mit bunten Lichtern für sich warben –, fühlte sie sich der Vergangenheit sehr nah. Sie verspürte keine Angst. In ihr war eine Neugier erwacht, die stärker war als jede Furcht.

Die City war der älteste Teil von London, der Ort, an dem vor zweitausend Jahren das römische Londinium gegründet wurde. Sachsen und Wikinger waren den Römern gefolgt, später die Normannen. Hier hatten Schiffe geankert, deren Waren zuerst vom Festland und dann von immer weiter her gekommen waren, als die Briten die Weltmeere eroberten. Heute regierte in diesem Viertel das Geld, beherrschten Handelsfirmen, Banken und Lagerhäuser die Gegend. Ein ungewöhnlicher Wohnort für eine wohlhabende Familie.

Dies war Matildas erster Gedanke gewesen, als sie die Adresse gelesen hatte, und sie staunte auch jetzt wieder. Die vielen unbeleuchteten Fenster verrieten ihr, dass hier gearbeitet, nicht gewohnt wurde. Nur ein kleiner Eckladen mit osteuropäisch klingendem Namen, in dem Spirituosen verkauft wurden, hatte noch geöffnet. Der Besitzer in seiner Schürze stand rauchend in der Tür, neben ihm hockte ein kleines Mädchen und ließ Murmeln über die steinerne Stufe kullern. Eine rollte Matilda vor die Füße, und sie hob sie auf und hielt sie dem Mädchen hin. Die Kleine lächelte schüchtern und nahm sie entgegen, während der Vater freundlich nickte.

Als sie weiterging, wurde ihr klar, dass dies das erste Kind war, das sie hier gesehen hatte.

Matilda zog den Mantel enger um sich. Die Abende wurden schon kalt, und sie dachte sehnsüchtig an das warme Kaminfeuer bei Mrs. Westlake.

Zu ihrer Rechten tat sich eine schmale Gasse auf. Sie wurde von hohen Häusern gesäumt und wirkte still und verlassen, als wäre die Zeit hier langsamer vergangen als auf der belebten Cannon Street. Der Nebel war so dicht, dass Matilda das Ende der Gasse nicht erkennen konnte. Sie schaute auf das Straßenschild: Laurence Pountney Hill.

Sie hatte sich in den Kopf gesetzt, wenigstens einen Blick auf das Haus zu werfen, selbst wenn sie im Dunkeln nicht viel erkennen konnte. Also ließ sie die Cannon Street hinter sich, und die Stille wurde tiefer. Erklangen da nur ihre eigenen Schritte auf dem Pflaster? Sie drehte sich um. Niemand zu sehen.

Rechts von ihr tauchten im Laternenschein zwei Häuser aus rötlichem Backstein auf. Die Erdgeschosse waren cremeweiß gestrichen, und die hohen Fenster und eleganten muschelförmigen Vordächer zeugten von vergangenem Wohlstand. Matilda schaute auf die Hausnummern. Nein, sie hatte ihr Ziel noch nicht erreicht.

Die Gasse mündete in einen kleinen Platz. Schräg gegenüber lag links ein eingezäuntes Grundstück. An der schmalen Seite befand sich ein verziertes Tor, gekrönt von der Hausnummer, Bäume und Büsche ragten hinter dem schmiedeeisernen Zaun in den dunkelblauen Himmel.

Das Haus auf dem Gelände war alt und prächtig, das sah Matilda selbst im dunstigen Laternenlicht. Dunkle Ziegel, die Fenster von helleren rötlichen Steinen eingefasst. Ein gepflasterter Weg, eine steinerne Treppe vor der Haustür, die ein Klopfer aus Messing zierte. Das Vordach war mit Steinmetzarbeiten verziert, die im Dämmerlicht nicht genau zu erkennen waren. Große Fenster, die das Haus tagsüber sicher hell und freundlich machten.

Matilda stand einfach da und versuchte sich vorzustellen, wie Laura hier aufgewachsen war. Hatte sie in diesem Garten gespielt und die Menschen beobachtet, die vorbeikamen? Hatte sie aus einem der Fenster geschaut und in den Nachmittag geträumt?

Laura hatte ihre Familie nie erwähnt. Matilda erkannte plötzlich, dass jene letzte Begegnung, bei der Laura ihr Innerstes offenbart hatte, die einzige vertrauliche Unterhaltung war, die sie je geführt hatten.

Sie ging zögernd weiter, als könne sie sich nicht von dem Haus lösen, das ihr keine Antworten zu geben vermochte. Sie wollte gerade in die nächste Gasse abbiegen und zur Cannon Street zurückkehren, als sie Schritte und das Knirschen von Rädern hinter sich hörte. Der Nebel war jetzt so dicht, dass sie nur wenige Meter weit sehen konnte. Matilda schluckte und schaute nach links und rechts. Dunkle Häuser, hohe Mauern, nirgends brannte Licht.

Sie drehte sich entschlossen um. Die Geräusche kamen näher, und dann stand sie einem alten Mann gegenüber, der einen Karren hinter sich herzog. Er trug eine Tweedkappe und hatte den Mantelkragen gegen die Kälte hochgeschlagen. Sein Gesicht versank bis zur Nase in einem Schal, der mehrfach um den Hals gewickelt war. Als er Matilda bemerkte, blieb er stehen.

Sie schluckte. Sie hatte geglaubt, hier in der City sei sie auch am Abend sicher, anders als in Spitalfields, doch nun wurde ihr plötzlich bewusst, wie einsam die Gegend war.

»Ham Sie sich verlaufen, Miss? Feine Dame wie Sie in der dunklen Church Passage, das is nicht gut. Hier treibt sich manchmal Gesindel herum, nicht am Tag, nein, aber abends, wenn die reichen Leute weg sind, die Herren aus den Banken, dann kommen sie gekrochen. Wolln Sie gebrannte Mandeln, ein Penny die Tüte? Hat die Missus heute Morgen frisch gemacht …«

Der Mann redete nicht nur Cockney, sondern auch in einem monotonen Singsang, als trüge er ein Gedicht vor, dessen Inhalt ihm gleichgültig war. Als er Matildas Zögern bemerkte, ging es sofort weiter.

»Mit feinstem Zucker, Miss, die Leute sagen, Wilmots Mandeln sind die besten in der City, bessere bekomm' Sie nirgendwo. In Whitechapel gibt's noch Maxley, aber der packt weniger in die Tüte für dasselbe Geld, also wolln Sie, hier …« Er griff in seinen Karren und hielt ihr eine Papiertüte hin.

»Ich geb Ihnen zwei fürn Penny, sind nicht mehr viele da.«

Matilda reichte ihm zwei Pence und nahm die Tüten entgegen.

»Probiern Sie schon und sagen Sie, ob's nicht die besten sind, die …«

Matilda gab nach, nahm eine Mandel heraus und steckte sie in den Mund. Sie schmeckte sehr gut, und plötzlich spürte sie, wie hungrig sie war. »Die sind ausgezeichnet, Mr. Wilmot. Einen schönen Abend noch.«

Sie wollte schon weitergehen, als ihr etwas einfiel. Ein Schuss ins Blaue, aber sie hatte nichts zu verlieren.

»Kennen Sie die Gegend? Kommen Sie öfter hier vorbei?«

Er deutete in Richtung Fluss. »Muss nach Southwark zur Missus. Ist mein Heimweg.«

Auf das Haus der Ancrofts weisend, sagte Matilda: »Ein schönes Gebäude, aber es sieht unbewohnt aus.«

Mr. Wilmots Augen folgten ihrem Finger, und er zuckte mit den Schultern. »Mag sein, aber ich möcht's nicht geschenkt.«

»Was ist denn mit dem Haus?«

Er hustete, wandte sich ab und spuckte etwas Undefinierbares aufs Pflaster. »Verzeihung, die Bronchien, hab ich jeden Herbst, die Missus macht mir Umschläge, wenn ich daheim bin, und 'nen heißen Grog dazu.« Dann schien er sich auf die Frage zu besinnen. »Liegt nicht am Haus, das ist schön – solide und englisch, wie es sein soll. Aber der Ort hier …«

»Der Ort? Abends scheint es recht einsam zu sein.«

Mr. Wilmot schüttelte den Kopf. »Das ist es nicht.« Er trat näher und neigte sich vertraulich zu ihr. »Ich hab so ein Gefühl. Wenn ich dran vorbeikomm – und ich komm seit über zwanzig Jahren dran vorbei –, wird mir kalt, sogar im Sommer. Man erzählt sich ja, dass es in London umgeht, und das ist einer dieser Orte, mein Kumpel Reggie hat gesagt …«

Matilda konnte nicht an sich halten. »Wollen Sie damit sagen, dass es hier spukt?«

Er zuckte erneut mit den Schultern. »Hört sich verrückt an, ich weiß. Ich red auch nicht von weißen Damen und Rittern ohne Kopf, lauter Blödsinn, aber es ist ein Gefühl, kann's schwer beschreiben, als würd ich durch einen Nebel gehen, der kalt ist und den man nicht sehen kann.«

»Das ist … interessant. Haben Sie mal jemanden am Haus bemerkt?«

Er überlegte. »Ist schon ein paar Jahre her. Damals hatten sie Dienstboten, die Treppenstufen wurden geputzt, im Laden um die Ecke ging Kundschaft ein und aus.«

»Und das Gefühl, das Sie vorhin meinten – hatten Sie das schon immer, wenn Sie am Haus vorbeikamen?«

Er nickte eifrig. »Ja, aber ich hab mir nichts dabei gedacht, hab geglaubt, ich bild's mir ein, doch als das Haus dann immer dunkel war … und hier wohnt ja sonst kaum jemand, einsame Gegend abends, das können Sie mir glauben …«

»Eine letzte Frage noch, Mr. Wilmot. Haben Sie mal ein Mädchen hier gesehen? Als das Haus noch bewohnt war, meine ich?«

Er kratzte sich am Kopf. Seine Finger ragten aus abgeschnittenen, löchrigen Wollhandschuhen. »Warten Sie mal, der Reifen, da war die Sache mit dem Reifen. Ich komm mit meinem Karren hier vorbei, ist sicher sechs, sieben Jahre her, da rollt mir doch ein Reifen vor die Füße, ein Holzreif, mit dem Kinder spielen, und ein Mädchen prallt fast gegen mich. Ich lass den Karren stehen und halt den Reifen fest und geb ihn der Kleinen, als eine Frau mich anschreit, ich soll das Kind in Ruhe lassen, dabei hab ich nur den Reifen festgehalten. Nicht nett, sag ich Ihnen, gar nicht nett. Hab gemacht, dass ich wegkomm.«

»Wie sah das Mädchen aus? Wissen Sie das noch?«

Mr. Wilmot schaute sie misstrauisch an. »Kennen Sie die Leute, die hier gewohnt haben? Sie denken, ich red schlecht über die, aber das war wirklich so, mein Ehrenwort, ich wollt nur helfen.«

»Das glaube ich Ihnen. Bitte, wie hat sie ausgesehen?«

»Ist lange her, Miss. Braune Haare, glaub ich. Muss zehn gewesen sein oder elf. Mehr weiß ich nicht.«

»Ich danke Ihnen. Es war mir ein Vergnügen, und ich empfehle Ihre Mandeln weiter.«

Er lächelte jetzt wieder und tippte sich an die Mütze. »Einen schönen Abend, Miss.« Dann nahm er den Griff des Karrens und zog davon.

Als sie wieder auf der Cannon Street stand, hauchte Matilda in ihre Hände und zog die Schultern hoch. In Gedanken war sie noch bei dem Mandelverkäufer und seiner sonderbaren Andeutung, etwas »gehe um« am Haus der Ancrofts. Aberglaube, dachte sie, vermischt mit Folklore, die sich unter den Straßenhändlern ausbreitete und vermutlich von einer Generation zur nächsten weitergereicht wurde. Und doch musste sie sich eingestehen, dass sie bei seinen Worten ein Schauer überlaufen hatte, und das nicht nur wegen der kalten Herbstluft.

Matilda freute sich auf ein Kaminfeuer, Tee und ein warmes Essen, doch dann bemerkte sie die Kirche gegenüber. Sie war nicht groß und stand in einer Flucht mit den übrigen Gebäuden. Auffällig war nur die große Uhr, die nicht am spitzen Turm angebracht war, sondern an einem eisernen Arm, der über den Gehweg ragte.

Matilda überquerte die Straße und ging auf die Kirchentür zu.

Drinnen war niemand zu sehen. Der dämmrige, nur von einigen Kerzen erleuchtete Raum verströmte den Geruch von Staub und Weihrauch, der vielen Kirchen eigen war.

Sie schaute sich um und bemerkte eine Bewegung. Ein älterer Mann in schwarzer Soutane richtete sich auf und blickte ihr entgegen. »Guten Abend, willkommen in St. Swithin's. Kann ich Ihnen helfen?«

Matilda zögerte, da sie die Kirche spontan betreten und sich keine Frage zurechtgelegt hatte. Der Priester missverstand ihr Zögern.

»Benötigen Sie geistlichen Beistand?«

Sie schüttelte den Kopf. »Verzeihen Sie, darum geht es nicht. Ich … habe eine Frage, die vielleicht ungewöhnlich klingt.«

Er legte das Tuch fort, mit dem er ein Bild gereinigt hatte, strich die Soutane glatt und trat auf sie zu. Dann deutete er auf eine Bank. »Bitte.«

Matilda setzte sich und überlegte fieberhaft, wie sie ihre Frage formulieren sollte, ohne den Priester vor den Kopf zu stoßen.

»Ich habe mich ein wenig in der Gegend umgesehen. Eine meiner Schülerinnen hat hier gewohnt.«

»Sie sind Lehrerin?«

»Ja. Mich interessiert, wo das Mädchen aufgewachsen ist, also bin ich ein wenig umhergelaufen. Dabei begegnete mir ein Mann, der Mandeln verkauft, und wir sind ins Gespräch gekommen.«

»Der alte Wilmot?«, fragte der Priester.

»So heißt er. Wir standen vor dem bewussten Haus, und er erwähnte – er sagte, er habe dort ein seltsames Gefühl, einen Anflug von Kälte.«

»Von Kälte?« Schatten tanzten auf dem Gesicht des Priesters.

Aus seinem Mund klang es irgendwie albern. Ein Hirngespinst, Aberglaube, und sie saß hier und erzählte einem Geistlichen davon. Andererseits würde sie dem Mann nie mehr begegnen. Sollte er ruhig über sie lachen.

»Er sagte, dort gehe etwas um.«

Die Miene des Priesters war im trüben Licht kaum zu erkennen. »Das ist alter Volksglaube, Sagen und Legenden. Und es verstößt gegen die Gebote der Kirche.«

Matilda bereute, dass sie hereingekommen war, und wollte sich erheben, doch seine nächsten Worte ließen sie innehalten.

»Welches Haus meinen Sie, wenn ich fragen darf?«

»6b, Laurence Pountney Hill.«

»Ein schönes Anwesen.«

»Kennen Sie die Familie, die dort gewohnt hat?«

»Nur vom Hörensagen, sie gehörte nicht zu meiner Gemeinde. Eine traurige Geschichte. Das Ehepaar kam bei einem Unglück ums Leben, einem Brand, wie es hieß. Sie hatten eine Tochter, die nicht mehr dort lebt. Soweit ich weiß, steht das Haus leer.«

»Die Eltern sind zusammen gestorben?«

Der Priester nickte. »Es liegt schon einige Jahre zurück. Ich komme gelegentlich dort vorbei, das Haus sieht gepflegt aus. Ich nehme an, es wird für die Tochter instand gehalten. Das ist alles, was ich darüber weiß.«

Matilda gab sich nicht so leicht geschlagen. »Sie haben wirklich nie gehört, dass man sich seltsame Dinge über das Haus erzählt?«

Er drehte die Handflächen nach außen. »Ein neues Jahrhundert hat begonnen. Das Leben wird immer schneller, die Technik immer fortschrittlicher, in Amerika wollen sie Maschinen bauen, in denen Menschen fliegen können. Und wir als Priester müssen Schritt halten, die Menschen auf ihrem Weg begleiten. Wir können uns nicht mit altem Aberglauben beschäftigen. Es sind Geschichten, mit denen man sich am Kaminfeuer unterhält und Kinder erschreckt, aber nichts, mit dem ein Priester seine Zeit vertun sollte.« Er stand auf und deutete zur Tür. »Kommen Sie mit, ich zeige Ihnen etwas.«

Draußen wies er auf einen Vorsprung in der Mauer, der an ein Häuschen erinnerte und in den ein Gitter aus weiß gestrichenem Metall eingelassen war.

»Was ist das?«

»Schauen Sie hinein.«

Matilda bückte sich und konnte im Licht der Straßenlaternen einen hellen Stein erkennen, der in der Nische hinter dem Gitter lag.

»Der London Stone. Er ist aus Kalkstein und Teil eines viel größeren Blocks, der sich früher an der Stelle befand, wo heute der Bahnhof ist.«

»Der Stein aus dem Gedicht von Blake?«

»Genau der. Er stammt womöglich aus römischer Zeit. Niemand weiß, ob er als Markstein diente, von dem aus alle Entfernungen in Britannien gemessen wurden, oder ob er Teil eines Gebäudes war. Im Mittelalter scheint er ein Symbol für die Macht der City gewesen zu sein, was jedoch nicht seine Herkunft erklärt. Und dann gibt es die Legenden. Er sei von Flüchtlingen aus Troja aufgestellt worden, die hier eine neue Stadt errichten wollten. Manche, darunter auch William Blake, glaubten, er stamme aus vorgeschichtlicher Zeit und Druiden hätten Opfer auf ihm dargebracht. Oder es handle sich gar um den Stein, aus dem König Artus das Schwert Excalibur gezogen habe.«

»Und was hat das mit meiner Frage zu tun?«

»Legenden gibt es überall«, erwiderte der Priester. »Selbst hier, in der modernsten Metropole der Welt, begegnen wir ihnen – in der Außenmauer einer Kirche, im Geschwätz eines

Mandelverkäufers –, und doch sind es Legenden, mit denen sich Menschen früher die Welt erklärten.«

»Ich danke Ihnen«, sagte Matilda und wandte sich zum Gehen. »Einen angenehmen Abend.«

Sie hörte seine Schritte, dann schlug die Tür der Kirche zu.

»War der Priester unfreundlich?«, fragte Mrs. Westlake.

Matilda überlegte. »Das nicht. Aber die Vorstellung, in der Nähe seiner Kirche könne etwas umgehen, behagte ihm offensichtlich nicht.«

»Sie glauben nicht an diese Geistergeschichte, oder?«, fragte Mrs. Westlake und schaute Matilda seltsam an.

»Natürlich nicht. Nur …«

»Nur?«

»Ich schwöre, wenn Sie dort gewesen wären, im Dämmerlicht, in dieser nebligen Gasse, in der man nur die eigenen Schritte hörte, wäre es Ihnen wie mir ergangen. Es war ein seltsam zeitloser Moment, als existierten Gestern und Heute nebeneinander, als müsste ich nur die Hand ausstrecken, um …« Sie schüttelte sich unwillkürlich.

Mrs. Westlake hielt den Kopf ein wenig schräg und musterte sie. »Etwas hat Sie berührt, meine Liebe. Kein Geist, daran glaube ich nicht, obwohl meine Fantasie so wild und ungestüm ist, doch in unserer Welt hier ist kein Platz für Geister. Sie sorgen sich um das junge Mädchen und standen vor dem Haus, in dem sie aufgewachsen ist, allein, in der Dunkelheit, und dann kam dieser Mann und verbreitete den Aberglauben. Da kann einem schon mulmig werden.«

Matilda sah nachdenklich in ihre Teetasse. »Dieser Mandelverkäufer … vielleicht wollte er nur wichtigtun. Oder einer Frau, die allein unterwegs ist, ein bisschen Angst einjagen. Was mich berührt hat, war seine Erinnerung an das kleine Mädchen mit dem Reifen. Wer mag die unfreundliche Frau gewesen sein? Die Gouvernante? Eine Dienstbotin? Oder sogar Lauras Mutter?« Sie hielt inne, als sie bemerkte, dass Mrs. Westlake ihr Notizbuch gezückt hatte.

»Verzeihung, was sagten Sie? Das mit der Kälte könnte ich vielleicht einmal für Adela verwenden.«

Matilda biss sich auf die Lippe. Mrs. Westlake war bisweilen erstaunlich taktlos.

»Schon gut.« Auf einmal wollte sie nicht mehr über die Begegnung mit Mr. Wilmot sprechen. Sie erhob sich aus dem Sessel. »Gute Nacht, Mrs. Westlake. Es war ein langer Tag.«

In ihrem Zimmer setzte Matilda sich an den Sekretär und verfasste einen ausführlichen Bericht über ihre Expedition, hielt das Gespräch mit Mr. Wilmot fest und das, was sie von dem Geistlichen erfahren hatte. Es war nicht viel, doch sie war mit sich zufrieden. Wilmots Legende mochte ihr nicht weiterhelfen, aber er hatte ihr eine flüchtige Skizze von Laura geliefert, die in ihrem Kopf zu einem Bild geworden war. Dass Lauras Eltern bei einem Brand gestorben waren, hatte sie nicht gewusst. Wer konnte ihr wohl mehr darüber sagen?

Da kam ihr eine Idee.

9

Anne stand da, die Geige unter dem Kinn, den Bogen in der herabhängenden Hand, und schaute ihr entgegen. Matilda hatte sie in der Mittagspause in den Theatersaal gebeten, damit sie ihr die Stücke noch einmal vorspielte. »War es gut so, Miss Gray?«

Matilda schaltete die Deckenbeleuchtung ein und nickte. »Ausgezeichnet, Anne, das wird eine schöne Aufführung.«

Das Mädchen zögerte. »Kann ich jetzt gehen?«

»Natürlich.«

Anne bückte sich nach dem Geigenkasten, den sie neben der Bühne abgestellt hatte.

»Laura geht es besser.«

Anne blickte ruckartig zu Matilda. Ihre Lippen bewegten sich, als wollte sie etwas sagen, doch es kam kein Wort heraus.

»Sie hat mir eine Karte aus Italien geschickt.« Matilda spürte einen Stich in der Brust, als sie das Gesicht des Mädchens sah. »Du hast immer noch nichts von ihr gehört?«

Anne schüttelte den Kopf und griff nach dem Kasten, wobei ihr der Bogen aus der Hand rutschte. Sie bückte sich und hob ihn auf, ohne Matilda anzusehen.

»Sie kommt sicher wieder, sobald sie ganz gesund ist.«

»Vielleicht«, erwiderte Anne, dann sagte sie leiser: »Falls ihr noch daran liegt.«

»An der Schule, meinst du?«

Schulterzucken. »An allem. Wir waren Freundinnen.«

»Sie hat keine Eltern mehr. Die Schule ist ihr Zuhause.«

Anne klappte den Kasten zu und schaute Matilda trotzig an. »Vielleicht sucht sie sich ein anderes.«

Matilda wusste, dass sie sich auf dünnes Eis begab, doch sie musste es versuchen. »Kannst du mir etwas über ihre Familie sagen?«

Anne sah sie überrascht an, dann erzählte sie zögernd: »Laura … hat keine Familie in England. Ihre Tante lebt in Argentinien, ihre Mutter hatte keine Geschwister, die Großeltern sind alle tot. Daher war sie froh, wenn sie die Ferien nicht in dem großen leeren Haus verbringen musste. Sie war die letzten drei Sommer bei uns in Hampshire.«

Sicher sehnte sich Anne nach den vergangenen Jahren zurück. »Das klingt schön. Weißt du etwas über ihre Eltern?«

Anne schien mit sich zu kämpfen, dann sagte sie leise: »Einmal hat Laura nachts geschrien. Ich habe mich furchtbar erschreckt. Sie saß aufrecht im Bett und hat etwas von ›Feuer‹ gerufen und immer wieder ›nein‹ und ›Papa‹ und ›Mama‹. Ich bin zu ihr gegangen und habe versucht, sie zu beruhigen. Sie hat sich wieder hingelegt und weitergeschlafen. Am nächsten Morgen habe ich sie danach gefragt. Sie wollte nicht darüber sprechen. Aber ein paar Tage später waren wir allein im Garten, und sie begann zu erzählen. Einfach so. Dass ihre Eltern ein Cottage auf dem Land besaßen, in dem sie gelegentlich das Wochenende verbrachten und Freunde einluden. Laura fuhr nur selten mit. Sie wäre das einzige Kind gewesen und hätte sich mit den Erwachsenen nur gelangweilt. Also blieb sie mit ihrer Gouvernante in der Stadt.«

Schritte im Flur. Matilda hoffte inständig, dass niemand den Theatersaal betrat. Die Schritte verklangen.

»Und dann, vor vier Jahren, geschah das Unglück. Lauras Eltern wollten ein langes Wochenende auf dem Land verbringen und fuhren schon donnerstags dorthin.« Anne räusperte sich. »Am nächsten Tag erfuhr sie, dass es ein Feuer gegeben hatte. Sie wusste sofort, dass ihre Eltern gestorben waren. Das Cottage war alt und ganz aus Holz, mit wunderschönen Decken und Wandtäfelungen und Vorhängen aus Liberty-Stoffen und bunten Glasfenstern. Sie hat mir eine Fotografie gezeigt.«

Es war ganz still im Raum.

»Danach hat Laura das Unglück nie mehr erwähnt. Und auch ihre Eltern nicht. Sie sagte, sie wolle nicht in der Vergangenheit leben.«

So hatte Matilda sie empfunden, als einen Menschen, der im Jetzt zu Hause war. »Danke, dass du mir das anvertraut hast. Noch eine letzte Frage – hat Laura einmal von ihrem Elternhaus gesprochen, hier in London? Oder bist du einmal dort gewesen?«

»Nein. Ich weiß nicht einmal, wo sich dieses Haus befindet.«

»Ich danke dir, Anne. Du kannst jetzt gehen.«

Das Mädchen verließ mit seinem Geigenkasten den Theatersaal. Kurz bevor die Tür zufiel, hörte Matilda eine Stimme aus dem Flur.

»Anne, warum bist du noch hier? Du kommst zu spät zum Mittagessen.«

Miss Chedley, die Musiklehrerin.

Die Antwort konnte Matilda nicht mehr hören.

Spät am Nachmittag, als Matilda ihre Bücher in ihr Zimmer bringen wollte, bevor sie nach Hause fuhr, nahm Miss Chedley sie beiseite. Sie war eine kleine, rundliche Frau mit goldgefasster Brille, die sich auf die Zehenspitzen zu stellen pflegte, wenn sie den Chor dirigierte. Bei den Schülerinnen hatte ihr dies den Spitznamen »Ballerina« eingetragen.

»Miss Gray, auf ein Wort, bitte.«

Matilda legte den Bücherstapel, den sie bei sich trug, auf eine Fensterbank. »Gewiss. Worum geht es denn?« Das schwache Licht zeichnete dramatische Schatten an die Wände. Draußen vor den Spitzbogenfenstern herrschte schon herbstliches Zwielicht.

»Vorhin habe ich Anne Ormond-Blythe in der Mittagspause aus dem Theatersaal kommen sehen. Die anderen Mädchen waren bereits im Speisesaal. Ich weiß, dass Anne für die Aufführung unverzichtbar ist, aber ihr Übungspensum darf nicht darunter leiden. Und auch nicht die Mittagsruhe, die sie sich verdient hat.«

Matilda wollte etwas entgegnen, doch Miss Chedley sprach rasch weiter: »Ihnen ist sicher klar, dass Anne einfache Stücke ausgewählt hat, die weit unter ihren Möglichkeiten liegen. Um die Aufnahmeprüfung für die Royal Academy zu bestehen, muss sie deutlich anspruchsvollere Werke einstudieren, was Zeit erfordert.«

»Dessen bin ich mir bewusst.«

»Natürlich darf sie an den Proben teilnehmen, wenn sie gebraucht wird. Nur möchte ich Sie bitten, diese nicht in eine Zeit zu legen, die Anne zur Erholung vom Unterricht und ihren eigentlichen Proben benötigt.«

Matildas Kehle wurde eng. »Gewiss, Miss Chedley. Es war eine Ausnahme.«

»Gut, dann wäre das geklärt.« Die Musiklehrerin wandte sich zum Gehen.

Matilda atmete tief durch und griff nach den Büchern.

»Ach, da fällt mir ein, Sie sollen bitte zu Miss Haddon kommen.« Mit diesen Worten verschwand Miss Chedley um die nächste Ecke.

Die Bücher rutschten Matilda aus der Hand und fielen zu Boden. Als sie sich danach bückte, bemerkte sie, dass ihre Hände zitterten. Was konnte die Schulleiterin von ihr wollen?

Sie klemmte sich die Bücher unter den Arm und ging zu Miss Haddons Büro. Noch nie hatte sie sich dabei so unwohl gefühlt.

»Ich hatte angenommen, das Thema Laura Ancroft sei abgeschlossen«, sagte die Schulleiterin. Sie hatte Matilda einen Platz angeboten, doch ihr Blick war abweisend.

»Wie meinen Sie das, Miss Haddon?«, fragte Matilda beklommen.

»Ich glaube, das wissen Sie sehr gut. Miss Chambers ist hilfsbereit, aber auch redselig. Sie bot mir eins dieser köstlichen Baisers an. Dabei ist ihr herausgerutscht, von wem sie die bekommen hat.«

Dumm, dumm, dumm, schalt sich Matilda. Sie hatte die Sekretärin nicht um Verschwiegenheit ersucht, um keinen Verdacht zu wecken. Das war offenbar ein Fehler gewesen.

»Verzeihung, aber mir war nicht bewusst, dass es gegen die Vorschriften verstößt, die Adresse einer Schülerin zu erbitten«, sagte sie betont ruhig.

Miss Haddon zog eine Augenbraue hoch. »Das tut es auch nicht, aber wir waren uns einig, in Ruhe abzuwarten, ob Laura nach Riverview zurückkehrt oder nicht.«

»Gewiss.« Matilda biss sich von innen auf die Wange. Ihr Herz schlug so heftig, dass Miss Haddon es hören musste.

»Warum wollten Sie dann die Adresse haben? Das Mädchen hält sich im Ausland auf, außerdem geht die ganze Post an ihren Vormund. Ihr an die alte Adresse zu schreiben, wäre unsinnig.«

»Sie hat einmal erwähnt, ihr Elternhaus sei architektonisch interessant«, sagte Matilda geistesgegenwärtig. Diesen Grund hatte sie auch der Sekretärin genannt. »Ich wollte es mir von außen anschauen. Das ist alles.«

Miss Haddon beugte sich vor und sagte etwas versöhnlicher: »Miss Gray, Sie wissen, dass ich keine Bevorzugung und keine privaten Freundschaften mit Schülerinnen dulde. Ich kann Ihnen nicht verbieten, sich dieses Haus anzusehen, muss Sie aber ersuchen, auf weitere derartige Unternehmungen zu verzichten. Ich schätze Ihre Arbeit, aber ich erwarte, dass Sie die Regeln einhalten. Auch die unausgesprochenen. Verstehen wir uns?«

Mrs. Westlake versorgte Matilda mit Tee und dann mit Portwein und redete ihr gut zu, bis sie damit herausrückte, was in der Schule vorgefallen war.

»Sie wagen viel für dieses Mädchen.« Matildas Vermieterin schmunzelte. »Der architektonische Wert des Hauses, ich muss schon sagen … Chapeau.«

Matilda schwieg.

»Sie können Ihrer Geistesgegenwart danken – und der Verschwiegenheit der jungen Anne. Sonst hätten Sie Ihre Stelle ernsthaft gefährdet«, fügte Mrs. Westlake hinzu.

Matilda holte tief Luft und schaute auf ihre Hände, die sie im Schoß verschränkt hatte. »Ich werde in Zukunft vorsichtiger sein. Und bin erleichtert, dass es gut ausgegangen ist.«

»Dafür wirken Sie immer noch ziemlich bedrückt, meine Liebe.«

»Da war noch etwas anderes. Ich … habe Anne ganz bewusst von meiner Post erzählt. Ich wollte hören, ob Laura ihr auch geschrieben hat und wie sie reagieren würde, falls nicht. Sie wirkte enttäuscht und gekränkt, und das habe ich ausgenutzt und weitergefragt. Sonst hätte ich nie erfahren, dass sich Laura Anne vor Jahren anvertraut hat. Oder dass die beiden drei Jahre lang die Sommerferien miteinander verbracht haben. Von sich aus hätte sie es mir wohl nicht erzählt.« Sie versuchte, die Scham herunterzuschlucken, die ihr die Kehle zuschnürte.

»War es das wert?«, fragte Mrs. Westlake unumwunden.

Zu ihrer eigenen Überraschung nickte Matilda. »Laura hätte ebenso gut an Anne schreiben können. Sie wohnt in dem Zimmer und hätte den Kasten ohne Weiteres an sich nehmen oder irgendwohin schicken können. Aber sie hat *mir* geschrieben. Und ich will wissen, warum das so ist.«

»Der Zweck heiligt die Mittel.«

»Manchmal.«

»Na dann«, sagte Mrs. Westlake ungerührt. »Aber Sie dürfen keinesfalls Ihre Stelle riskieren. Wovon wollen Sie dann die Miete bezahlen?«

Matilda lachte befreit auf. »Ihr Mitgefühl rührt mich.«

»Sie haben mir erzählt, wie schwer es war, eine gute Stelle zu finden.«

»Das ist wahr.«

»Sie müssen außerhalb der Schule suchen. Zum Sammler zu gehen, war nur der erste Schritt. Und Sie sollten sich das Haus bei Tageslicht ansehen.«

Matilda nickte. »Mr. Arkwright möchte wissen, wem das Buch gehört hat. Und der Weg dorthin führt über Laura und ihre Familie. Laura selbst kann ich nicht fragen. Aber ich habe eine andere Idee. Der Priester aus der Cannon Street hat doch erzählt, dass die Ancrofts bei einem Brand gestorben sind. Also habe ich Anne danach gefragt, und sie hat mir von dem schrecklichen Unglück erzählt. Wenn ein angesehenes Londoner Ehepaar in seinem Landhaus ums Leben kommt und eine kleine Tochter hinterlässt, dürfte das Aufsehen erregt haben. Es muss in der Zeitung gestanden haben.«

»Ausgezeichnet, meine Liebe!«, rief Mrs. Westlake. »Und ich weiß auch, wer Ihnen helfen kann, etwas darüber herauszufinden.«

Matilda rutschte in ihrem Sessel nach vorn und schaute sie erwartungsvoll an.

»Der Sohn eines Freundes meines Vaters – ich weiß, es klingt kompliziert – arbeitet bei der *Illustrated London News*. Ich habe ihm mal eine kostenlose Geschichte geliefert, seither schuldet er mir einen Gefallen. Falls die Zeitung über das Unglück berichtet hat, ist der Artikel über seinen Schreibtisch gegangen. Ich werde ihm gleich morgen telegrafieren.«

»Das wäre wunderbar.«

Mrs. Westlake hob ihr Glas. »Halten wir uns an Tennyson – *zu streben, suchen, finden, niemals aufzugeben.*«

Matilda stieß mit ihr an und erinnerte sich an eine andere Zeile aus dem Gedicht: *Ich bin ein Teil von allem, das ich traf.*

Wenn das stimmte, war sie ein Teil von Lauras Geschichte und durfte ihr die Hilfe nicht versagen.

10

Edward Marsden erklärte sich spontan bereit, Matilda am frühen Abend in seinem Büro im Ingram House, Strand Nr. 198, zu empfangen. Das imposante Gebäude war nach der Gründerfamilie benannt, die vor achtundfünfzig Jahren die erste illustrierte Zeitung der Welt herausgebracht hatte.

Matilda meldete sich beim Portier und wurde über eine Marmortreppe in den ersten Stock geschickt, in dem die Redaktion untergebracht war. An den Wänden hingen gerahmte Titelseiten, deren große Illustrationen von besonders aufsehenerregenden Ereignissen kündeten – Krimkrieg, Weltausstellung, Eröffnung des Suezkanals, Schiffsuntergänge, Theateraufführungen und Entdeckungsreisen. Gekrönt wurde jede Seite von dem charakteristischen Namenszug der Zeitung und dem hübschen Londoner Panorama mit St. Pauls's Cathedral in der Mitte.

Matildas Eltern hatten das Blatt abonniert. Als sie gerade lesen konnte, hatte sie immer zuerst nach hinten zu den Kleinanzeigen geblättert. Darin wurde alles angeboten, von Verdauungspillen über Fahrräder bis hin zu Pistolen, und sie hatte fasziniert jede Annonce verschlungen.

Harry hatte sie damit aufgezogen, weil Nachrichten aus dem Sport und aus exotischen Ländern ihm weitaus spannender erschienen, doch Matilda ließ sich von patentierten Gabeln fesseln, deren Rückseiten mit kleinen Messerklingen versehen waren und das Kauen und damit die Verdauung erleichtern sollten.

Dann öffnete sich eine Tür am Ende des Flurs, und Edward Marsden winkte ihr. Er mochte Anfang fünfzig sein, doch seine Haare waren noch pechschwarz. Eine Schulter ragte höher als die andere, wodurch er sein Gegenüber schräg von unten ansah, und sein Kopf schien zu groß für den schmächtigen Körper. Als er Matilda die Hand schüttelte, schenkte er ihr das bezauberndste Lächeln, das sie je bei einem Mann gesehen hatte.

»Bitte treten Sie ein und setzen Sie sich.« Er deutete auf den Stuhl vor seinem Schreibtisch und schloss die Tür. Der Raum war klein, aber durch ein großes Fenster gut beleuchtet. Aus deckenhohen Regalen quollen Papierstapel, und auf dem einzigen freien Fleckchen des Tisches stand eine Schreibmaschine.

»Danke, dass Sie Zeit für mich haben, Mr. Marsden.«

Er zuckte mit den Schultern. »Ich lasse mir die Gelegenheit, eine junge Dame in meinem Büro zu empfangen, nicht entgehen.«

Er sagte es leichthin, doch Matilda hörte eine leise Traurigkeit in seinen Worten. »Hat Mrs. Westlake Ihnen geschrieben, worum es geht?«

»Sie erwähnte nur, dass es sich um eine persönliche Angelegenheit handele, und hat mich gebeten, Ihnen zu helfen. Nun, was kann ich für Sie tun?«

Matilda schilderte ihr Anliegen.

Als sie geendet hatte, sah Mr. Marsden sie mit leicht gerunzelter Stirn an. »Lassen Sie mich überlegen … Ja, da war etwas. Vor vier Jahren, sagen Sie?« Er stand auf und zog mühsam ein großes gebundenes Buch aus dem Regal, auf dessen schwarzem Rücken die Jahreszahl 1896 eingeprägt war. Er legte es auf den Tisch und deutete darauf. »Alle zweiundfünfzig Ausgaben unserer Zeitung aus dem betreffenden Jahr. Wissen Sie, in welchem Monat sich der Brand ereignet hat?«

»Leider nicht.«

»Gut, dann müssen wir den langen Weg nehmen und alles durchsehen. Möchten Sie?« Er drehte das Buch zu ihr um und nickte zur Schreibmaschine hinüber. »Ich muss noch einen Artikel für die nächste Ausgabe verfassen und bin ziemlich spät dran.«

»Natürlich, lassen Sie sich nicht stören.« Matilda schlug das Buch auf. Verglichen mit den Tageszeitungen und ihren engen, gleichförmigen Spalten war die *Illustrated London News* wunderbar übersichtlich. Die zahlreichen Bilder ließen sofort erkennen, wovon die Artikel handelten, und ersparten ihr die langwierige Suche.

Im Oktober wurde sie fündig.

Tragödie in Kent

Beim Brand eines Cottages aus dem 17. Jahrhundert starb am vergangenen Donnerstag ein Ehepaar aus London. George und Violet Ancroft verbrachten die Wochenenden häufig in ihrem abgeschiedenen, reizvoll gelegenen Haus bei Cranbrook in Kent. Der wohlhabende Londoner Kaufmann und seine Frau pflegten dort Freunde und Künstler zu empfangen und waren bei den Nachbarn wohlgelitten.

Die Ursache für das Feuer wurde noch nicht ermittelt, doch der Leiter der zuständigen Feuerwache erklärte, bei alten Häusern wie diesem bestünde eine beträchtliche Brandgefahr, da viel Holz verbaut wurde und das Dach mit Reet gedeckt war. Die Leichenschau ergab, dass das Ehepaar nicht den Flammen, sondern dem Rauch zum Opfer fiel. Die Ancrofts hinterlassen eine kleine Tochter, die sich nicht im Haus befand. Wie unsere Zeitung erfuhr, wird ein Anwalt zum Vormund bestellt, für das Mädchen ist gut gesorgt.

Eine Nachbarin erklärte, der ganze Ort sei tief bestürzt und spreche dem Mädchen sein tiefes Beileid aus. Man könne nur von Glück sagen, dass die Wochenendgäste noch nicht eingetroffen waren, sonst wären möglicherweise weitere Opfer zu beklagen.

Darunter befand sich ein Kupferstich, der ein von Rosen umgebenes Fachwerk-Cottage zeigte.

Matilda notierte sich die wichtigsten Angaben.

»Haben Sie gefunden, was Sie suchten?«, fragte Marsden.

»Oh, ja, vielen Dank.«

Er drehte das Buch zu sich um und überflog den Artikel. »Jetzt erinnere ich mich. Den Beitrag hat ein Kollege geschrieben, und die Geschichte hat einiges Aufsehen erregt.«

»Dürfte ich noch ein wenig blättern?«

Er macht eine einladende Geste. »Bitte. Ich gehe nie vor neun nach Hause. Manchmal noch später.«

Wieder spürte Matilda, dass etwas in seinen Worten mitschwang, vielleicht Einsamkeit. Sie blickte auf und sah Marsden gekrümmt am Schreibtisch sitzen, die Hände auf den Tasten der Schreibmaschine. Der Rhythmus, in dem er tippte, klang geradezu schmerzhaft ungleichmäßig.

Matilda blätterte weiter, entdeckte aber nichts Weiteres über den Brand. Ein Unglücksfall, der zwei Menschen das Leben gekostet und einem Mädchen die Eltern geraubt hatte. Für die Presse war die Sache damit abgeschlossen.

Für Laura aber hatte damals eine neue Geschichte begonnen.

Als sie das Buch zuklappte, blickte Marsden auf. »Fertig?«

»Ja.« Sie zögerte. »Wenn Sie ohnehin noch bleiben, würde ich Ihnen gern ein paar Minuten stehlen.«

Wieder das Lächeln, das sein Gesicht verwandelte. Er stand auf und trat an einen Schrank. »Tee gibt es um diese Zeit nicht mehr, also vielleicht einen Sherry? Ich selbst nehme Whisky, aber Damen bevorzugen gewöhnlich etwas Leichteres.«

Etwas in ihr sträubte sich dagegen, ein damenhaftes Getränk zu wählen. »Ein kleiner Whisky wäre mir auch recht.«

Marsden stellte zwei Gläser auf den Tisch und goss einen einfachen und einen doppelten Whisky ein.

Er brannte in der Kehle, verbreitete aber eine wohlige Wärme in Matildas Magen.

»Sie wollten mir einige Minuten stehlen, Miss Gray. Nur zu.«

»Wohin wende ich mich, wenn ich etwas über ein Haus erfahren möchte? Ein Haus, das zurzeit unbewohnt ist.«

»Wollen Sie es kaufen?«

»Nein, nein, es geht mir um seine Geschichte. Und die Menschen, die dort gelebt haben.«

Mr. Marsden lehnte sich auf seinem Stuhl zurück und betrachtete sie interessiert. »Sie machen mich neugierig. Und glauben Sie mir, ich bin ein alter Hase im Geschäft, es braucht schon einiges, um meine Neugier zu wecken. Ich bin seit dreißig Jahren bei der ›News‹ und habe über jeden Krieg, jedes Sportereignis und jeden gesellschaftlichen Skandal berichtet, solange sie Auflage brachten. Aber Sie …« Er trank noch einen Schluck. »Sie kommen von Bea Westlake, allein das lässt mich aufhorchen. Was für ein Schlachtschiff!«

Matilda stutzte kurz und lachte, als sie begriff, dass er ihre Vermieterin meinte.

»Sie wollten etwas über den Tod der Ancrofts erfahren. Und nun fragen Sie mich nach einem leer stehenden Haus in London. Ich nehme an, es besteht eine Verbindung.«

Als sie schwieg, zog er eine Augenbraue hoch. »Liege ich richtig?«

Matilda faltete die Hände im Schoß und sah ihn an. »Sie sind Journalist. Es gibt Dinge, die ich Ihnen nicht erzählen kann. Die Angelegenheit ist vertraulich.«

»Ich bin nicht immer Journalist.«

»Ist das ein Ehrenwort?«

»So weit würde ich nicht gehen«, entgegnete er mit entwaffnender Ehrlichkeit. »Ich suche immer nach guten Geschichten. Aber ich verspreche, Sie vorzuwarnen, sobald wir uns auf gefährliches Terrain begeben. Und nichts, was Sie bis dahin gesagt haben, verlässt diesen Raum. Ich schulde der guten Bea einen Gefallen, und den löse ich hiermit ein.«

»Einverstanden. Es geht um das Londoner Haus der Ancrofts. Es ist unbewohnt. Die Adresse ist Laurence Pountney Hill.«

»Wo genau ist das?«

»Es handelt sich um eine Nebenstraße der Cannon Street. Schräg gegenüber von St. Swithin's.«

»›They groan'd aloud on London Stone‹.«

»›They groan'd aloud on Tyburn's Brook‹«, ergänzte Matilda. »Sie kennen Blake auch gut! Wobei ich gestehen muss, dass ich bis vor wenigen Tagen nicht wusste, wo sich dieser Stein befindet.«

Marsden rieb sich nachdenklich das Kinn, an dem ein dunkler Bartschatten zu sehen war. »In der Gegend gibt es kaum Wohnhäuser. Die Familie muss recht wohlhabend gewesen sein, wenn sie auch noch ein Anwesen auf dem Land besaß.«

»Es ist ziemlich elegant.«

»Nun, Miss Gray, hätte es in den vergangenen Jahren Skandale oder andere spektakuläre Ereignisse um dieses Haus oder die Familie gegeben, wüsste ich davon. Ich wäre sofort hellhörig geworden, als Sie mir die Adresse genannt haben. Aber mir sagt nicht einmal der Straßenname etwas. Noch einen Whisky?« Als sie den Kopf schüttelte, goss er sich selbst noch etwas nach. »Bei der ›News‹ wissen wir immer, was in London vorgeht und worüber sich zu berichten lohnt. Bitte schauen Sie nicht so enttäuscht, ich bin noch nicht fertig.«

Er riss einen Zettel von einem Block und notierte etwas. »Ich bin für die Gegenwart zuständig, für alles, was neu und interessant ist. Ich bin kein Historiker. Anders als dieser Herr.« Er tippte auf den Zettel und schob ihn Matilda hin.

Professor Stephen Fleming, Historisches Seminar, University College London, stand darauf zu lesen.

»Danke.« Mr. Marsden schien ihre unausgesprochene Frage zu erahnen.

»Er ist ein Fachmann für die Geschichte Londons. Er weiß Dinge, die Journalisten gewöhnlich nicht brauchen und die über unsere Kenntnisse weit hinausgehen. Vor einigen Jahren hat er mir Fragen zur Schifffahrtsgeschichte auf der Themse beantwortet, und ich habe ihn als freundlichen, hilfsbereiten Menschen erlebt. Versuchen Sie bei ihm Ihr Glück.«

Matilda bedankte sich noch einmal und stand auf. Marsden streckte ihr die Hand entgegen. »Grüßen Sie die gute Bea von mir, und sagen Sie ihr, wir seien nun quitt.« Dann fügte er lächelnd hinzu: »Wann immer Sie einen Zeitungsmann brauchen, kommen Sie zu mir. Es war mir ein besonderes Vergnügen, Miss Gray.«

Matilda stand gedankenverloren auf dem belebten Strand und ließ Menschen, Omnibusse und Pferdewagen an sich vorbeiziehen, ohne sie wirklich wahrzunehmen. Was mit der Sorge um Laura begonnen hatte, war zu einem spannenden Rätsel geworden. Sie kam sich vor wie auf einer Reise, bei der jede Begegnung neue Türen aufstieß und sie zu anderen Menschen führte. Wieder trug sie einen Zettel mit einem unbekannten Namen in der Tasche, wieder würde sie abends quer durch die Stadt fahren, statt gemütlich am Kamin zu sitzen und zu lesen. Es fiel Matilda zunehmend schwer, sich tagsüber auf die Arbeit zu konzentrieren, der Sog des Rätsels, das Laura ihr gestellt hatte, war einfach unwiderstehlich.

Der Sammler und Marsden hatten etwas gemeinsam – sie waren keine Wissenschaftler, sie wollten etwas verkaufen: der eine Antiquitäten und Kuriosa, der andere eine Zeitung. Beide hatten nicht sonderlich gestaunt, als Matilda mit ihren Fundstücken und Fragen bei ihnen aufgetaucht war. Was aber würde ein Geschichtsprofessor vom University College dazu sagen?

Sie beschloss, ein Stück zu Fuß zu gehen und sich von den Lichtern und Menschen ablenken zu lassen. Sie liebte die gewaltige Stadt, in der man sich verlieren konnte. Sie hätte nirgendwo sonst leben wollen.

Genau wie die Ancrofts, dachte sie. Sie waren oft in ihrem hübschen Cottage gewesen, hatten das Haus in London aber nie aufgegeben. Wie hatte Laura die Wochenenden verbracht, wenn ihre Eltern sie allein in der Stadt ließen? War sie durch die Zimmer gestreift, auf der Flucht vor Kindermädchen oder Gouvernante? Ein abenteuerlustiges, selbstbewusstes Mädchen wie sie hatte gewiss nicht still in einer Ecke gesessen und gestickt. Und doch musste das große alte Haus auch furchter-regend gewesen sein.

Sie war so tief in Gedanken versunken, dass sie beinahe mit einer Frau zusammenstieß, die ihren Hund an der Leine führte. Matilda entschuldigte sich und wollte schon weitergehen, als ihr Blick auf einen Straßenhändler fiel, der Schinkensand-wiches verkaufte. Plötzlich wurde ihr bewusst, wie hungrig sie war. Also kaufte sie zwei und biss gleich in eins hinein, was nicht damenhaft, ihr aber herzlich gleichgültig war.

Sie bog in die Charing Cross Road, wobei sie weiteraß, und bald waren beide Sandwiches verschwunden.

In der Straße drängten sich Buchhandlungen und Anti-quariate, deren erleuchtete Fenster sie anlockten. Nur noch ein kleines Stück, sagte sie sich, dann würde sie zurück nach Charing Cross gehen und die Untergrundbahn nach Hause nehmen.

Blackwood's Magazine warb für Joseph Conrads neuesten Roman *Lord Jim,* daneben verkündete ein Schild: »Bald auch als Buchausgabe«. Der Einband von *Der Zauberer von Oz* leuchtete ihr bunt entgegen, und Jerome K. Jerome schickte seine drei Männer auf eine Fahrradtour durch Deutschland. Matilda wollte gerade kehrtmachen, weil Kälte und Müdigkeit ihr in die Knochen drangen, als ihr Blick auf einen Band fiel, der an einem hölzernen Modell des Tower lehnte. Der Titel lautete: *Das vergessene London* von Stephen J. Fleming.

11

London, November 1900

Stephen Fleming ging die Gower Street entlang und genoss den Morgenspaziergang, da die Sonne den Novembernebel durchbrochen hatte und ihm beinahe warm auf den Rücken schien. Er bog in den von Gebäuden eingefassten Innenhof vor dem Universitätsgebäude, wo sich die letzten Blätter an die Bäume klammerten, bevor der nächste Sturm sie endgültig herunterreißen würde. An diesem Morgen aber hing noch ein Hauch von goldenem Oktober in der Luft.

Fleming knöpfte seinen Mantel auf, da ihm unterwegs warm geworden war, und lief die Stufen vor dem prächtigen Säulenportal empor. Im Vorbeigehen grüßte er einen Kollegen aus dem Institut für Englische Literatur, der ihm ein Blatt in die Hand drückte und etwas von einer Versammlung murmelte.

Im nördlichen Kreuzgang sprach ihn eine junge Frau an. »Guten Morgen, Herr Professor. Verzeihen Sie, wenn ich störe, aber hätten Sie demnächst Zeit für ein Gespräch? Es geht um meine Masterarbeit, ich möchte die Rolle der Frau in den Gilden noch stärker herausarbeiten.«

Er blieb stehen und deutete auf eine der Nischen in der Wand. »Sie kennen meine Situation, Miss Edwards. Wenn Sie einen Termin bei mir haben möchten, sollten Sie jede Gelegenheit ergreifen. Also, wie kann ich Ihnen behilflich sein?«

Ein überraschter Blick, dann zog Miss Edwards einen Stapel Blätter aus ihrer überquellenden Tasche und legte los.

Fleming hatte gelernt, sich an den unmöglichsten Orten zu konzentrieren, im Universitätshof Themen für mündliche Prüfungen abzusprechen und unter den regennassen Säulen des Portikus Hausarbeiten entgegenzunehmen. Er wusste, dass man ihn den »flüchtigen Fleming« nannte, und akzeptierte es mit gutmütiger Belustigung.

Dann und wann lud er Studenten zu sich nach Hause ein. Wenn sie sein Arbeitszimmer betraten, blickten sie sich oft staunend um. Er hatte einmal mitbekommen, wie ein Student, der bei ihm gewesen war, den Raum als »exzentrisches Museum« bezeichnete, worauf Fleming ihm bei der nächsten Vorlesung eine Metalldose unter die Nase gehalten und um Spenden für den Erhalt des Museums gebeten hatte.

Er unterrichtete englische und europäische Geschichte, doch dieser Raum war seiner Leidenschaft vorbehalten – der Vergangenheit Londons. Die Regale waren gefüllt mit römischen Öllampen, mittelalterlichen Münzen, Türklopfern, Straßenschildern, hölzernem Geschirr, elisabethanischen Miniaturbüchern, Parfümflaschen, Spiegeln und Fächern. Er brachte regelmäßig Gegenstände in die Vorlesungen mit, da er hoffte, die Fantasie seiner Studenten damit anzuregen.

Geschichte war nicht aus Papier gemacht, man musste sie betasten, riechen und schmecken können, um sie zu verstehen. Einmal hatte er seiner Haushälterin ein Rezept aus dem 15. Jahrhundert vorgelegt und sie gebeten, es für eine Dinnerparty zu kochen, worauf sie ihn empört zurechtgewiesen hatte.

»Huhn in Ale-Sud, Herr Professor? Zehn bis zwanzig Safranfäden? Und so viel Ingwer? Das wird niemandem schmecken, und ich muss es anschließend wegwerfen. Von den Kosten ganz zu schweigen.«

Sie einigten sich auf eine Erdbeersuppe, die als Dessert serviert wurde und die Gäste entzückte.

Er war beliebt, da seine Vorlesungen anschaulich verliefen. Er ließ Studentinnen Schmuckstücke anprobieren, reichte Gebäck nach alten Rezepten herum und gestattete sogar einen Fechtkampf mit alten Waffen, den er erst unterbrach, als der Dekan, durch Lärm und Gelächter alarmiert, den Kopf in den Hörsaal steckte.

Die Kollegen mochten gelegentlich den Kopf schütteln, wussten aber nur zu gut, dass Flemings Studenten ausgezeichnet abschnitten. Und der eine oder andere schleppte inzwischen ebenfalls Objekte an, um seine Vorlesungen lebendiger zu gestalten. Die Kollegen hätten es nie zugegeben, doch eine Studentin hatte Fleming neulich verraten, Professor Cranston habe versucht, ein altägyptisches Parfüm namens Stakte nachzubilden, und dabei den Hörsaal in einen geradezu betäubenden Myrrheduft getaucht.

Fleming nahm es den Kollegen nicht übel, wenn sie seine Methoden belächelten, solange sie ihn heimlich imitierten. Die Arbeit im Seminar war angenehm, und es herrschte meist ein zwangloser Umgang. Vor einigen Jahren hatte er einen Ruf nach Oxford erhalten, es aber vorgezogen, am University College zu bleiben. Es war noch jung, fortschrittlich orientiert und ließ seit über zwanzig Jahren Frauen zu, was Fleming als durchaus belebend empfand.

Und da London sein Forschungsgebiet war, wäre er ohnehin nie in eine andere Stadt gezogen.

Sein Blick fiel auf das Blatt, das man ihm vorhin ausgehändigt hatte.

Ein Kollege hatte Emily Hobhouse vor einigen Wochen kennengelernt und war so beeindruckt gewesen, dass er sie zu einem Vortrag eingeladen hatte. Sie setzte sich für Frauen und Kinder in Südafrika ein, die aus ihren Häusern vertrieben und zu heimatlosen Opfern des Krieges geworden waren. Außerdem arbeitete sie für das Südafrika-Versöhnungskomitee, das mit den Buren verhandeln und möglichst bald Frieden schließen wollte. Miss Hobhouse war nicht unumstritten; manche Gegner behaupteten gar, sie unterstütze die Feinde Großbritanniens.

Für Fleming war es selbstverständlich, mit Frauen umzugehen, die bei anderen oft auf Unverständnis stießen. Miss Edwards beispielsweise hatte ihm einmal anvertraut, dass eine alte Tante ihr das Studium ermöglichte, nachdem ihre eigenen Eltern sich geweigert hatten, dafür aufzukommen. Seither wohnte die Studentin in einem möblierten Zimmer, da der Vater sie des Hauses verwiesen hatte.

Miss Hobhouse ging jedoch noch weiter; sie bot sogar der Regierung die Stirn. Fleming war ihr einmal kurz begegnet und hatte sie als aufrichtig und überzeugend empfunden. Und so hoffte er, dass der Hörsaal um sechs Uhr gut gefüllt sein würde.

Miss Emily Hobhouse stand in ihrem dunklen Kleid mit dem hohen Kragen auf dem Podium. Sie hatte ein ernstes, intelligentes Gesicht, das ebenso freundlich wie konzentriert wirkte, während sie von ihrem Einsatz für die Frauen und Kinder am Kap berichtete. Ihre Stimme klang leidenschaftlich, doch sie ließ sich nicht hinreißen, sondern appellierte an Moral und gesunden Menschenverstand.

Fleming stand in der Nähe der Tür, die Arme vor der Brust verschränkt. Der Andrang war noch größer, als er gehofft hatte.

Sämtliche Sitzplätze waren belegt, sie hatten sogar einige Besucher an der Tür abweisen müssen. Er sah viele junge Gesichter, darunter einige seiner Studenten, aber auch Leute, die offenbar von draußen gekommen waren, vielleicht angelockt durch die Plakate, die man an den beiden Torhäusern aufgehängt hatte. Drei oder vier Herren waren darunter, die er für Journalisten hielt. Hoffentlich blieb alles ruhig, denn niemand konnte wissen, ob sich nur Anhänger und Neugierige eingefunden hatten oder auch Gegner von Miss Hobhouse, die Unruhe stiften wollten.

Seine Befürchtungen bestätigten sich leider nur zu bald.

Ein Mann erhob sich halb von seinem Stuhl und brüllte: »Dann geh doch zu deinen Burenfreunden!«

Miss Hobhouse hielt inne und schaute in die Richtung, aus der der Ruf gekommen war. »Sir, ich kann fremde Menschen nicht als meine Freunde bezeichnen. Aber auch nicht als Feinde, vor allem nicht, wenn es sich um schutzlose Frauen und Kinder handelt, die Opfer dieses Krieges geworden sind. Man hat ihre Häuser zerstört, ihre Felder verbrannt, sie von ihrem Grund und Boden vertrieben. Und was Ihren Vorschlag betrifft: Ich werde am 7. Dezember tatsächlich in die Kapkolonie reisen, um mir selbst ein Bild zu machen.«

Sie wollte weitersprechen, wurde aber erneut von dem Zwischenrufer unterbrochen. »Dann sollen sich die Weiber doch bei ihren Männern beschweren, die unsere Soldaten töten! Wir setzen uns zur Wehr, das ist unser gutes Recht als Briten!«

Miss Edwards, die in der ersten Reihe saß, sprang auf und drehte sich nach hinten um. »Lassen Sie die Frau doch ausreden!«

Der Mann lief rot an. »Jetzt fängt noch so ein Weibsbild an ...«

Flemings Kollege, der Englischprofessor Ingram, der zu dem Vortrag eingeladen hatte, trat neben Miss Hobhouse und schlug mit der flachen Hand aufs Pult. »Ich muss um Ruhe bitten, sonst lasse ich Sie aus dem Saal entfernen!«

Nachdem Stille eingekehrt war, fuhr Miss Hobhouse fort: »Man hat dort Lager eingerichtet, sogenannte Konzentrationslager, in denen die entwurzelten Menschen hausen. Und wenn ich hausen sage, meine ich genau das. Dort grassieren Krankheiten wie Typhus, die Kindersterblichkeit ist erschreckend, man weiß von Hungertoten.«

»Diesen gefährlichen Unsinn höre ich mir nicht länger an!« Der empörte Mann stand ruckartig auf und marschierte zur Tür, die sich in diesem Augenblick öffnete. Er stürmte rücksichtslos an einer jungen Frau vorbei, die gerade eintreten wollte, und riss sie zu Boden. Dann verschwand er, ohne sich umzudrehen.

Fleming gab Miss Hobhouse ein Zeichen fortzufahren, und eilte zu der Frau, um ihr aufzuhelfen. Dann schob er sie behutsam in den Flur und führte sie in eine ruhige Ecke. »Sind Sie verletzt? Brauchen Sie ärztliche Hilfe?«

Die Frau schüttelte den Kopf, aber er bemerkte einen länglichen, blauroten Fleck auf ihrer linken Wange, der bereits anschwoll. »Sie haben sich an der Kante des Türrahmens verletzt. Kommen Sie mit.«

Fleming griff sanft, aber bestimmt nach ihrem Arm, führte sie durch einige Korridore und blieb schließlich vor einer geschlossenen Tür stehen. Er wühlte in seiner Hosentasche nach dem Schlüssel. Die Frau neben ihm atmete jetzt heftig, als stünde sie unter Schock.

Er stieß die Tür auf und geleitete die Frau zu einem Stuhl. Das Zimmer war klein und kahl, es enthielt nur eine Liege, einen Schrank und ein Waschbecken. Fleming drehte den Hahn auf, hielt sein Taschentuch darunter und drückte es sorgfältig aus.

»Legen Sie sich das an die Wange.« Die Frau nahm das Taschentuch und sog scharf die Luft ein, als es ihr Gesicht berührte. Ihr Atem wurde jedoch ruhiger. »Das tut gut.«

Fleming öffnete den Schrank und holte eine Metalldose heraus, die Verbandsmaterial enthielt. Als er der Frau die Dose reichte, tauchte flüchtig ein Bild vor seinem inneren Auge auf. Er selbst mit einem kalten Tuch im Gesicht, nachdem ihn ein unerwartet starker Arm gegen einen Schrank gestoßen hatte. Er vertrieb den Gedanken rasch und sagte: »In den nächsten Tagen werden Sie aussehen, als hätten Sie sich geprügelt, aber das vergeht. Wenn das Taschentuch warm wird, halten Sie die Dose ans Gesicht.«

Dann betrachtete er die junge Frau genauer. Sie trug ein dunkelblaues Kostüm, bestehend aus eng anliegender Jacke und Glockenrock, und eine Baskenmütze aus dunkelblauem Samt mit einer goldenen Brosche. Eine blonde Haarsträhne war unter der Mütze herausgerutscht und hing über einem Auge.

»Ich danke Ihnen, Sir. Was für ein dummes Missgeschick, aber der Herr kam so überraschend – ich wollte keinesfalls den Vortrag stören.«

»Der war bereits gestört worden, und zwar von eben diesem Herrn«, entgegnete Fleming. Er öffnete eine kleine Tür im Schrank, hinter der – angeblich zu rein medizinischen Zwecken – Brandy aufbewahrt wurde. Fleming goss ein Glas ein und reichte es der Frau. Sie trank einen Schluck und tauschte dann das Taschentuch gegen die kalte Metalldose.

»Sobald Sie sich erholt haben, begleite ich Sie gern zum

Saal, falls Sie Miss Hobhouse hören möchten.« Er bemerkte, dass sie zögerte und ein wenig verlegen wirkte.

»Ich … eigentlich wollte ich den Vortrag gar nicht hören. Das heißt, er scheint sehr interessant zu sein, aber deswegen bin ich nicht gekommen. Ich bin auf der Suche nach Professor Fleming.«

»Oh, tatsächlich?«, fragte er überrascht.

Sie lächelte. »Ich bin zum Portier gegangen. Und der sagte mir, Professor Fleming habe kein eigenes Büro. ›Er ist unser einziger Historiker‹, wie er sich ausdrückte. Es klang, als spräche er von einem exotischen Haustier.«

Fleming konnte sich das Lachen kaum verkneifen.

»Und dann schickte er mich zu diesem Hörsaal, weil der Professor dort zu finden sei. Leider wurde ich über den Haufen gerannt, bevor ich nach ihm suchen konnte.«

»Was für ein glücklicher Zufall.«

Die junge Dame sah ihn verwundert an, und als er lächelte, begriff sie und wurde ein wenig rot.

»Oh, Sie sind es selbst?« Sie biss sich auf die Lippe. »Das mit dem Haustier tut mir leid. Verzeihen Sie bitte.«

Er zog einen Stuhl heran. »Wenn Sie mir verraten, wer Sie sind, verzeihe ich Ihnen das Haustier.«

»Oh, natürlich. Mein Name ist Matilda Gray. Aber ich möchte Sie nicht länger von dem Vortrag fernhalten. Ich habe in der Zeitung über Miss Hobhouse gelesen, eine bewundernswerte Frau.«

Er musterte die Besucherin. »Ich habe genug gehört, und die Ansichten von Miss Hobhouse sind mir bekannt. Mehr noch, ich teile sie. Daher kann ich mir Zeit für Sie nehmen und bin offen gestanden auch neugierig, was Sie zu mir führt.« Er schaute sich um. »Leider kann ich Ihnen keinen Tee anbieten, wie Sie sehen, ist das ein Erste-Hilfe-Raum. Gleich um die Ecke gibt es jedoch ein Kaffeehaus. Falls Sie möchten …?«

Miss Gray wirkte leicht verlegen.

»Verzeihung, wir kennen uns gar nicht. Aber dies ist eine aufgeklärte Gegend, unsere Studentinnen bewegen sich ganz frei.«

»Das tue ich auch, Herr Professor. Ich dachte nur an mein Gesicht.«

»Mr. Fleming reicht völlig. Und wie ich schon sagte, es ist eine aufgeklärte Gegend.«

»Dann bin ich einverstanden.« Sie stellte die Dose auf den Tisch. »Falls Sie sich mit mir so auf die Straße wagen, lassen Sie uns gehen.«

Fleming war nun wirklich neugierig. Er räumte die Dose fort, steckte das nasse Taschentuch achtlos ein und hielt seiner Besucherin die Tür auf. Das Gebäude wirkte verlassen. Ihre Schritte hallten leicht versetzt durch die stillen Flure. Fleming holte Hut und Mantel aus einem Wandschrank beim Portier, und kurz darauf standen sie auf dem regennassen Gehweg. Die Bäume auf dem Hof zeichneten sich nur noch schattenhaft vor dem dunkelblauen Abendhimmel ab, und die Straßenlaternen ließen das Pflaster golden funkeln.

»Gleich dort drüben«, sagte er und deutete auf eine Nebenstraße. »Falls es Ihnen zu spät für Kaffee ist, können Sie natürlich etwas anderes trinken. Nur ist er dort besonders gut. Das Lokal ist weit über hundert Jahre alt, wenngleich es nicht immer für Frauen geöffnet war.«

»Eine Errungenschaft der modernen Zeit«, sagte Miss Gray zufrieden.

»Oh, ja.« Sie hatten beide ihre Regenschirme aufgespannt und gingen nebeneinander her. »Eine von mehreren.«

»Wie die, dass Frauen bei Ihnen studieren können.«

»Ich begreife nicht, weshalb man sich anderswo so dagegen wehrt«, sagte er nachdrücklich. »Ich betrachte die Studentinnen als eine große Bereicherung.«

Das Kaffeehaus hatte einen Erker mit großen Fenstern, durch die warmes Licht nach draußen fiel. Sie schüttelten die Schirme aus, dann hielt Fleming seiner Begleitung die Schwingtür auf. Drinnen begrüßte sie der Duft von Kaffee und Süßigkeiten, der Raum war von Stimmen und Gelächter erfüllt.

Sie fanden einen freien Tisch in einer Ecke. Er bot Miss Gray den Platz an, auf dem ihre verletzte Wange der Wand zugekehrt war, und setzte sich ihr gegenüber.

Als sie bestellt hatten, schaute er sie prüfend an. »Sie schulden mir noch eine Antwort. Was führt Sie zu mir?« Er hatte sich schon gefragt, ob sie sich für ein Geschichtsstudium interessiere, aber es wäre recht ungewöhnlich, ihn deshalb persönlich aufzusuchen.

Ihre Antwort folgte rasch und unverblümt: »Man hat Sie mir als Experten für die Geschichte der Stadt empfohlen. Ich habe angefangen, Ihr Buch über das vergessene London zu lesen. Es ist faszinierend.«

»Wer hat mich denn empfohlen?«

»Mr. Marsden von den *Illustrated London News*.«

Er zog erstaunt eine Augenbraue hoch.

»Ich war auch schon bei einem Mr. Arkwright in Spitalfields«, fuhr sie eifrig fort.

»Das wird ja immer kurioser. Erzählen Sie.«

Miss Gray beschrieb einen Holzkasten, den sie nach Hinweisen auf einer Postkarte gefunden hatte, und was der Sammler zu den Stücken gesagt hatte, die er enthielt.

»Ich kann mir gut vorstellen, dass Arkwright darauf ange-sprungen ist, der alte Fuchs«, sagte Fleming belustigt.

»Sie kennen einander?«

In diesem Augenblick wurden Kaffee und Sandwiches ser-viert. Fleming rührte Zucker in die Tasse und zuckte mit den Schultern. »Mr. Arkwright betrachtet mich als seinen Erz-feind. Ich selbst würde unser Verhältnis als professionelle Ri-valität bezeichnen, das klingt weniger theatralisch.«

Er merkte, dass sie mit der Antwort nicht zufrieden war.

»Ich nehme an, er hat mich nicht erwähnt. Ah, das dachte ich mir«, fügte er nach einem prüfenden Blick auf ihr Gesicht hinzu. Er biss in sein Schinkensandwich und kaute, während Miss Gray das ihre ungeduldig auf dem Teller herumschob. »Er ist Händler, ich bin Wissenschaftler. Er sammelt, ich forsche. Er behält seine Schätze am liebsten für sich, ich teile sie mit anderen. Daher sind unsere Interessen gegensätz-licher Natur. Dabei könnten wir einander durchaus nützlich sein.«

»Inwiefern?«

»Er besitzt Dokumente, für die ich meine rechte Hand ge-ben würde. Gut, das ist übertrieben, aber ich würde betteln, um sie zu sehen. Das habe ich sogar schon getan. Aber er ist eigen. Man nennt ihn nicht umsonst den Sammler.«

»Weil er Dinge um ihrer selbst willen sammelt und nicht wegen ihres Nutzens?«, fragte Miss Gray ein wenig provokant. »Das ist nicht verwerflich. Schönheit und Nutzen sind nicht immer deckungsgleich.«

Fleming erkannte, dass Arkwright sie beeindruckt hatte. Kein Wunder, der Mann war ein Original und sein Laden ein Paradies für alle, die das alte London und seine Geheimnisse liebten. Er musste behutsam vorgehen. »Natürlich nicht, Miss

Gray. Aber Arkwright geht es weder um Schönheit noch um Nutzen, sondern ums Besitzen.«

»Er war recht hilfsbereit.«

»Wenn er sein Wissen mit Ihnen geteilt hat, sollten Sie sich glücklich schätzen, denn dann sind Sie etwas Besonderes. Es ist eigentlich nicht seine Art.«

Sie schien mit sich zu kämpfen, und Fleming bereute, dass er sie in Verlegenheit gebracht hatte.

»Verzeihen Sie, das war unhöflich von mir. Statt mich nach Ihrem Anliegen zu erkundigen, rede ich schlecht über jemanden, der Ihnen freundlich begegnet ist. Also, Sie möchten mehr über diesen Holzkasten und seinen Inhalt erfahren. Und Mr. Arkwright möchte wissen, wem das handgeschriebene Buch gehört hat, aber Sie konnten bis jetzt nicht viel darüber herausfinden. Verstehe ich das richtig?«

Miss Gray holte einen Zettel aus der Tasche und strich ihn auf dem Tisch glatt. »Laurence Pountney Hill. Dort wohnte die Familie, in deren Besitz sich der Kasten zuletzt befunden hat.«

»Darf ich fragen, wie der Kasten in Ihren Besitz gelangt ist?«

»Ich bin Lehrerin, Mr. Fleming. Er stammt von einer Schülerin, die sich zurzeit im Ausland aufhält.«

Nun war er derjenige, der sich mit der Antwort nicht zufriedengab, was sie auch zu merken schien.

»Das Mädchen hatte den Kasten in der Schule versteckt. Auf einer Postkarte, die sie mir geschrieben hat, fand ich einen Hinweis, der mich zu dem Versteck geführt hat. Das ist alles, was ich weiß.«

»Sie hatte ihn versteckt?«

Miss Gray versuchte, in ihr Sandwich zu beißen, und verzog schmerzhaft das Gesicht. »Hm. Und zwar gründlich. Sie besucht seit vier Jahren die Schule. Ich vermute, sie hat ihn irgendwann in dieser Zeit von zu Hause mitgebracht.«

Fleming wischte sich den Mund an der Serviette ab. »Aber Sie wissen es nicht genau.«

»Nein. Ich hatte keine Gelegenheit, mit ihr darüber zu sprechen.«

Er hatte immer noch den Eindruck, dass sie ihm etwas verschwieg, wollte aber nicht drängen. Also schob er den Teller beiseite und hielt zwei Finger hoch. »Erste Möglichkeit: Sie hat ihn von zu Hause mitgebracht, nachdem sie ihn geschenkt bekommen, geerbt oder zufällig gefunden hat. Zweite Möglichkeit: Sie hat ihn in der Schule gefunden.«

Miss Gray unterbrach ihn. »Das halte ich für unwahrscheinlich. Das Schulgebäude ist keine dreißig Jahre alt. Und wenn der Kasten einer Schülerin oder Lehrerin gehört hätte, hätte diejenige ihn vermisst.«

»Haben sie sich umgehört, ob jemand von diesem Schatz weiß?«

»Schatz?«, fragte Miss Gray spöttisch.

»Gönnen Sie mir ein bisschen Romantik. Also, haben Sie sich erkundigt?«

Sie schüttelte bedauernd den Kopf. »Es wird nicht gern gesehen, wenn eine Lehrerin sich einer einzigen Schülerin zu sehr widmet. Meine Kolleginnen gehen davon aus, dass sie nicht mehr zurückkommt. Sie betrachten die Angelegenheit als erledigt und erwarten, dass ich das auch tue.«

»Aber das ist nicht der Fall.« Er sah sie eindringlich an. Vom ersten Augenblick an hatte er eine große Entschlossenheit in ihr gespürt, ein Feuer, das sie anzutreiben schien. Er mochte Menschen, die ein klares Ziel besaßen. »Sie haben für

143

diese Sache einiges auf sich genommen. Ich bin mir nicht sicher, was Sie dazu bewegt, aber es muss eine starke Empfindung sein.«

Sie sah aus, als hätte er sie bei etwas ertappt. An ihrem Hals pochte eine Ader. »Ich fühle mich der Schülerin verpflichtet. Mehr kann ich nicht dazu sagen.«

Fleming gab sich fürs Erste damit zufrieden. »Der Schatz scheint dem Mädchen viel zu bedeuten, sonst hätte sie sich nicht die Mühe gemacht, ihn in der Schule zu verbergen. Sie wollte ihn bei sich haben, entweder aus sentimentalen Gründen oder weil sie glaubte, er sei in ihrem Elternhaus nicht sicher.« Dann hielt er inne. »Aber warum schickt sie ihrer Lehrerin die Karte? Sie hätte doch auch darum bitten können, dass man ihr den Kasten nachsendet.«

»Dann hätte sie preisgeben müssen, dass sie ihn versteckt hat«, gab Miss Gray zu bedenken. »Aus irgendeinem Grund hat sie mir vertraut. Niemand außer mir sollte erfahren, dass es diesen Kasten gibt.«

Fleming stützte die Ellbogen auf den Tisch und legte die Fingerspitzen aneinander. »Wie kann ich Ihnen helfen? Ich bin kein Detektiv, sondern Historiker.«

»Ich möchte mehr über das Haus in Laurence Pountney Hill erfahren und über die Familie Ancroft, die dort gewohnt hat. Wie alt es ist, wem es einmal gehört hat, was die Leute von Beruf waren. Vielleicht finde ich so einen Hinweis, was es mit dem Schatz auf sich hat.«

»Sind Sie schon einmal dort gewesen?«

»Ja, ich habe es mir von außen angesehen.« Sie zögerte und lächelte verlegen. »Ein Straßenhändler hat mir erzählt, dort würde etwas ›umgehen‹. Aberglaube, ich weiß, aber der Gedanke lässt mich nicht los.«

Fleming wurde hellhörig. »Umgehen? Ein Geist, meinen Sie?«

Miss Gray zuckte mit den Schultern. »Ich weiß, es hört sich dumm an. Er sprach von einer Kälte, die er immer spürt, wenn er dort vorbeigeht. Ich selbst habe nichts gemerkt. Das Haus wirkt einfach sehr verlassen.«

»In der City leben heute kaum noch Menschen; die meisten fahren nur zum Arbeiten dorthin und kehren abends in die Vororte zurück. Daher könnte ich mir vorstellen, dass sich das Haus seit Langem in Familienbesitz befindet und die Leute nur aus Tradition dort wohnen geblieben sind.«

Miss Gray schien kurz mit sich zu ringen. Dann berichtete sie, die Eltern des Mädchens seien in einem Feuer umgekommen. »In Kent. Es ist schon ein paar Jahre her. Ein Landhaus, das nachts abgebrannt ist.«

Er erinnerte sich, darüber gelesen zu haben. »Ja, das war eine schreckliche Geschichte. Und es war eine Kaufmannsfamilie, sagen Sie? Dann könnte sich das Haus tatsächlich seit Generationen im Besitz der Ancrofts befunden haben, das würde zu der Gegend passen. Bis ins letzte Jahrhundert war es üblich, im selben Haus zu wohnen und arbeiten.«

»Können Sie herausfinden, wie lange das Haus den Ancrofts schon gehört?«, fragte sie interessiert.

Fleming lächelte. »Nur unter einer Bedingung.«

»Und die wäre?«

»Ich bin ein neugieriger Mensch und möchte wissen, wie die Geschichte weitergeht. Und ich brauche Ihre Adresse, damit ich mich bei Ihnen melden kann.«

»Einverstanden«, sagte sie sofort.

Fleming bot Miss Gray an, sie zur Untergrundbahn zu begleiten, und wie durch eine wortlose Übereinkunft sprachen sie nicht mehr über das Haus. Es hatte aufgehört zu regnen, doch der Wind hatte aufgefrischt, und sie hielt mit einer Hand die Mütze fest, während sie nebeneinanderher gingen. Sie schien über etwas nachzudenken und sah ihn schließlich von der Seite an.

»Mr. Fleming, Sie sagten vorhin, dass Sie die Ansichten von Miss Hobhouse teilen. Wegen der Dinge, die am Kap geschehen.«

»Ja.« Es war mehr Frage als Antwort.

»Mein Bruder kämpft dort. Und ich würde gern wissen, ob er dieses Grauen sieht und vielleicht sogar …« Sie verstummte, als habe ihr etwas die Kehle zugeschnürt.

Sie tat ihm leid. Was für ein Zwiespalt, wenn man den Bruder liebte und fürchten musste, dass er solche Untaten mit ansah oder sogar selbst beging.

»Miss Gray, ich kann Ihre Sorge verstehen. Doch es sind nicht einzelne Soldaten, die für diese Taten verantwortlich sind, sondern unsere Regierung und die Armee. Das dürfen Sie nicht vergessen«, sagte er sanft.

»Seine Briefe sind sehr kurz, er darf nichts über den Verlauf des Krieges schreiben. Aber ich hoffe so sehr, dass er bald zurückkehrt. Und dass ihm nichts passiert.«

Er schwieg, weil Stille manchmal tröstlicher war als Worte.

Vor der Untergrundbahnstation Gower Street verabschiedeten sie sich voneinander. Von hier aus konnte Miss Gray die Metropolitan Railway nehmen, wie sie sagte. Sie wirkte erschöpft, und ihre Wange schmerzte sicher an der kalten Luft.

»Soll ich Sie noch ein Stück begleiten?«, fragte Fleming besorgt und bewegte den Finger andeutungsweise zu seiner eigenen Wange.

»Nein danke, es geht schon. Ich bin nur müde, es war ein langer Tag.«

Er nickte. »Kommen Sie gut heim.« Dann tippte er sich an den Hut und ging über die dunkle Straße in die Richtung, aus der sie gekommen waren.

12

»Du liebe Güte, was ist denn mit Ihnen passiert?«, rief Mrs. Westlake, als Matilda den Kopf ins Wohnzimmer steckte. »Kommen Sie ans Licht, damit ich mir das ansehen kann.«

Überall im Raum lagen Landkarten verstreut, auf dem Boden, dem Sofa, dem Tisch am Fenster. Adela war wieder unterwegs, dachte Matilda. Bevor sie danach fragen konnte, ergriff Mrs. Westlake ihr Kinn und drehte ihren Kopf in Richtung Lampe.

»Haben Sie sich geprügelt?«

Matilda lachte, hielt aber sofort die Hand an die Wange. »Nein, es war ein Unfall. Ein Mann hat mich umgerannt. Ich bin gestürzt und mit der Wange gegen einen Türrahmen geprallt.«

»Sie sehen aus, als hätte der Grobian Sie beiseitegeschleudert! Was sind das nur für Sitten. Und wo passiert so etwas?« Sie klang wie eine empörte Mutter.

Matilda ließ sich in einen Sessel fallen. Es war fast zehn, sie und der Professor mussten länger als vermutet im Kaffeehaus gesessen haben. »Im ehrwürdigen University College. Der fragliche Herr schien allerdings weder Gelehrter noch Student zu sein.« Sie berichtete von Miss Hobhouses Vortrag.

»Und der Professor hat Ihnen persönlich geholfen? Wie reizend von ihm. Haben diese Leute kein Personal dafür?«

Matilda musste lachen und erzählte die Geschichte vom ›flüchtigen Fleming‹. »Er fand es anscheinend ganz selbstverständlich, mich zu versorgen und danach in ein Kaffeehaus einzuladen.«

Mrs. Westlakes Gesicht leuchtete auf. »Ich hatte gehofft, dass Marsden sich als nützlich erweisen würde. Meinen Sie, dieser Professor kann Ihnen helfen? Was ist er für ein Mensch, wie sieht er aus?«

»Blond, graue Schläfen, leicht gebräunt. Glatt rasiert, also unkonventionell. Blaue Augen mit tiefen Lachfalten. Sein Tweedanzug wirkte trotz der Flicken an den Ellbogen elegant.«

»Ah, einer dieser Menschen, die alles tragen können und immer gut gekleidet wirken?«, fragte Mrs. Westlake, die sich für das Thema erwärmte, dann wiederholte sie: »Und Sie meinen, er kann Ihnen helfen?«

»Ich glaube schon.« Die Müdigkeit traf Matilda wie eine Welle, und sie schloss die Augen.

»Sie sollten schlafen gehen«, sagte Mrs. Westlake. »Und morgen früh wecken Sie mich, selbst wenn ich noch in süßen Träumen liege. Dann zeige ich Ihnen, wie man sich schminkt.«

Matilda öffnete die Augen und stemmte sich aus dem Sessel hoch. Die Schulter, mit der sie gegen den Türrahmen geprallt war, tat jetzt auch weh, und sie konnte die Füße kaum vom Boden heben. »Schminken?«

»Ich weiß, meine Liebe, Sie schminken sich für gewöhnlich nicht, wie es sich für eine junge Lady gehört, die ihren Schülerinnen ein Vorbild sein muss. Aber dies ist ein Notfall. Sie sehen wirklich abenteuerlich aus. Ich habe einen Puder, mit dem wir das Malheur halbwegs abdecken können.«

Mrs. Westlake hielt am nächsten Morgen Wort. Sie platzierte Matilda vor ihrer eigenen Frisierkommode und machte sich mit Tiegeln, Dosen und Pinseln an ihrem Gesicht zu schaffen, bis sie schließlich beiseitetrat. »Und, was sagen Sie, meine Liebe?«

Matilda schluckte. So hübsch hatte sie noch nie ausgesehen, nur war Mrs. Westlake ein wenig übers Ziel hinausgeschossen. Sie hatte sich nicht auf deckenden Puder beschränkt, sondern die Wangenknochen mit Rouge betont. Um den Bluterguss zu kaschieren, wie sie sagte.

»Ich danke Ihnen«, sagte Matilda und nahm sich vor, in der Schule mit einem Taschentuch die Farbe zu entfernen, bevor sie Kolleginnen und Schülerinnen gegenübertrat.

Doch es kam anders.

Noch vor der Eingangstür lief ihr Mary Clutterworth entgegen. »Miss Gray!«

Matilda blieb stehen. »Erst einmal guten Morgen, Mary. Was ist denn so dringend?«

»Sie sollen bitte zu Miss Haddon kommen«, keuchte das Mädchen und rückte die Haarschleife zurecht.

Matilda schickte sie in ihre Klasse und begab sich zum Büro der Direktorin. Die vergangenen Tage waren in der Schule ruhig verlaufen, und sie war davon ausgegangen, dass die Angelegenheit erledigt war.

»Herein.«

Miss Haddon schaute sie verwundert an, deutete dann aber auf den Stuhl vor dem Schreibtisch. »Bitte, Miss Gray. Es dauert nicht lange.«

Matilda setzte sich und stellte die Aktentasche neben ihren Stuhl.

»Ich habe einen Brief von Mr. Charles Easterbrook erhalten, dem Vormund von Laura Ancroft.«

»Oh. Ich hoffe, es geht ihr gut.«

»Ich nehme es an.«

Es klang seltsam vage, als habe der Vormund Lauras Gesundheitszustand gar nicht erwähnt.

»Mr. Easterbrook hat eine Bitte geäußert. Wir sollen alle persönlichen Gegenstände von Laura, die sich noch in der Schule befinden, an seine Londoner Adresse schicken.«

»Persönliche Gegenstände?«, fragte Matilda. »Hat sie ihre Sachen denn nicht mitgenommen?«

Miss Haddons Augen wanderten erneut über ihr Gesicht. »Das wollte ich Sie fragen, Miss Gray.«

Matilda spürte, wie ihr warm wurde. Hatte die Schulleiterin von ihrem heimlichen Besuch in Lauras Zimmer erfahren? »Warum sollte ich das wissen?«

»Sie standen ihr näher als die anderen Kolleginnen.«

»Haben Sie mit Anne Ormond-Blythe gesprochen? Sie und Matilda haben sich ein Zimmer geteilt, sie müsste es wissen.«

Miss Haddon drückte die Fingerspitzen aneinander und schaute auf den Brief, der vor ihr auf dem Tisch lag. »Laura hatte die meisten Dinge in die Ferien mitgenommen. Und wir haben Mr. Easterbrook alles Übrige mitgegeben, als er im September hier war.«

»Warum hat er dann den Brief geschrieben?«

Miss Haddon schob ihn herüber und deutete auf einen Absatz. »Lesen Sie selbst.«

Womöglich befinden sich noch einige persönliche Gegenstände in der Schule, die mir bei meinem Besuch nicht ausgehändigt wurden. Dabei handelt es sich um Erinnerungsstücke von sentimentalem Wert, die ich Laura gern übergeben möchte. Sie würden sicher zu ihrer Genesung beitragen.

»Sonderbar.«

»Was meinen Sie?«, fragte Miss Haddon.

»Wenn er weiß, dass Laura diese Dinge vermisst, hat sie ihm vermutlich selbst davon erzählt. Dann müsste er aber auch wissen, worum es sich handelt, und könnte es Ihnen gegenüber erwähnen. Das würde die Suche erleichtern.«

Die Schulleiterin lehnte sich zurück. »Sie klingen ja wie ein Polizist.«

Matilda blickte hoch und sah, wie sich Miss Haddons Lippen belustigt kräuselten. »Oh, ich wollte Sie nicht kränken, Miss Gray. Eigentlich wollte ich nur wissen, ob Ihnen derartige Gegenstände bekannt sind oder ob Laura sie erwähnt hat.«

»Nein, niemals. Aber ich kann Anne fragen, ob sie etwas darüber weiß.«

»Tun Sie das. Ich würde Mr. Easterbrook ungern enttäuschen. Er war immer sehr freundlich und hat der Schule eine großzügige Spende in Aussicht gestellt.«

»Ich verstehe.« Matilda machte Anstalten, sich zu erheben. »Kann ich noch etwas für Sie tun, Miss Haddon? In zehn Minuten beginnt der Unterricht.« Die Stimme der anderen Frau ließ sie innehalten.

»Sie sollten zuerst den Waschraum aufsuchen.«

Endlich begriff sie, weshalb Miss Haddon sie so angesehen hatte. »Oh, Verzeihung, das mache ich sofort.«

»Sie wissen sicher, dass wir in der Schule keine Schminke dulden. Das hätte ich nicht von Ihnen erwartet.«

»Es … war eine Notlösung.«

»Würden Sie mir das bitte genauer erklären?«

Matilda schob die Haare aus dem Gesicht. »Ich bin gestern gestolpert und habe mir die Wange verletzt. Der Puder soll den blauen Fleck überdecken.«

Miss Haddon stand auf und schaute ihr prüfend ins Gesicht. »Da sind Sie aber tüchtig gestolpert. Ist es hier in der Schule passiert?«

»Nein, nach Feierabend.«

»Der Puder ist genehmigt, aber das Rouge muss weg, Miss Gray.«

Matilda war entlassen.

Zum Glück war sie allein im Waschraum. Sie lehnte sich an den Beckenrand und legte die Stirn an die kalten Kacheln. Ihre Haut fühlte sich heiß an, und sie spürte, wie Tränen in ihr aufstiegen.

Was war nur mit ihr los? Miss Haddon hatte sie zurechtgewiesen. Und sie hatte recht, Matilda hätte nicht geschminkt in die Schule kommen dürfen. Es war eine unverzeihliche Dummheit.

Aber es ging nicht um die Schminke – sie hatte Angst. Zum dritten Mal in wenigen Tagen hatte sie gefürchtet, ihre Stelle zu verlieren. Sie hatte das Zimmer einer Schülerin heimlich betreten und durchsucht, eine andere Schülerin ausgehorcht und erst vor wenigen Minuten ihrer Vorgesetzten ins Gesicht gelogen. Sie hatte gegen so viele Regeln verstoßen, dass sie jeden Augenblick mit einer Katastrophe rechnen musste.

Ihre Kehle wurde eng. Sie konnte kaum schlucken, und ihr Herzschlag hatte sich noch nicht beruhigt.

Matilda befeuchtete ihr Taschentuch und wischte vorsichtig das Rouge weg, wobei ein Teil des Puders gleich mit verschwand. Nun, das ließ sich nicht ändern. Dann würden die Schülerinnen eben die Verletzung sehen.

Sie blickte auf die Uhr. Noch fünf Minuten, bis der Unterricht begann. Matilda strich die Jacke glatt, steckte das Taschentuch ein und wandte sich zur Tür.

Den Schülerinnen erklärte sie kurz darauf, sie sei ins Stolpern geraten und gegen einen Türrahmen geprallt, was immerhin nicht ganz gelogen war.

Als sie mittags beim Essen neben Miss Fonteyn saß, bemerkte sie deren Blick und trug erneut ihre Geschichte vor.

»Was für ein Pech«, sagte die Kunstlehrerin. »Ich hoffe, es tut nicht allzu weh. Ein Bluterguss an dieser Stelle kann recht schmerzhaft sein.«

»Solange ich nicht lache, geht es.«

Miss Fonteyn reichte ihr grinsend die Kartoffeln. »Die sind weich, da müssen Sie nicht so viel kauen.«

Anne kam mit dem Geigenkasten unter dem Arm aus dem Musikzimmer und blickte überrascht auf, als Matilda sie ansprach.

»Natürlich habe ich Zeit, Miss Gray.«

»Es dauert nicht lange. Miss Haddon hat einen Brief von Lauras Vormund erhalten, in dem er anfragt, ob sich noch persönliche Gegenstände von Laura in ihrem Zimmer befinden.«

Anne schaute sie verwundert an. »Sie hatte ihre Kleider mitgenommen, weil sie einige ausbessern lassen oder aussortieren wollte. Laura war sehr gewachsen.« Ein trauriges Lächeln huschte über Annes Gesicht. »Und nach den Ferien hat Mr. Easterbrook alles eingepackt, was Laura hiergelassen hatte – Schulsachen, Bücher, Frisiersachen, Fotografien. Es ist nichts mehr da außer ihrer Schulkleidung.«

»Er schrieb von ›einigen persönlichen Gegenständen‹, die ihm bei seinem Besuch nicht ausgehändigt wurden. Dabei handle es sich um ›Erinnerungsstücke von sentimentalem Wert‹, die er Laura gern geben würde, um zu ihrer Genesung beizutragen.«

Anne blickte sie ängstlich an. »Ich schwöre, da ist nichts mehr. Will er damit sagen, dass jemand etwas weggenommen hat? Und er verdächtigt mich?«

Matilda legte ihr die Hand auf den Arm. »Nein, Anne, niemand verdächtigt dich. Vermutlich handelt es sich um ein Missverständnis. Ich werde Miss Haddon umgehend mitteilen, dass du nichts darüber weißt. Der Brief hat mich ebenso überrascht wie dich.«

Anne schluckte und biss sich auf die Lippen. Es war, als wolle sie sich daran hindern, etwas auszusprechen.

»Wenn dir etwas Sorgen bereitet, kannst du es mir sagen.«

Anne wandte sich ab. »Sie fehlt mir. Ich hoffe noch immer, dass sie wiederkommt.«

»Ich auch.«

Das Mädchen sah sie erstaunt an, als könne es nicht glauben, dass eine Lehrerin genau wie sie empfand. »Miss Fellner hat gesagt, ich soll nicht auf Laura warten.« Sie zuckte mit den Schultern. »Sie hatte gemerkt, dass ich bedrückt war und im Unterricht nicht zugehört habe. Also hat sie nachgefragt.«

»Sie ist erst wenige Monate fort«, sagte Matilda nachdrücklich. »Wenn sie deine Freundin ist, solltest du die Hoffnung nicht aufgeben. Betrachte sie als Kerze, an deren Flamme du dich wärmen kannst, ohne dass andere es merken.« Sie wusste nicht, woher die Worte kamen, doch das Mädchen schaute sie dankbar an.

»Da … ist noch etwas. Ich habe es niemandem gesagt und weiß auch nicht, ob es richtig ist, es zu erzählen.«

Matilda wartete geduldig.

»Was ihren Vormund betrifft – ich hatte immer das Gefühl, dass sie ihn nicht mochte. Wenn sie nicht zu mir kommen konnte, versuchte sie die Wochenenden oder Ferien in der Schule zu verbringen. Sie hat den Lehrerinnen erzählt, sie wolle arbeiten und fände woanders keine Ruhe. Meist hat man es ihr nicht erlaubt, da Mr. Easterbrook darauf bestand, sie abzuholen. Mir kam es vor, als wollte sie möglichst wenig bei ihm sein.«

»Aber sie hat es nicht offen ausgesprochen?«

Anne schüttelte den Kopf. »Und ich hätte es auch nicht erwähnt, aber nach diesem Brief … und weil Sie so freundlich sind …«

»Ich danke dir für dein Vertrauen. Du wirst weiter hoffen und Lauras Freundin bleiben. Und jetzt gehst du bitte in den Unterricht.«

»Ja, Miss Gray. Und Sie erklären Miss Haddon, dass ich nichts von diesen Dingen weiß?«

»Das mache ich.«

Matilda schaute Anne nach, wie sie eilig zu den Klassenräumen hastete.

An diesem Tag fuhr Matilda sofort nach Hause – kein Vortrag, keine Nachforschungen, kein Besuch beim Sammler. Sie hatte schlecht geschlafen, viele Stunden unterrichtet und sehnte sich nach einem heißen Bad, bei dem sie in Ruhe über alles nachdenken konnte.

Mrs. Westlake sei ausgegangen, teilte ihr das Mädchen mit. Matilda begab sich nach oben, nachdem sie erklärt hatte, ein kaltes Abendessen reiche völlig aus. Sie schloss die Tür hinter sich ab, stellte ihre Tasche neben den Sekretär und ließ im Bad, das eine Verbindungstür zu ihrem Zimmer besaß, voller Vorfreude Wasser in die Wanne ein. Dann entzündete sie den Gasbrenner, um es zu erwärmen. Sie streifte die Schuhe ab, löste die Strumpfbänder und rollte die Strümpfe hinunter, hakte den Rock auf und stieg heraus, hängte die Kostümjacke an den Türhaken und warf die Bluse in den Wäschekorb.

Sie hätte die Dienste des Mädchens beanspruchen können, doch es widerstrebte ihr, sich beim An- und Auskleiden oder im Bad von jemandem helfen zu lassen. Matilda zog es vor, für sich selbst zu sorgen. Vielleicht wäre sie irgendwann wieder ganz auf sich gestellt.

Matilda hatte nicht das möblierte Zimmer vergessen, in dem sie während ihrer Ausbildung gewohnt hatte. Sie spürte noch die kalte, feuchte Luft, die selbst im Sommer nicht weichen wollte, und erinnerte sich an die Vermieterin, die ihr jedes einzelne Stück Feuerholz berechnet hatte. Die Ausbildung und ihren Lebensunterhalt hatte sie von dem bestritten, was vom Vermächtnis ihres Vaters übrig blieb, nachdem sie Harrys Offiziersausbildung bezahlt hatten. Ihn plagten Schuldgefühle, und deshalb hatte er ihr zugesteckt, was immer er entbehren konnte.

Matilda zog auch die letzten Kleidungsstücke aus. Im Kamin knisterte ein Feuer, und sie ließ die warme Luft über ihre Haut streichen. Ein behagliches Zimmer, eine gute Stelle, eine mütterliche Freundin – sie hatte viel erreicht. Und eben darum fürchtete sie, das alles zu verlieren.

Sie ging ins Bad, stieg ins warme Wasser, lehnte sich an und ließ die Arme über den Wannenrand baumeln.

Es gab keinen besseren Ort, um in Ruhe nachzudenken.

Die Zweifel kehrten zurück. Hatte sie sich in etwas verrannt? Waren Lauras Nachricht und der Fund des Kastens doch nur eine Art Versteckspiel und nicht von tiefer gehender Bedeutung?

Matilda griff nach einem Schwamm und begann sich mit langsamen Bewegungen zu waschen.

Sie konnte die Ermittlungen jederzeit einstellen. Mr. Arkwright und Professor Fleming würden sich flüchtig fragen, warum sie nichts mehr von Miss Gray hörten, und sie dann vergessen. Laura und Mr. Easterbrook würden ihre Reise fortsetzen, das Leben in der Schule würde weitergehen, sie selbst konnte dem einen oder anderen Mädchen still und unaufdringlich den Weg weisen. Die Entscheidung lag bei ihr.

Doch wenn sie ehrlich war, wusste sie, dass es kein Zurück gab. Der Brief von Mr. Easterbrook hatte alles verändert. Und Annes Verhalten bestärkte sie in ihrem Misstrauen.

Matilda legte den Schwamm beiseite und lehnte sich nachdenklich zurück.

Miss Haddon fand den Brief nicht ungewöhnlich. Für sie war er nur die Bitte eines Vormunds, die sie erfüllen wollte, da der Herr plante, die Schule finanziell zu unterstützen. Ob er sich auch noch großzügig erweisen würde, wenn man ihm die »persönlichen Gegenstände« nicht aushändigte?

Easterbrook wusste nicht einmal, um welche wichtigen Gegenstände von Laura es sich handelte, er hatte sie nicht aufgezählt und versuchte dennoch mit einem gewissen Druck, sie an sich zu bringen. Angeblich, um Laura eine Freude zu machen, aber das mochte nur ein Vorwand sein.

Matilda runzelte kurz die Stirn und ließ ihren Gedanken dann wieder freien Lauf.

Miss Haddon glaubte Mr. Easterbrook. Matilda aber wusste mehr, und darum glaubte sie ihm nicht. Er hatte auf irgendeinem Weg erfahren, dass es etwas gab, das Laura vor der Welt verbarg. Und sein Mündel hatte ihm nicht genug vertraut, um ihm davon zu erzählen. Außerdem hatte sie die Wochenenden lieber einsam in der Schule verbringen wollen als bei ihrem Vormund.

Mir kam es vor, als wollte sie um keinen Preis zu ihm.

War Laura in Gefahr?

13

Sehr geehrte Miss Gray,
zunächst einmal hoffe ich, dass Sie sich von dem unglücklichen
Zwischenfall erholt haben. Ich bedauere sehr, dass Sie ausgerechnet
in unserer Universität Opfer eines Rüpels geworden sind, und ver-
sichere Ihnen, dass solche Personen hier gewöhnlich nicht verkeh-
ren. Es wäre schön, wenn Sie bald wieder ohne Schmerzen lachen
könnten.

Der andere Anlass, aus dem ich Ihnen schreibe, wird Sie gewiss
mehr freuen, da er unmittelbar mit dem Anliegen zu tun hat, das
Sie zu mir geführt hat …

Stephen Fleming hatte gleich nachdem er die unternehmungs-
lustige Miss Gray kennengelernt hatte, mit seinen Nachforschungen begonnen. Sie hatte ihn neugierig gemacht, sodass
er gern seine Freizeit opferte, um etwas über das Haus in Laurence Pountney Hill herauszufinden.

Er kniete in seinem Arbeitszimmer, umgeben von einem
Chaos aus alten Vermessungskarten, handschriftlichen Doku-
menten und Nachschlagewerken. Als Miss Gray die Adresse
des Hauses erwähnt hatte, war ihm sofort ein Gedanke gekommen, und er kramte in den Faksimiles alter Stadtpläne, die
er in einer Mappe aufbewahrte.

Dann hatte er den richtigen Plan gefunden und ihn sorgfältig auf einem noch freien Fleckchen Teppich ausgebreitet.
Das Original von John Ogilby und William Morgan war 1676
erschienen und hatte lange als bester und genauester Londoner

Stadtplan gegolten. Er zeigte die Stadt, wie sie nach dem Großen Brand wiederaufgebaut worden war. Die Zeichner hatten
sich bemüht, nicht nur die Straßenzüge, sondern auch einzelne
Häuser, Kirchen und sogar Grundstücksgrenzen darzustellen,
ein ehrgeiziges Unterfangen, das Fleming immer wieder in
Staunen versetzte.

Er hatte sich mit einem Vergrößerungsglas darüber gebeugt und die fragliche Gegend gesucht. Und da war es, ein
Haus an jener Stelle, die Miss Gray beschrieben hatte. Vor 1673
erbaut – damals hatten die Zeichner mit der Arbeit an der
Karte begonnen.

*Ich muss gestehen, ich hatte eine Ahnung wegen des Hauses, wollte
aber nichts sagen, bevor ich sie nicht überprüft hatte. Nun kann ich
Ihnen versichern, dass es sich um ein besonderes Gebäude handelt.
Es wurde vermutlich kurz nach dem Großen Brand errichtet und
taucht bereits auf einem Plan von 1676 auf. Damit ist es an sich
schon bemerkenswert alt für diese Gegend, aber dies ist erst der
Anfang.*

Er hatte die hellen Flächen nördlich des Hauses betrachtet.
St. Laurence Poultney Church & Yard, lautete die Aufschrift. Offenbar schrieb man den Namen damals noch mit »l«. Die helle
Farbe kennzeichnete Grünflächen und unbebaute Grundstücke.

*Als Sie sich das Haus anschauten, standen Sie, ohne es zu wissen,
auf historischem Boden. Gegenüber dem Haus – die frühere An-
schrift lautete übrigens Laurence Pountney Lane Nr. 9 – befand sich
eine mittelalterliche Kirche, St. Laurence Pountney. Sie wurde
beim Großen Brand zerstört und nicht mehr aufgebaut. Wie so oft*

in London, hat sie jedoch Spuren in den Namen der umliegenden
Gassen hinterlassen.

(Die Gegend selbst war früher der Candlewick Yard, einer der
fünfundzwanzig Verwaltungsbezirke der alten City. Ich vermute,
dass dort Kerzenmacher angesiedelt waren und dem Ward seinen
Namen gegeben haben. Verzeihen Sie den trockenen Exkurs.)

Fleming hatte seinen Tee ausgetrunken, der inzwischen kalt
geworden war, sich ein Glas Whisky eingeschenkt und einen
Band mit alten Kupferstichen herausgesucht.

Ihm war natürlich sofort die berühmte Kupferstich-Karte
aus den 1550er Jahren eingefallen, bei der es sich im Grunde
um den ersten naturgetreuen Stadtplan Londons handelte.
Kein Exemplar hatte die Zeit überdauert, doch drei der kup-
fernen Druckplatten hatten überlebt. Wie es das Glück wollte,
fand er in seinem Buch genau den Ausschnitt, den er brauchte.

Darauf stand die Kirche noch, der Friedhof war größer als
auf den späteren Karten, und in seiner Mitte war ein Hoch-
kreuz zu erkennen. Fleming bewunderte die liebevollen De-
tails, mit denen die alte Karte versehen war und die die Vergangenheit verblüffend lebendig werden ließen.

Das Haus, das südlich an den Friedhof grenzte, konnte
nicht dasselbe sein, das Miss Gray besucht hatte. Die Lage war
anders, zwischen Friedhof und Gebäude war ein offener Hof
zu erkennen. Dieses Haus war wohl beim Großen Brand zerstört und das neue auf seinen Trümmern errichtet worden.

Der Friedhof von St. Laurence Pountney erstreckte sich bis dort, wo
das Haus heute steht. Er blieb erhalten, nachdem die Kirche abge-
brannt war, das ist auf alten Karten zu erkennen.

Fleming hatte sich eine Pfeife angezündet und einen verschlissenen Lederband aus dem Regal gezogen. Bis er gefunden hatte, was er suchte, war die Pfeife bereits erloschen, doch das kümmerte ihn nicht. Wenn er einmal Feuer gefangen hatte, wurde das Rauchen uninteressant.

Auf Kirchengelände und Friedhof wurden weiterhin Menschen bestattet. Und zwar bis vor etwa fünfzig Jahren! Dies hat mich überrascht, da ich angenommen hatte, Haus und Garten seien zur selben Zeit entstanden. Aber wie es aussieht, lebten die Hausbesitzer lange an der Friedhofsmauer und blickten aus den Fenstern auf Grabsteine, die wie Zähne aus dem Rasen ragten. Verzeihen Sie, meine Fantasie geht bisweilen mit mir durch.

Um 1850 wurde der Friedhof geschlossen. Zu dieser Zeit hat der Hausbesitzer das Gelände gekauft und in einen privaten Garten umgewandelt. Laut einer Vermessungskarte von 1875 wurde der Weg neu angelegt, der fortan im Bogen von der Haustür zum Gartentor führte und nicht mehr geradeaus zum alten Friedhofstor. Vermutlich hat der Hausbesitzer die Grabsteine und -platten entfernt, die Gräber jedoch unberührt gelassen. Falls also jemand behauptet, in der Gegend »gehe etwas um«, lässt sich das vielleicht mit der Existenz des alten Friedhofs erklären.

Er konnte nur hoffen, dass seine wissenschaftlichen Ausführungen bei Miss Gray auf Interesse stoßen würden. Er war selbstkritisch genug, um zu wissen, dass nicht jeder in Entzücken ausbrach, nur weil man ein aufschlussreiches Detail auf einer alten Karte oder ein fehlendes Wort in einer Besitzurkunde von 1394 entdeckt hatte.

Nun aber zu Ihrer Frage, werte Miss Gray: Bisher konnte ich keine Besitzer außer den Ancrofts ermitteln. Kaufmannshäuser wurden manchmal veräußert, wenn der Besitzer woanders ein Geschäft eröffnete, die Räume zu klein oder für das Gewerbe ungeeignet wurden, das Vermögen schwand, die Firma bankrottging oder keine unmittelbaren Erben vorhanden waren. Doch die Ancrofts haben, wie es scheint, alle Krisen und wirtschaftlichen Stürme der vergangenen Jahrhunderte in diesem Haus überstanden.

Ich hoffe, Ihnen hiermit behilflich zu sein. Da mich Ihre Geschichte neugierig gemacht hat, würde ich mich freuen, wenn Sie mir gestatteten weiterzuforschen. Das Haus birgt mehr Geschichten, als es bisher offenbart hat.

Mit den besten Grüßen und Genesungswünschen,

Stephen Fleming

Zufrieden steckte er den Brief in einen Umschlag und adressierte ihn an Miss Gray.

Dann schickte er sich an, das Chaos zu beseitigen, das er angerichtet hatte. Seine Haushälterin Mrs. Polley war bemerkenswert geschickt, wenn es um seine Rezeptwünsche ging, doch um sein Arbeitszimmer kümmerte er sich lieber selbst. Sie durchschaute sein System nicht und hatte es einmal gewagt, seine Bücher nach Größe und Einbandfarbe zu sortieren. Er hatte zwei Tage gebraucht, um die alte Ordnung wiederherzustellen.

Als er fertig war, klopfte er sich die Knie ab, rollte die Ärmel herunter und ging ins Wohnzimmer, wo er sich mit seinem Whisky vor den Kamin setzte. Es war schon spät, aber er genoss die stillen Minuten am Feuer, in dem die Scheite leise knackten und Funken aufstoben, wenn ein Stück Holz zerbrach. Der Regen peitschte gegen die Fenster, und Fleming rückte noch näher ans Feuer.

Was mochte hinter Miss Grays Geschichte stecken? Er erinnerte sich belustigt, wie er in einem Anflug von Romantik das Wort »Schatz« verwendet hatte. Sie selbst war überrascht gewesen, hatte es dann aber aufgegriffen. Er hätte sich den geheimnisvollen Kasten und seinen Inhalt gern einmal angesehen.

Fleming wandte träge den Kopf zur Seite und bemerkte dabei einen Brief, der auf dem Tischchen neben seinem Sessel lag. Er warf einen Blick auf den Absender.

Dr. Cranford, High Lavering, Bucks …

Der Abendfrieden hatte seinen Zauber eingebüßt.

Als Matilda am nächsten Tag nach Hause kam, erwartete sie ein Brief von Professor Fleming. Mrs. Westlake schaute mit unverhohlener Neugier zu, als sie ihn in die Hand nahm, aber nichts dazu sagte.

Matilda steckte ihn in die Rocktasche und setzte sich in den Sessel am Kamin. »Ich habe Ihnen noch gar nicht von dem Brief erzählt.«

»Sie haben ihn ja auch gerade erst entdeckt«, sagte Mrs. Westlake und schaute verständnislos drein.

»Ich meine nicht diesen Brief«, erklärte Matilda belustigt. Sie schilderte, was sich am Vortag in der Schule zugetragen hatte. Mrs. Westlakes Gesicht leuchtete auf.

»Oha. Sie meinen, der Engel ist kein Engel?«

Matilda stutzte, bevor ihr einfiel, was die Schülerinnen über Mr. Easterbrook gesagt hatten. »Genau genommen war es kein Engel, sondern ein präraffaelitischer Heiliger, aber ich weiß, was Sie meinen.«

»Ach ja, die Präraffaeliten«, sagte Mrs. Westlake versonnen. »Ich brauche allmählich einen neuen Mann für Adela – keinen Ehemann, das möge Gott verhüten. Sonst verlangt er noch, dass sie zu Hause am Kamin sitzt und stickt. Nein, einen richtig schönen Mann mit tragischer Vergangenheit …«

»Einen Spanier?«, warf Matilda ein, die ihr die Abschweifung einfach nicht übel nehmen konnte.

»Wegen der Alhambra? Nicht unbedingt. Ich war in einigen Museen und Galerien, habe mir Kunstpostkarten von Präraffaeliten besorgt, und was soll ich Ihnen sagen? Lauter Frauen, sie haben ständig Frauen gemalt. Sehr enttäuschend.« Die Vermieterin ging zur Anrichte und suchte in einem Haufen Papiere, bis sie eine Kunstpostkarte gefunden hatte. »Ich habe lange gesucht, bis ich Mr. Simeon Solomon entdeckt habe. Er malt bevorzugt schöne junge Geistliche.«

Matilda nahm die Karte entgegen, die einen dunkelhaarigen jungen Mann zeigte, der im Profil vor einem Wandbord stand, auf dem zwei Vasen zu sehen waren. In den Händen hielt er ein goldenes Gefäß. Er war in der Tat sehr schön und blickte versonnen auf etwas, das dem Betrachter verborgen blieb.

»Finden Sie ihn heißblütig genug, als dass er es mit Adela aufnehmen kann?«

»O ja, ganz sicher. Man muss ihn nur aus diesen Träumereien reißen, dann …« Mrs. Westlake schlug sich vor die Stirn. »Wie unfassbar unhöflich von mir! Sie erzählen mir von Mr. Easterbrook, und ich belästige Sie mit anderen schönen Männern.« Sie nahm Matilda die Karte aus der Hand und legte sie beiseite. »Sie finden seinen Brief sonderbar, und ich stimme Ihnen zu, meine Liebe. Was wollen Sie jetzt unternehmen?«

Matilda zuckte mit den Schultern. »In der Schule kann ich nichts mehr erreichen. Dass ich in Lauras Zimmer war und die

Sachen an mich genommen habe, darf ich nicht erwähnen. Ich habe Miss Haddon gestern mitgeteilt, dass weder Anne noch ich von diesen Gegenständen wissen. Wir werden sehen, wie Mr. Easterbrook darauf reagiert.«

»Und Ihre Nachforschungen?«

»Die gehen weiter.« Matilda dachte an den Brief in ihrer Tasche. Sie würde ihn später lesen.

Ein Anflug von Enttäuschung huschte über Mrs. Westlakes Gesicht, bevor sie sich zusammenriss. »Zeit fürs Abendessen. Und später würde ich Ihnen gern die Route nach Spanien zeigen, die ich für Adela ausgearbeitet habe.«

Matilda ließ den Brief sinken und fächelte sich damit Luft zu. Ihre Wangen waren beim Lesen heiß geworden. Sie hatte mehr erfahren, als sie erhofft hatte, und schneller als erwartet. Außerdem glaubte der Professor, dies könnte erst der Anfang sein.

Ihr kamen wieder die Worte des Mandelverkäufers in den Sinn. *Wenn ich dran vorbeikomm – und ich komm seit über zwanzig Jahren hier vorbei –, wird mir kalt, sogar im Sommer.* Er hatte von einem Nebel gesprochen, den man nicht sehen könne. Sie hatten, ohne es zu ahnen, auf Gräbern gestanden.

Matilda fragte sich, ob Laura wusste, dass unter dem Garten, in dem sie als Kind gespielt hatte, ein Friedhof lag. Hatte sie sich davor gefürchtet, oder war sie mutig gewesen und hatte heimlich im Gebüsch gegraben, weil sie hoffte, dort Spuren einer längst vergangenen Zeit zu finden? Matilda lächelte. So wie sie Laura erlebt hatte, war sie mit der Schaufel des Gärtners in einer Ecke verschwunden, sobald das Kindermädchen wegschaute. Vielleicht hatte sie auch unter einem Baum gesessen und an die große Feuersbrunst gedacht, deren Flammen aus dem Turm der Kirche gegenüber geschlagen waren, bis nur geschwärzte Mauern übrig blieben. Sich in die Zeit geträumt, als London langsam aus der Asche aufstieg.

Der Professor schrieb, er glaube, die Ancrofts hätten in dem Haus gewohnt, seit es errichtet worden war. Ihr kam ein Gedanke. Wenn das Haus in derselben Zeit errichtet worden war, aus der die Schätze im Kasten stammten, hatte Laura sie womöglich dort gefunden. Sie konnte sie natürlich auch geerbt haben, aber das Geheimnis, mit dem das Mädchen sie umgab, sprach dagegen.

An diesem Abend lag Matilda lange wach, doch nicht aus Sorge. Endlich hatte sie jemanden gefunden, der ihr eine Vergangenheit erschließen konnte, von der sie nichts geahnt hatte. Der Professor hatte eine Tür aufgestoßen, das Haus und seine Geschichte lebendig werden lassen.

Als sie einschlief, war sie in Gedanken bei dem letzten Satz:

Das Haus birgt mehr Geschichten, als es bisher offenbart hat.

14

Am Donnerstag fuhr Matilda in die Folgate Street. Der Schultag war ohne Zwischenfälle verlaufen, und Anne hatte ihr zugelächelt, als sie einander im Flur begegneten.

Das Getümmel in der Commercial Street konnte sie diesmal nicht schrecken, und sie achtete nicht auf die Rufe, die vor dem Männerwohnheim erschollen. In Gedanken war sie schon im Laden, umgeben vom Geruch nach altem Papier und Lampenöl.

Matilda erinnerte sich, was der Sammler bei ihrer letzten Begegnung gesagt hatte. *Wir können das eine oder andere aus dem Zusammenhang erschließen. Aber es würde uns helfen, wenn wir wüssten, wem das Buch gehört hat. Das herauszufinden ist Ihre Aufgabe. Kommen Sie wieder, wenn Sie mehr erfahren haben.*

Matilda wusste immer noch nicht, wem das Buch einmal gehört hatte und wie es in Lauras Besitz gelangt war, dafür aber einiges über das Haus, in dem das Mädchen aufgewachsen war.

Sie dachte daran, was Professor Fleming über Mr. Arkwright gesagt hatte. Sie würde seinen Namen lieber nicht erwähnen. Der Sammler wollte Informationen von ihr, aber sie war nicht verpflichtet, ihm zu sagen, woher sie stammten.

Matilda war so vertieft, dass sie ihre Umgebung kaum wahrnahm, bis plötzlich die Töne einer Orgel zu ihr herüberklangen. Präludium und Fuge von Bach. Sie schaute zur gegenüberliegenden Straßenseite und bemerkte eine Kirche mit Säulenportikus und spitzem Turm, deren Türen offen standen.

Niemand außer ihr schien auf die Klänge zu achten, doch selbst die klappernden Räder und Hufe und der Lärm der Menge konnten die Schönheit der Musik nicht überdecken.

An einem anderen Tag wäre sie hineingegangen und hätte sich still in eine Bank gesetzt, um zuzuhören, doch es dunkelte schon, und sie wusste nicht, wie lange Arkwright noch in seinem Laden sein würde. An der Wohnungstür wollte sie nicht klingeln, das wäre ihr zu aufdringlich erschienen.

Die Straßenlaternen tauchten die Folgate Street in einen blassgelben Schein, der sich im feuchten Kopfsteinpflaster spiegelte. Diese Ecke von Spitalfields schien stets verlassen, als dringe das geschäftige Treiben nicht in diese Straße vor. In einigen Häusern schimmerte Licht durch die Vorhänge, doch es war kein Mensch zu sehen.

Matilda drückte gegen das Gittertor, hinter dem es zum Laden hinunterging, und es schwang nach innen auf. Erleichtet sah sie, dass im Laden noch eine Lampe brannte.

Sie öffnete die Tür und zuckte zusammen, als die unwillige raue Stimme erklang. »Ich schließe gleich.«

»Ich bin es, Mr. Arkwright, Matilda Gray.«

Er schlurfte aus dem Hinterzimmer herbei, auch diesmal in einem Morgenrock, wenn auch mit einem anderen Muster, und spähte durch den Kneifer. »Mit Ihnen hatte ich nicht gerechnet.«

Sie ignorierte seinen Tonfall. »Ich sollte wiederkommen, wenn ich mehr erfahren habe.«

Er stützte sich auf eine Stuhllehne, machte aber keine Anstalten, ihr einen Platz anzubieten.

»Dann lassen Sie mal hören, Miss. Aber beeilen Sie sich, ich bin ein alter Mann, und es ist spät.«

Sie stellte die Tasche auf den Boden, entschlossen, sich von seiner Barschheit nicht beirren zu lassen. Dann erzählte sie, was sie über das Haus der Ancrofts erfahren hatte.

Als sie zu Ende gesprochen hatte, sagte er nur: »Das erklärt weder, woher das Buch stammt, noch, wem es wie lange gehört hat.«

Ihre Vorfreude erstarb. Es war ihr dritter Besuch in Spitalfields, und sie hatte sich viel davon erhofft. Wie oft sollte sie noch im Dunkeln, gar bei Regen oder Schnee, in diese Gegend fahren?

»Wenn ich das so einfach in Erfahrung bringen könnte, müsste ich Sie nicht um Hilfe bitten.«

Der Sammler schien unschlüssig, ob er es als Kompliment betrachten sollte, und nickte dann kaum merklich.

»Ein Garten, angelegt auf einem Friedhof. Das ist nicht weiter ungewöhnlich. London ist ein Körper, die Oberfläche eine dünne Haut, unter der Adern, Knochen, Muskeln liegen, ein Leben, das man von außen nicht erahnt. Aber der Friedhof verrät uns nicht, woher der Kasten und die anderen Dinge stammen. Es sei denn, sie wären dort vergraben gewesen, und man hätte sie gefunden, als die Gräber entfernt wurden.«

»Eine interessante Idee.«

Arkwrights Frage kam wie aus dem Nichts. »Wer hat Ihnen von dem Haus erzählt?«

»Ich habe mit einem Journalisten gesprochen«, sagte Matilda rasch.

Er verzog die Lippen, ein wenig boshaft, wie es ihr vorkam. »Das ist kein Wissen, über das ein Journalist verfügt, Miss Gray. Wenn ich Ihnen helfen soll, wüsste ich gern, wer noch im Spiel ist.«

Schwang in seiner Stimme eine leise Drohung mit? Auf einmal fühlte sie sich unbehaglich. Sie war allein mit ihm in diesem Raum, unsichtbar für jeden, der vorüberging.

Ihr fielen die Worte des Professors ein.

Arkwright geht es weder um Schönheit noch um Nutzen, son-
dern ums Besitzen.

»Ich habe Professor Fleming um Rat gebeten. Er erwähnte,
dass Sie einander kennen.«

Der Schlag tönte wie ein Schuss. Die Hand des Sammlers
war auf den Tisch niedergesaust, sein Gesicht wie versteinert.
»Ich arbeite nicht mit Fleming.«

»Das müssen Sie auch nicht«, erwiderte Matilda rasch.
»Ich habe ihn um Rat gebeten, weil man mir sagte, er sei ein
Experte für die Geschichte Londons. Er hat mir von dem
Friedhof und der Kirche erzählt, die beim Großen Brand zer-
stört wurde. Das hätte ich nur nach langer, mühseliger Suche
herausgefunden.«

»Sie müssen sich entscheiden«, sagte Arkwright barsch.
»Er oder ich.«

»Wie bitte?« Matilda traute ihren Ohren nicht.

Seine Miene war hart. »Sie haben mich sehr wohl verstanden. Entweder mein Wissen oder seines. Beides können Sie
nicht haben.«

Matilda schaute sich um. Wie fasziniert war sie gewesen, als
sie den Laden zum ersten Mal betreten hatte! Als der Sammler ihren Fund betrachtet und ihr so schnell so viel darüber
hatte sagen können. Seine Erzählungen über Mohnsamen und
das Mikroskop des Dr. Hooke hatten sie gefesselt.

Die Ablehnung traf sie daher wie ein Schlag, und sie war
einen Augenblick lang sprachlos. Die Enttäuschung tat weh.
Doch etwas in ihr wehrte sich. Sie würde nicht bitten oder fle-
hen. Sie würde sich nicht von einem einsamen alten Mann erpressen lassen, der sich in seiner Welt aus Trödel und Papier
vergrub. Sein Zwist mit dem Professor ging sie nichts an, doch

dass er sie für sich vereinnahmen wollte, gefiel ihr nicht. Matilda griff nach ihrer Tasche und richtete sich auf, sodass sie Arkwright überragte.

»Dann gehe ich jetzt. Ich wünsche einen angenehmen Abend.«

Als sie sich abwandte, bemerkte sie aus dem Augenwinkel sein Gesicht – überrascht und ungläubig.

Sie war schon an der Tür, als seine raue Stimme hinter ihr erklang. »Sie werden es nicht schaffen.«

»Was?«, fragte sie, ohne sich umzudrehen.

»Das Rätsel zu lösen. Gehen Sie ruhig zu Fleming, dem Menschenfischer. Oder sollte ich Rattenfänger sagen?« Sein Sarkasmus klang beißend. »Er hat es gern, wenn andere an seinen Lippen hängen, er trägt sein Wissen zu Markte und schreibt Bücher, um an Geld zu kommen. Was mag ein Professor ohne eigenen Lehrstuhl wohl verdienen? Sicher nicht genug, um das Leben zu bezahlen, das er führt.«

Matilda verharrte mit der Hand am Türknauf, drehte sich aber nicht um.

»Ich möchte das nicht hören.«

»Oh, er hat Sie für sich eingenommen? Das wundert mich nicht. Eine interessante Geschichte, ein bisschen Freundlichkeit, schon stehen Sie auf seiner Seite.«

Seine Worte waren so ungerecht, dass es ihr die Sprache verschlug. Dass Arkwright schwierig und exzentrisch war, hatte sie von Anfang an gemerkt, dass er boshaft war, hingegen nicht.

»Freundlichkeit ist kein Charakterfehler, Mr. Arkwright. Guten Abend.«

Matilda blieb erst an der nächsten Straßenecke stehen. Ihr Herz schlug heftig, ihre Wangen brannten, und sie hielt die

Tasche so fest umklammert, dass der Griff in ihre Handfläche schnitt. Sie drehte sich um und warf einen letzten Blick zurück.

Dann ging sie zur Commercial Street. Es war nur eine Viertelstunde her, dass sie hoffnungsfroh hier abgebogen war. Jetzt war sie bedrückt und fror, da es inzwischen zu nieseln begonnen hatte. Die Räder der Kutschen und Omnibusse surrten auf dem nassen Pflaster, und sie drängte sich nach rechts in Richtung Hauswand, um sich vor dem aufspritzenden Wasser zu schützen.

Von Arkwright war nichts mehr zu erwarten. Er hatte ihr eine Aufgabe gestellt, und sie war eifrig losgelaufen, hatte nachgeforscht, Wissen zusammengetragen und war brav zu ihm zurückgekehrt. Und er hatte sie abgewiesen.

Zorn durchflutete sie, er wärmte sie von innen. Zorn war gut, er vertrieb Selbstmitleid und Scham. Arkwrights Schroffheit hatte sie eingeschüchtert, doch nun, da sie in Ruhe nachdenken konnte, fiel ihr wieder ein, was sie zu ihm gesagt hatte. *Freundlichkeit ist kein Charakterfehler.*

Wenn Menschen ihr herrisch oder unversöhnlich begegneten, neigte sie dazu, sich erst einmal zu fragen, ob sie selbst im Unrecht war. Doch das war falsch. Wer andere rücksichtslos behandelte, war meist ein unglücklicher Mensch. Matilda wusste nicht, was zwischen Arkwright und Fleming vorgefallen war. Vielleicht zeugte sein Verhalten auch von einer allgemeinen Menschenfeindlichkeit.

Dass er sie in seine Wohnung zum Tee gebeten hatte, war ihr wie eine Auszeichnung erschienen, und sie hatte geglaubt, er sei aufrichtig an ihrem Rätsel interessiert.

Sie schüttelte den Kopf, um die Erinnerung zu vertreiben. Zum Glück hatte sie sich sorgfältig notiert, was sie von Arkwright erfahren hatte. Sie würde ihre Unterlagen überarbeiten und alles, was sie besaß – Mitschrift, Kasten, Buch, Parfüm und Tuch – Professor Fleming zeigen.

Sie würde es nicht schaffen, das Rätsel zu lösen?

Das bleibt abzuwarten, Mr. Arkwright.

Als Matilda müde und durchnässt in die Beaufort Street bog, sah sie, wie ein Mann in langem Mantel aus dem Haus kam und den Regenschirm aufspannte. Später Besuch bei Mrs. Westlake? Dann bemerkte sie die Tasche in seiner Hand und stürzte los.

»Guten Abend, Dr. Campbell! Was ist geschehen?«

Matilda schob sich eine nasse Haarsträhne aus den Augen. Der Arzt stellte die Tasche ab, wobei er den Schirm über sie beide hielt, und legte ihr beruhigend die Hand auf den Arm.

»Keine Sorge, Miss Gray, es war nur ein häuslicher Unfall. Mrs. Westlake ist auf der Treppe ausgerutscht und hat sich den Fuß verstaucht. Zum Glück kein Bruch, aber diese Verletzungen schmerzen oftmals schlimmer. Sie muss den Fuß ruhig halten, hochlegen und kühlen. Zwischendurch wird ein fester Verband angelegt, ich habe dem Hausmädchen alles erklärt. Mrs. Westlake wird für einige Zeit ans Haus gefesselt sein, aber es sind keine bleibenden Schäden zu erwarten. Sie wissen ja, wo Sie mich erreichen können, ich stehe jederzeit zur Verfügung.«

Matilda dankte dem Arzt, verabschiedete sich und schloss die Tür auf.

»Hier drinnen, meine Liebe«, erklang eine schwache Stimme aus dem Wohnzimmer. Matilda hängte Hut und Mantel an die Garderobe und trat ein. Mrs. Westlake lag auf dem Sofa, den linken Fuß mit Tüchern umwickelt. Neben ihr auf einem Beistelltisch standen eine Brandykaraffe und ein Glas, das noch einen Fingerbreit gefüllt war.

Sally kniete vor dem Kamin und legte Feuerholz nach. Als sie Matilda hörte, stand sie auf und strich die Schürze glatt. »Ich habe mich um alles gekümmert, Miss. Das war vielleicht ein Schreck!«

Sie schaute zu ihrer Arbeitgeberin, die nur stumm mit der Hand winkte.

»Ich habe gerade den Kamin sauber gemacht, als ich ein fürchterliches Poltern auf der Treppe hörte. Als ich in den Flur gekommen bin, lag Mrs. Westlake auf dem Boden, und ihr Fuß war ganz verdreht. Ich musste mich an der Wand abstützen, so schwarz wurde mir vor Augen! Ich dachte, sie hätte sich den Hals gebrochen.« Was Fantasie anging, stand Sally ihrer Arbeitgeberin in nichts nach.

»Ich war mir sicher, er ist gebrochen, ich habe ein Knacken gehört«, warf die Patientin vom Sofa ein. »Im Fuß, meine ich, nicht im Hals.«

Nun kam Sally erst richtig in Fahrt. »Dann habe ich gesehen, dass sie atmet. Und sie hat leise gestöhnt, etwa so.« Es klang wie ein Blasebalg, den man zusammendrückt. »Also habe ich Mrs. Westlake aufgeholfen, das war vielleicht ein Stück Arbeit! Sie hat vor Schmerzen geschrien, und mir brach der Schweiß aus, und ich musste ganz tief atmen, aber irgendwie haben wir es bis zum Sessel geschafft.«

»Beinahe wäre ich in Ohnmacht gefallen!«

»Dann habe ich die Bücher und die ganzen Papiere und die Landkarte und die ausgestopfte Katze aufgesammelt und bin zu Dr. Campbell …«

»Einen Augenblick«, sagte Matilda. Ihre Augen wanderten

von Sally zu Mrs. Westlake, die angestrengt an die Decke schaute. »Wo hast du das alles aufgesammelt?«

»Na, im Flur, Miss. Die Sachen lagen doch überall verstreut.«

»Mrs. Westlake?« Keine Reaktion vom Sofa. »Ich habe mich schon gewundert, warum Sie sich nicht am Geländer festgehalten haben. Damit wäre die Frage wohl beantwortet.«

Leises Räuspern. »Ich brauchte das alles.«

Matilda verschränkte die Arme und trat neben das Sofa. Es fiel ihr schwer, ihre Belustigung zu verbergen; Mrs. Westlake sah aus wie ein ertapptes Kind. »Warum haben Sie Sally nicht gebeten, Ihnen zu helfen? Oder sind zweimal gegangen?«

»Und im Übrigen ist es ein iberischer Luchs.«

Matilda wandte sich lächelnd ab und gab Sally ein Zeichen. »Ich hätte gern noch ein kaltes Abendessen und Tee.«

Und einen Brandy, dachte sie. Den konnte sie nach diesem Tag gebrauchen.

»Das ist ja unerhört!«, rief Mrs. Westlake, die von Kissen gestützt auf dem Sofa ruhte. Sally hatte Bücher, Papiere, Landkarte und Luchs auf einem Tisch gestapelt und Matilda einen Teller mit Schinken, Käse und Räucherlachs sowie eine Kanne Tee gebracht. »Wie dreist dieser Mensch ist!«

Matilda kaute und schluckte, bevor sie antwortete. »Ich bin erleichtert, dass Sie es so sehen wie ich.«

»Hatten Sie daran gezweifelt?« Mrs. Westlakes Wangen waren gerötet, vermutlich vom Brandy, der – zusammen mit Matildas Erzählung – schmerzlindernd zu wirken schien.

»Nun, Sie und Ihre Freundinnen hatten mir den Sammler empfohlen. Ich fürchtete, Sie könnten ungehalten sein, weil wir uns – wie soll ich sagen – entzweit haben.«

»Ganz und gar nicht, meine Liebe. Sein Verhalten ist unverzeihlich, wenn auch nicht überraschend. Er ist ein Exzentriker. Und ihn als menschenscheu zu bezeichnen ist untertrieben. Ich war ehrlich überrascht, dass er Ihnen überhaupt geholfen hat.«

Matilda schob ihren Teller beiseite. »Soll ich den Umschlag erneuern?«

Mrs. Westlake winkte ab. »Nein danke, er ist noch kühl genug. Sprechen wir lieber über Sie und Ihre Pläne. Was werden Sie jetzt tun?«

Matilda brauchte nicht lange zu überlegen. »Ich werde Professor Fleming Lauras Kasten zeigen und ihm alles erzählen, was ich vom Sammler weiß.«

Sie empfand ein boshaftes Vergnügen. Dies war vermutlich Arkwrights schlimmster Albtraum.

15

»Meine Liebe, Sie können mein Wohnzimmer nutzen, während ich mich auf die Chaiselongue in meinem Arbeitszimmer zurückziehe. Obwohl ich mich gern über Konventionen hinwegsetze und nichts dagegen einzuwenden hatte, dass Sie Mr. Arkwright in seiner Wohnung getroffen haben, würde ich bei der ersten Verabredung mit einem jüngeren Mann – er ist jünger als der Sammler, nicht wahr? Deutlich jünger? Das dachte ich mir – zu einem weniger verfänglichen Treffpunkt raten.«

Matilda wusste, dass Mrs. Westlakes Eloquenz und Großzügigkeit vor allem einem Zweck dienten: einen Blick auf Professor Fleming zu werfen und etwas vom Gespräch zu erhaschen. Aber wenn sie bedachte, dass ihre erste Begegnung nach einem Zusammenstoß mit einem Türrahmen erfolgt war, wäre es sicher angenehm, den Professor auf eigenem Terrain zu empfangen.

»Das ist sehr freundlich von Ihnen.«

»Schreiben Sie ihm?« Mrs. Westlake rückte ihren verletzten Fuß auf dem Kissen zurecht. »Sally kann den Brief in den Kasten werfen. Sie hat heute Abend Ausgang.«

»Ich suche noch nach den richtigen Worten.«

»Ganz einfach: Sie wollen ihm etwas zeigen, auf das er ohnehin mehr als neugierig ist. Er wartet nur auf eine Nachricht, darauf gebe ich Ihnen Brief und Siegel.«

Mrs. Westlake zupfte an der Decke, die über ihren Beinen lag, nahm die Brille ab und setzte sie wieder auf. Sie wirkte unruhig und langweilte sich wegen ihrer Bewegungslosigkeit über die Maßen. Das neue Romankapitel gestaltete sich schwierig, und sie konnte das Haus nicht verlassen, um sich abzulenken oder sich in einer Bibliothek oder einem Museum inspirieren zu lassen. Zudem war sie tagsüber mit Sally allein und ergriff folglich verzweifelt jede Gelegenheit, die auf Zerstreuung hoffen ließ.

Sie hatte recht, dachte Matilda und sah auf die Uhr. Noch eine halbe Stunde bis zur letzten Leerung des Briefkastens. Das sollte reichen.

Die Antwort traf rechtzeitig zum Frühstück ein, was nicht nur vom unerhört schnellen Londoner Postwesen zeugte, sondern auch erahnen ließ, wie interessiert Professor Fleming an dem Rätsel war.

Sehr geehrte Miss Gray,
ich danke Ihnen herzlich für die Nachricht und nehme die Einladung mit Freuden an. Es wäre mir ein Vergnügen, mit Ihnen Tee zu trinken und dabei einen Blick auf Ihren Fund zu werfen.

Da Sie keinen bestimmten Tag genannt haben, lasse ich Sie hiermit wissen, dass ich den heutigen Abend zur freien Verfügung habe. Sollte Ihnen dies nicht genehm sein, können wir natürlich einen späteren Zeitpunkt vereinbaren.

Mit den besten Grüßen,
Stephen Fleming

Bevor sie Bedenken äußern konnte, kam Mrs. Westlake ihr zuvor.

»Ich kümmere mich um alles, meine Liebe. Und keine Sorge, Sally wird nicht backen.« Das Hausmädchen hatte sich einmal an einem alten Familienrezept versucht und dabei um ein Haar die Küche in Brand gesetzt. Personal war teuer, und Mrs. Roberts, die Köchin, kam nur an drei Tagen ins Haus und kochte für die übrige Zeit vor. »Ich schicke sie zu Fleury, um Kuchen zu besorgen. Sandwiches wird sie wohl hinbekommen. Ein später, etwas gehaltvollerer Tee – das ist doch angemessen.«

Matilda schrieb rasch eine Antwort und brachte sie zum Briefkasten.

»Der Kuchen ist köstlich, Miss Gray, mein Kompliment an Ihre Köchin.«

Matilda lächelte. »Ich gebe es an die Konditorei Fleury weiter.«

Professor Fleming legte die Gabel auf den Teller, schob ihn beiseite und stand auf. »Verzeihen Sie, wenn ich unhöflich bin, aber ich kann mich einfach nicht länger gedulden.« Er nickte zum großen Tisch hinüber, auf dem Matilda alles ausgebreitet hatte, was sie ihm zeigen wollte. »Darf ich?«

»Aber gern.« Sie erhob sich ebenfalls.

Natürlich hatten sie die Regeln der Höflichkeit befolgt. Matilda hatte Mrs. Westlake vorgestellt, die sich bald darauf entschuldigte, obwohl Professor Fleming bat, sie möge doch den Tee mit ihnen nehmen. Sie müsse den Fuß hochlegen und sei überdies mit der Arbeit im Verzug, gab sie zur Antwort. Ein anderes Mal jedoch mit Freuden. Dann hatte er sich nach Matildas Befinden erkundigt und nicht lockergelassen, bis er ihr Gesicht genau betrachten durfte. Erst dann hatten sie sich zum Tee niedergelassen.

Nun aber standen sie erwartungsvoll vor dem Tisch, auf dem die Gegenstände aus Lauras Kasten ausgebreitet lagen. Matilda war auf einmal nervös.

»Erzählen Sie mir alles, was Sie wissen.«

Er nahm einen Gegenstand nach dem anderen in die Hand, strich mit den Fingern darüber, untersuchte ihn behutsam und legte ihn wieder zurück. Er stellte keine Fragen, sondern lauschte ihrem Bericht. Zuletzt holte Matilda ihre Aufzeichnungen und las vor, was sie von Arkwright erfahren hatte.

»Er ist wirklich gut«, sagte der Professor, als sie geendet hatte. »Ich frage mich ehrlich, weshalb Sie meine Hilfe überhaupt benötigen. Arkwright ist einer der Besten, was die geheime Geschichte Londons angeht.« Seine blauen Augen blickten forschend und schienen etwas in ihrem Gesicht zu lesen, denn er wollte plötzlich wissen: »Gab es Schwierigkeiten?«

Sie nickte und kam sich mit einem Mal schäbig vor. Wenn sie ihm von Arkwright erzählte, würde er womöglich glauben, er sei nur ihre zweite Wahl. Dennoch, sie musste ihm die Wahrheit sagen.

»Mr. Arkwright ist nicht länger bereit, mir zu helfen.«

»Das ist bedauerlich. Darf ich fragen, warum?«

Als Matilda nicht sofort antwortete, sagte er leise: »Ah … Ist es wegen mir?«

Sie räusperte sich. »Er wollte wissen, wer mir vom Haus der Ancrofts erzählt hat. Nachdem Ihr Name gefallen war, wurde er grob.«

»Das tut mir leid. Sein Wissen ist von unschätzbarem Wert, aber er geht sparsam damit um.«

»Er hat gesagt, ich müsse mich entscheiden. Zwischen seiner Hilfe und Ihrer. Beides könne ich nicht haben.«

Der Professor ging langsam um den Tisch, blieb dann stehen und drehte sich zu Matilda um. »Sie hätten sich für ihn entscheiden können. Er mag ein schwieriger Mensch sein, aber Sie hatten ihn für sich eingenommen. Das kommt selten vor.«

Matilda zuckte mit den Schultern. »Es war ungerecht von ihm, mich vor diese Entscheidung zu stellen. Ungerecht und kindisch. Außerdem haben Sie mir sehr geholfen. Ich konnte Mr. Arkwright nicht nachgeben.«

Flemings Gesicht war ernst. »Danke, Miss Gray. Ich weiß Ihre Offenheit zu schätzen.« Er deutete auf den Tisch. »Dann muss ich mich wohl gewaltig anstrengen, um den Sammler zu ersetzen. Fangen wir an.«

Es war anders als mit Mr. Arkwright. Kein verschlissener Morgenrock, kein gackerndes Gelächter, kein plötzlicher Griff an den Unterarm, keine durchdringenden Blicke, keine barsche Zurückweisung. Ein helles, warmes Wohnzimmer statt des dämmrigen Ladens und Tee, bei dem sich Matildas Eingeweide nicht zusammenzogen.

Aber es war dem Sammler auch gelungen, sie zu locken, in seine Welt zu holen, bis sie fast vergaß, dass es noch etwas anderes gab als die Zauberhöhle in der Folgate Street.

Während der Professor sprach, blieb er ständig in Bewegung, ging um den Tisch herum, gestikulierte und schaute Matilda immer wieder aufmerksam an. Er spann weniger eine geheimnisvolle Geschichte, als dass er ein Zwiegespräch mit ihr führte. Matilda vergaß nie, wo sie sich befanden, sie tauchte nicht in eine neue Welt ein, die er für sie erschuf, sondern blieb ganz in der Gegenwart. Dennoch war sie nicht enttäuscht, denn seine Art kam ihr vertraut vor. Und dann begriff sie – er war ein Lehrer, der sein Wissen mit ihr teilte, und sie erkannte sich in ihm wieder.

»Zum Stichwort Opium und Apotheke – wir sollten herausfinden, ob es eine Verbindung zwischen der Kaufmannsfamilie Ancroft und Apotheken gab. Danach kümmern wir uns um Hooke. Ich kann mich in den Archiven des London County Council umsehen. Und bei der Apothekergesellschaft. Die besteht seit 1617 und könnte Unterlagen besitzen, die uns weiterhelfen.« Fleming hielt inne und blickte zu Matilda. »Oh – Sie wollen dabei sein.«

Sie nickte. »Ich würde mich gern nützlich machen.«

»Ich frage bei den Apothekern nach, ob sie das Archiv auch später zugänglich machen, und melde Sie an. Würden Sie es wochentags bis sechs Uhr schaffen?«, fragte der Professor ganz selbstverständlich.

In ihr stieg eine angenehme Wärme auf. »Sie vertrauen darauf, dass ich etwas finde?«

Er zuckte mit den Schultern. »Sie haben schon einiges gefunden. Außerdem arbeiten wir beide für unseren Lebensunterhalt und sollten einander möglichst unterstützen. Immerhin werden wir für das hier nicht bezahlt.«

Was mag ein Professor ohne eigenen Lehrstuhl wohl verdienen? Sicher nicht genug, um das Leben zu bezahlen, das er führt. Die Worte des Sammlers stiegen in ihr empor, doch Matilda verdrängte sie rasch. »Ich würde das sehr gern übernehmen.«

»Gut. Und wir müssen unbedingt das Buch entziffern. Wir könnten es gemeinsam entschlüsseln. Darf ich es mir ausleihen und mich daran versuchen? Ich habe Erfahrung mit alten Handschriften. Falls Sie es mir anvertrauen möchten.«

Matilda nickte. »Selbstverständlich.« Dann blätterte sie zur letzten Seite ihres Notizbuchs. »Ich habe neulich aufgeschrieben, was mir als leserlich ins Auge sprang. Es ist nicht viel, aber die Worte kamen mir eigenartig vor. Mr. Arkwright ist nicht darauf eingegangen.«

Sie schob ihm die aufgeschlagene Seite hin. »»… kein Ende … Apotheke … grauenhaft und unermesslich … übers

Meer … fürchtete mich sehr … auch in St. Giles … Mutter …‹ Und da ist noch etwas. Ganz hinten im Buch lag ein Zettel. Mit der Handschrift meiner Schülerin.« Sie reichte ihm das kleine Stück Papier.

»Ein Haus unter dem Haus?« Fleming hob abrupt den Kopf. »Warum haben Sie das nicht gleich gesagt?«

»Mr. Arkwright hat sich nicht …«

Zum ersten Mal, seit sie ihn kannte, verstieß der Professor gegen die Regeln der Höflichkeit und fiel ihr ins Wort. »Der soll uns nicht kümmern. Wir beide untersuchen diesen Fall und niemand sonst.«

Matildas Herz schlug heftig. »Was ist so wichtig daran?«

»London ist auf der Vergangenheit errichtet. Denken Sie nur an den Garten des Ancroft-Hauses, unter dem ein Friedhof liegt. Wir wissen von den alten Stadtplänen, dass dort schon lange vor dem Brand ein Haus gestanden hat. Man hat das neue vermutlich auf den Fundamenten des alten errichtet, das 1666 abgebrannt ist. Und der Zettel könnte ein Hinweis darauf sein, dass darunter etwas versteckt ist!«

Er klang so aufgeregt, dass er Matilda mitriss. »Sie meinen, unter dem jetzigen Haus ist vielleicht etwas Wichtiges verborgen, und es ist in diesem Buch beschrieben? Und wir können es finden, wenn wir nur genug entziffern?«

»Im besten Falle, ja. Im schlimmsten Fall leisten wir einen bescheidenen Beitrag zur Erforschung der Londoner Stadtgeschichte.« Er berührte behutsam das alte Buch. »Wenn es einen Schlüssel gibt, liegt er hier drin.«

Matilda räusperte sich, und Fleming lächelte. »Noch mehr Enthüllungen?«

Sie zögerte kurz. »Lauras Vormund – warum sollte ich ihren Namen länger verschweigen? – hat kürzlich die Schule angeschrieben.« Sie schilderte, worum Mr. Easterbrook gebeten hatte.

Er durchschaute sie sofort. »Und Sie trauen ihm nicht.«

»So ist es.«

Er runzelte die Stirn. »Wie Arkwright Ihnen bereits sagte, sind der Kasten, das Medaillon und die Flasche schöne Arbeiten, die aufgrund ihres Alters einen gewissen Wert besitzen.«

»Aber der Vormund weiß vermutlich gar nicht, um welche Gegenstände es sich handelt.«

»Er ahnt wohl, dass es etwas gibt, das ihr wertvoll erscheint und das sie vor ihm verborgen hält. Und das hat ihn neugierig gemacht. Laura hat sich große Mühe gegeben, die Gegenstände zu verstecken. Sie hat sie nicht mit in die Ferien oder auf ihre Reise genommen, sonst wüsste ihr Vormund davon. Ich möchte behaupten, das alles spricht dafür, dass der Wert dieses Schatzes nicht nur in Pfund und Shilling zu bemessen ist, was ihn umso interessanter macht.«

»Und wir werden herausfinden, was sein Geheimnis ist …« Es war mehr eine Feststellung als eine Frage.

»Wir werden es versuchen.« Er schaute zur Tür. »Ich werde mich jetzt verabschieden, Miss Gray. Es war ein ebenso angenehmer wie anregender Abend.«

Matilda begann, die Unterlagen aufeinanderzustapeln, wobei Lauras Postkarte aus Neapel herausrutschte.

»Oh, die Sappho von Pompeji.«

Matilda fuhr herum. »Was haben Sie gesagt? Auf der Rückseite steht nur, es zeige eine Frau mit Wachstafeln und Stilus.«

Der Professor nickte. »Das ist die offizielle Bezeichnung, aber es wurde oft vermutet, dass es Sappho darstellt. Ein schöner Gedanke, dass das Bild einer Dichterin bei der Arbeit die Katastrophe überdauert hat, nicht wahr? Der wache und zugleich nachdenkliche Blick ist wunderbar eingefangen. Ich kenne nicht viele antike Darstellungen, die auf den Betrachter so lebendig wirken.«

»Da haben Sie recht«, sagte Matilda, die ihren inneren Aufruhr kaum verbergen konnte. Als sie den Professor verabschiedet hatte, blieb sie im Flur stehen und legte die Hände an die heißen Wangen. Sie musste sich beruhigen, bevor sie zu Mrs. Westlake hineinging.

Wie dumm von ihr! Sie hatte die Karte so oft in der Hand gehalten und nicht erkannt, dass sie selbst auch eine Botschaft war. Laura war in Neapel gewesen, hatte das Museum besucht und die Karte ausgewählt. Sie hatte nur zu gut gewusst, wer darauf abgebildet war.

Die Frau, die man für Sappho hielt. Die Dichterin der Frauenliebe.

16

Zwei Tage später schaute Matilda in der Black Friars Lane zu dem prächtigen Wappen empor, das über dem Eingangstor prangte. Zum Glück gab es eine Laterne in der Nähe, sodass sie die beiden goldenen Einhörner erkennen konnte, die den Schild umrahmten. Darauf war eine ebenfalls goldene Männergestalt zu sehen, die einen geflügelten Drachen getötet hatte. Als Helmzier diente ein Nashorn. Der Wappenspruch lautete *Opiferque Per Orbem Dicor*.

»Ovid, aus den ›Metamorphosen‹. Das vollständige Zitat lautet: ›Ich erfand die heilende Kunst; Heilbringer und Retter Nennt mich die Welt; und die Kraft der Genesungskräuter gehorcht mir! Ach, kein linderndes Kraut erwächst für die Gluten der Liebe, Und nichts frommt dem Besitzer die Kunst, die allen umher frommt!‹ Insgesamt ein recht heidnisches Wappen, wenn Sie mich fragen. Apollo, der Gott der Heilkunst, tötet den Drachen, der die Krankheit verkörpert. Und das Nashorn steht für die Medizin, die man aus seinem Horn gewinnt. Miss Gray, nehme ich an?«

Matilda sah sich einem kleinen älteren Mann im Gehrock gegenüber. Seine Halbglatze säumte ein zerzauster Haarkranz, und seine Augen blickten über eine halbmondförmige Brille. »William Upchurch, Archivar der Apothekergesellschaft. Professor Fleming hat Sie angekündigt, und ich dachte mir, ich halte mal nach Ihnen Ausschau.«

»Ja, ich bin Matilda Gray. Danke, dass Sie mich um diese Zeit empfangen. Dies ist ein ehrwürdiges Gebäude.«

»Kommen Sie bitte mit.« Er führte sie in einen Innenhof, in dessen Mitte eine große Laterne auf einem steinernen Sockel leuchtete. Mr. Upchurch deutete auf eine Treppe in einer Hofecke. »Dort drin befindet sich unser Geschäft. Wir stellen Arzneimittel her und verkaufen sie *en gros* und *en detail*.« Er stutzte. »Ich erzähle für mein Leben gern von unserer Gesellschaft. Bitte unterbrechen Sie mich, falls ich zu sehr abschweife.«

»Nein, nein, es interessiert mich sehr.«

Er deutete um sich. »Hier stand früher das Dominikanerkloster der Black Friars, dem dieser Stadtteil seinen Namen verdankt. 1632 erwarb unsere Gesellschaft das ehemalige Gästehaus des Klosters, doch es fiel dem Großen Brand zum Opfer. Also errichtete man ein neues Haus an seiner Stelle, welches seit nunmehr 228 Jahren unsere Heimstatt ist. Wir sind bei Weitem nicht die älteste Londoner Gilde, besitzen aber das ehrwürdigste Haus. Bis letztes Jahr haben wir in Chelsea auch unsere eigenen Heilpflanzen angebaut, dann wurde der Garten von einer wohltätigen Vereinigung übernommen.«

Seine Worte schlugen eine Saite in Matilda an. »Das ist interessant, Mr. Upchurch.«

»Der Garten?«

»Der auch, aber ich bezog mich auf die Geschichte Ihres Hauses. Es ist wie ein Muster, das mir allmählich vertraut wird – kein Ort in dieser Stadt ist nur, was er zu sein scheint. Unter oder in ihm verbirgt sich immer etwas Älteres.«

Er nickte zustimmend. »Das haben Sie treffend ausgedrückt, Miss Gray. Wenn Sie mir nun bitte folgen wollen.« Er führte sie ins Innere des Gebäudes und öffnete eine Tür. »Die Große Halle.«

Matilda sah sich ehrfürchtig um. Der weitläufige Raum

war mit dunkler Eiche getäfelt, die Fenster mit herrlichem Buntglas geschmückt, an den Wänden hingen Gemälde, die bedeutende Mitglieder vergangener Zeiten zeigten. Das leuchtende Rot der Vorhangstoffe und die goldenen Kronleuchter bildeten einen vollkommenen Gegensatz zum dunklen Holz.

»Was für ein prächtiger Saal.«

Mr. Upchurch konnte seinen Stolz nicht verhehlen und führte sie von einem Raum in den nächsten. Alle zeugten von Tradition und diskreter Eleganz.

»Ich nehme an, Professor Fleming hat angekündigt, worum es geht.«

Der Archivar nickte und deutete nach oben. Sie begaben sich über eine wunderschöne Treppe in den ersten Stock, in dem ihre Schritte von Teppichen gedämpft wurden. Darunter knarrten alte Dielen. Das Haus schien verlassen, und Matilda war dankbar, dass Mr. Upchurch eigens für sie länger geblieben war. Er öffnete eine unscheinbare Tür am Ende des Korridors und schaltete das Licht ein.

»Unsere Sammlungen sind sehr umfangreich. Wir archivieren nicht nur Dokumente jeglicher Art, wir sammeln auch Silber, Möbel und medizinische und pharmazeutische Objekte. Daher habe ich mir erlaubt, alles, das für Sie von Bedeutung sein könnte, vorzubereiten.« Er deutete auf einen gewaltigen Tisch, der mit dicken Lederfolianten, Papierrollen und Mappen bedeckt war. »Dies sind Unterlagen, denen Sie Informationen über die Londoner Apotheken des 17. Jahrhunderts entnehmen können. Vieles davon ist sehr speziell und ohne Fachwissen kaum zu verstehen. Ich hoffe, dass es Ihnen dennoch weiterhilft, und Sie können mich jederzeit gern fragen. Ich bin im Raum nebenan.«

Er deutete eine Verbeugung an und verschwand durch die Verbindungstür. Matilda schluckte, denn die Sammlung, der sie sich gegenübersah, war immens.

Zum Glück hatte sie sich Stichpunkte notiert, die ihr weiterhelfen konnten:

Ancroft
Kaufmann
Apotheke
Laurence Pountney Hill/Lane
Mohnsamen
Opium
Mikroskop
Hooke
Medaillon

All dies war miteinander verbunden, und wenn sie Glück hatte, konnte sie wenigstens einiges verknüpfen.

Doch eine halbe Stunde später klopfte sie verzweifelt an die Tür, und Mr. Upchurch steckte sofort den Kopf hindurch.

»Verzeihen Sie, wenn ich störe, aber …« Sie deutete auf den Tisch. »Ich glaube, ich habe das alles falsch verstanden.«

Er lächelte. »Lassen Sie mich raten – Sie haben gehofft, ein fein säuberliches, chronologisch geordnetes Verzeichnis von Geschäften zu finden, die vor zweihundert Jahren Medikamente hergestellt und verkauft haben. Also das, was man heute unter einer Apotheke versteht.«

Sie nickte.

»Stattdessen sehen Sie sich einem Sammelsurium an Personen gegenüber, von denen viele auch als Lebensmittelhändler tätig waren oder einem ganz anderen Beruf nachgingen, nie eine Ausbildung absolviert oder eine Prüfung abgelegt haben.«

»Ja, dass es Gemüsehändler gab, die mit Liebestränken handelten, und Obstverkäufer, die unter der Theke Abführmittel anboten, hat mich ziemlich verwirrt. Und dass einige Apotheker auch als Chirurg geführt wurden. Dann hätten sie doch eigentlich in eine andere Gilde gehört, nicht wahr?«

»Miss Gray, in kaum einem anderen Land wurden die medizinischen Berufe so lange so stiefväterlich behandelt wie in England. Nichts war geregelt, jeder verfuhr nach Gutdünken. Es gab viele Überschneidungen. Apotheker handelten auch mit dem, was wir heute Drogeriewaren nennen, oder behandelten Patienten, selbst wenn sie nicht dafür ausgebildet waren. Das galt allerdings auch für Ärzte, von denen die meisten ebenfalls kein Studium absolviert hatten.« Er deutete auf den Tisch. »Wenn Sie mir sagen, was genau Sie suchen, kann ich Ihnen vielleicht helfen.«

»Nun, ich wüsste gern, ob es einen oder mehrere Apotheker gab, die von einem bestimmten Kaufmann Opium bezogen haben.«

Mr. Upchurch rieb sich nachdenklich mit der Hand über den Mund. »Kennen Sie Thomas Sydenham? Man nennt ihn den Vater der englischen Medizin. Er war im 17. Jahrhundert tätig und schätzte Opium als Arzneimittel über die Maßen. Er soll gesagt haben, keines der Heilmittel, die uns der allmächtige Gott gegeben hat, um menschliches Leiden zu lindern, sei so vielseitig und wirksam wie Opium. Stellen Sie sich vor, ein Mittel, das gegen Schmerzen, Husten und Durchfall half – in einer Zeit, da sich die meisten Menschen keinen Arzt leisten konnten. Und wenn sie es konnten, ließ er sie lediglich zur

Ader und kassierte viel Geld dafür. Sydenham hat eine neue Form von Laudanum entwickelt und in England bekannt gemacht. Das war in den 1660er Jahren, also etwa zu der Zeit, für die Sie sich interessieren.«

Matilda konnte ihre Erregung kaum zügeln. Warum hatte sie Mr. Upchurch nicht gleich gefragt, dann hätte sie sich eine halbe Stunde Kopfzerbrechen sparen können!

»Opium als Heilmittel war damals neu?«

»Nein, man hat es schon in der Antike verwendet. Aber es wurde wiederentdeckt und trat einen Siegeszug an. Heute wissen wir, dass sein Gebrauch nicht ungefährlich ist, und suchen nach Substanzen, mit denen wir es ersetzen können. Doch es galt zweihundert Jahre lang als unverzichtbare Arznei.«

Matilda nickte. »Also brauchte man von da an größere Mengen an Opium, um die Arzneien, vor allem Laudanum, herzustellen. Wenn ein Kaufmann mit Opium handelte, erhoffte er sich davon gewiss ein Vermögen.«

»Niemand konnte wissen, wie schnell sich das Mittel durchsetzen würde, aber denkbar wäre es. Vor allem dann, wenn sich dieser Kaufmann zusichern ließ, dass die Apotheker ihr Opium ausschließlich von ihm bezogen.« Mr. Upchurch erhob sich, trat an einen Schrank und drehte den aufwendig verzierten Schlüssel. Er nahm behutsam ein Buch heraus und legte es auf den Tisch. Dann schlug er die erste Seite auf und deutete auf den Titel.

The Treasury of Drugs Unlock'd.
ODER
Eine vollständige und wahrheitsgetreue Beschreibung aller Arten von Drogen und chemischen Zubereitungen, die von Drogisten angeboten werden. Woraus man den Ort erfährt, an dem sie gedei-

hen und von wo sie kommen und wie man die Guten von den
Schlechten unterscheidet.

Sehr NÜTZLICH für

Alle Gentlemen, Kaufleute, Drogisten, Ärzte, Apotheker, Chi-
rurgen und deren Lehrlinge. Ebenso für alle Reisenden, Seeleute,
Zollbeamten und all jene, die damit Handel treiben oder sie ver-
wenden oder diese einführen oder am Hafen abliefern. Mitsamt einer
wahrheitsgetreuen Auflistung, welche verboten sind und welche
nicht, wodurch viele unnötige Dispute und Prozesse vermieden
werden können. Das ganze Werk in alphabetischer Folge, mitsamt
einem vollständigen Verzeichnis aller Drogen.

»Es wurde 1690 von einem gewissen John Jacob Berlu veröffentlicht, eine Art Lexikon der damals bekannten Arzneimittel.« Mr. Upchurch lächelte. »Darin finden sich auch Substanzen vom Einhorn oder aus menschlichen Körpern, es entspricht
also nicht ganz dem, was wir uns heute unter einem medizinischen Nachschlagewerk vorstellen. Für Forschungszwecke ist
es jedoch von unschätzbarem Wert. Ich möchte Ihnen etwas
zeigen.« Er blätterte vorsichtig weiter bis zur Seite 150. »Hier
ist es: ›Opium – wird aus Mohn gemacht, ein Saft, eingedickt
durch Kochen, von sehr starkem Geruch, von guter lebhafter
Farbe, leicht zu schneiden, nicht hart, in Blätter eingewickelt;
das beste stammt aus Aleppo und Smyrna in der Türkei; es
wird auch aus Surrat und Persien in Ostindien eingeführt, ist
aber von niederer Qualität, bei Weitem nicht so rein noch so
stark riechend wie die türkische Sorte.‹ Borlu hat recht, das
Opium, das damals nach Europa gelangte, stammte haupt-
sächlich aus dem Osmanischen Reich.«

»Die Apotheker haben ihr Opium also von Kaufleuten bezogen, die mit der Türkei Handel trieben.«

»So ist es.«

»Sind Sie in diesem Zusammenhang einmal auf den Namen Ancroft gestoßen? Es handelt sich um eine Kaufmannsfamilie, die damals womöglich mit Opium gehandelt hat.«

Mr. Upchurch runzelte die Stirn. »Ancroft? Das sagt mir nichts, aber ich bin Archivar der Apothekergesellschaft, und meine Kenntnis der Londoner Handelsgeschichte ist begrenzt.« Dann hellte sich seine Miene auf, und er begann in den Unterlagen auf dem Tisch zu wühlen, bis er eine alte Ledermappe gefunden hatte. Die Blätter darin waren vergilbt, die Ränder eingerissen, und er behandelte sie behutsam wie ein Arzt eine schmerzhafte Wunde. »Dies ist eine Liste von Händlern aus dem Jahre 1660, bei denen Apotheker damals gekauft haben. Sie ist weder vollständig noch alphabetisch geordnet und umfasst auch Dinge wie Parfüm und Gewürze. Doch wir können gern nachschauen, ob der Name Ancroft darin auftaucht.«

Das tat er nicht. Matilda war ein wenig enttäuscht, ließ es sich aber nicht anmerken. Immerhin hatte sie schon einige interessante Dinge von Mr. Upchurch erfahren, die sie mit dem Professor weiterverfolgen konnte.

»Ich würde gern noch einmal auf die Apotheken zurückkommen. Gibt es vielleicht doch eine Möglichkeit, die Ergebnisse einzugrenzen? Woran könnte man Apotheker erkennen, die mit Arzneien aus Opium gehandelt haben? Waren sie besonders wohlhabend oder in einer bestimmten Gegend ansässig?« Dann fiel ihr noch etwas ein. »In der Kaufmannsfamilie, die ich vorhin erwähnt habe, existiert ein Erbstück. Ein Medaillon, in dem sich ein Bild von Mohnsamen befindet. Es stammt von Robert Hooke. Hilft Ihnen das vielleicht weiter?«

Mr. Upchurchs Gesicht leuchtete auf. »Hookes Mohnsamen, wie wunderbar! Seine Darstellungen sind von großem Wert, wir haben einige davon im Archiv.« Dann schaute er Matilda prüfend an. »Eine ungewöhnliche Idee, ein solches Bild in einem Medaillon bei sich zu tragen.«

Sie nickte eifrig. »Das finde ich auch. Deshalb dachte ich mir, dass die Mohnsamen für die Familie eine große Bedeutung gehabt haben müssen. Da es sich um Kaufleute handelte, kam mir die Idee mit dem Opiumhandel, zumal ich an anderer Stelle einen Hinweis auf Apotheken gefunden habe.«

Der Archivar wirkte nachdenklich. »Wie ich von Professor Fleming hörte, ist Diskretion angebracht, aber ich muss Ihnen sagen, Sie machen mich neugierig. Was für eine kuriose Geschichte.«

Sie ahnen gar nicht, wie kurios, dachte Matilda. Dann warf sie einen zweifelnden Blick auf den überquellenden Tisch. »Ich kann mir unmöglich alle Namen merken.«

Mr. Upchurch holte seine Taschenuhr heraus. »Es ist jetzt acht. Ich könnte die Mitgliederverzeichnisse der fraglichen Jahre heraussuchen und Ihnen die Namen diktieren.«

»Das wäre sehr freundlich, aber – Sie wollen sicher nach Hause zu Ihrer Familie, es ist schon spät.«

Er lächelte. »Meine Frau besucht ihre Schwester in Wales. Es wäre mir eine Freude, Ihnen zu helfen, notfalls auch bis Mitternacht.«

Ganz so lange dauerte es nicht. Um halb elf klappte Mr. Upchurch das letzte Verzeichnis zu und richtete sich stöhnend auf, wobei er sich die Schulter rieb. Auch Matildas Rücken tat weh, und der Schmerz in ihrem Magen traf sie wie ein Schlag.

Sie hatte seit dem Mittag nichts gegessen. Und um diese Zeit fuhr keine Untergrundbahn mehr.

»Ich kann Ihnen gar nicht genug danken, Mr. Upchurch«, sagte sie dennoch voller Wärme.

Er verbeugte sich leicht. »Ich bringe Sie zur Tür. Sie kommen hoffentlich sicher nach Hause?«

»Ich nehme eine Droschke.« Und dann würde sie sich dem Donnerwetter stellen, das auf sie niederginge, sobald sie das Haus betrat.

»Ich wünsche Ihnen allen erdenklichen Erfolg bei Ihren Nachforschungen. Und grüßen Sie Professor Fleming, er soll uns gelegentlich mal wieder beehren.«

»Ich richte es aus.«

Obwohl die hölzernen Türen des offenen Hansom Matildas Beine vor aufspritzendem Regenwasser schützten, war die Fahrt unangenehm kalt und feucht. Sie drängte sich in eine Ecke, um der Kälte weniger Angriffsfläche zu bieten. Als sie vor ihrem Haus ankam, war sie völlig durchgefroren, und ihre Kleidung fühlte sich klamm an. Der Kutscher öffnete vom Bock aus die Tür, und sie stieg mit steifen Beinen aus.

Bevor sie den Schlüssel ins Schloss stecken konnte, wurde die Haustür von innen aufgerissen. Mrs. Westlake stand auf Krücken da, das verletzte Bein in der Luft, und funkelte sie wütend an.

»Es ist fast Mitternacht, Miss Gray! Wo sind Sie gewesen?«

Matilda schluckte. »Bei der Ehrwürdigen Gilde der Apotheker.«

»So spät? Um diese Uhrzeit arbeitet dort niemand mehr.«

Sie hinkte voran ins Wohnzimmer, und Matilda folgte, nachdem sie Hut und Mantel aufgehängt hatte.

»Sally ist im Bett. Also leider kein Tee mehr.«

»Ich kann mir selbst welchen machen. Und Ihnen auch«, bot Matilda an.

Mrs. Westlake schüttelte den Kopf. »O nein, so einfach kommen Sie mir nicht davon.«

Nun regte sich Widerstand in Matilda. »Ich bin eine erwachsene Frau. Und ich lüge nicht. Haben Sie nie erlebt, dass Sie beim Schreiben oder Recherchieren mitgerissen wurden? Dass etwas Sie nicht losließ und keine Ruhe gab, bis Sie ihm auf den Grund gegangen waren? Genau das ist mir heute passiert, und ich hatte das große Glück, dass es den Archivar dort ebenso gepackt hat wie mich. Er war sehr hilfsbereit.«

Mrs. Westlakes Empörung legte sich ein wenig. »Natürlich bin ich nicht Ihre Mutter. Aber ich habe mir Sorgen gemacht.«

Matilda nahm die verschleierte Entschuldigung an. »Ich habe eine Droschke genommen und bin bis vor die Haustür gefahren. Und es hat sich gelohnt, den ganzen Abend über alten Papieren zu verbringen.«

»Es gibt also handfeste Ergebnisse?«

»Viele nützliche Hinweise, die womöglich handfeste Ergebnisse bringen können. Und ich habe einiges über Opium gelernt.«

Mrs. Westlake zog überrascht die Augenbrauen hoch. »Das würde ich gern hören.«

»Möchten Sie nicht doch einen Tee? Ich werde zudem in der Küche suchen, ob ich noch etwas zu essen finde, bis zum Frühstück bin ich nämlich verhungert.«

Als sie zehn Minuten später beisammensaßen, zwischen sich das Tablett mit Tee und Sandwiches, fasste Matilda ihre Theorie zusammen. »Ich glaube, dass Lauras Familie mit Ländern wie der Türkei Handel getrieben hat. In dem alten Lexikon, das Mr. Upchurch mir gezeigt hat, stand, das beste Opium stamme aus der Türkei, vor allem aus Smyrna und Aleppo.

Angenommen, Professor Fleming könnte etwas darüber in Lauras Buch finden …«

Mrs. Westlake stellte ihre Tasse ab und sah Matilda an. »Sie glauben, die Ancrofts verdankten ihren Wohlstand dem Opiumhandel und hätte darum das Medaillon mit dem Mohnsamenbild vererbt?«

Matilda nickte.

»Zu schade, dass Sie das Mädchen nicht fragen können.«

»Wenn ich das könnte, müsste ich sie gar nicht erst fragen«, erwiderte Matilda. »Wäre sie noch in der Schule, hätte ich nie von ihrem Schatz erfahren und wäre dem Sammler und Professor Fleming nie begegnet. Ich würde jeden Abend den Unterricht vorbereiten oder mit Ihnen plaudern, statt in zugigen Kutschen umherzufahren oder mich auf dem Weg zur Bahn nass regnen zu lassen.« Sie wurde ein bisschen rot. »Es geht mir zuallererst darum, Laura zu helfen. Aber wenn ich ehrlich bin, habe ich an dem Abenteuer Gefallen gefunden.«

Mrs. Westlake lächelte verschmitzt. »Dann werde ich wohl noch einige einsame Abende verbringen. Oder ich lade mir ein paar Freundinnen zum Kartenspielen ein, und zwar gleich morgen.«

»Tun Sie das. Meine Suche ist noch nicht zu Ende.«

Als Matilda sich endlich ins Bett legte, schaute sie seufzend auf die Uhr. Halb zwei. Dabei hatte sie sich vorgenommen, besonders zeitig aufzustehen, um noch vor dem Frühstück an Professor Fleming zu schreiben. Sie konnte es kaum erwarten, mit ihm den nächsten Schritt zu planen.

In dieser Nacht geisterten Schiffe durch ihre Träume, schwer beladen mit Opium und duftenden Gewürzen.

17

Matilda war erstaunlich munter, als ihr Wecker klingelte, schrieb rasch den Brief an den Professor und warf ihn auf dem Weg zum Bahnhof ein. Sally hatte angeboten, ihn mitzunehmen, wenn sie auf den Markt ging, doch Matilda wollte, dass er so schnell wie möglich zugestellt wurde. Sie hoffte, vielleicht noch am selben Tag eine Antwort zu erhalten.

Vor der ersten Stunde kam Dora Spencer zu ihr ans Pult. »Haben Sie einen Augenblick Zeit, Miss Gray?«

Dora war ein stilles Mädchen und hatte Matilda damit überrascht, dass sie die Rolle der Zofe Mary in *Was ihr wollt* übernommen hatte.

»Gewiss. Geht es um die Proben?«

»Nein. Meine Mutter hat mir das hier geschickt. Sie liest regelmäßig *The Queen*. Ich dachte, es könnte Sie auch interessieren.« Sie hielt Matilda einen gefalteten Zeitungsausschnitt entgegen.

»Danke, leg ihn dorthin. Ich sehe ihn mir später an.«

Während die Mädchen Aufgaben lösten, die Matilda an die Tafel geschrieben hatte, faltete sie das Blatt auseinander.

Im nächsten Moment starrte sie auf das papierene Rechteck in ihrer Hand und versuchte, sich vor den Mädchen nicht anmerken zu lassen, dass es ihr die Kehle zuschnürte.

Bei einem Empfang des britischen Gesandten in Athen erschien unter anderem Mr. Charles Easterbrook, der angesehene Londoner Rechtsanwalt. In seiner Begleitung befand sich sein Mündel Miss Laura Ancroft. Wie bekannt wurde, befindet sich Mr. Easterbrook mit seinem Mündel auf einer Bildungs- und Erholungsreise durch Italien und Griechenland. Er erklärte, sie zeige großes Interesse an der antiken Kultur, und man werde vermutlich erst im neuen Jahr nach England zurückkehren. Den anwesenden Damen entging nicht, dass Mr. Easterbrook der reizenden Miss Ancroft jeden Wunsch von den Augen ablas und sie nur äußerst ungern allein ließ, als sich die Herren zu Port und Zigarren zurückzogen.

In der Mittagsause war der Artikel auch bis zu den Kolleginnen vorgedrungen, obwohl *The Queen* nicht gerade die übliche Lektüre einer Lehrerin war.

»Ich halte nichts von dieser Zeitung, aber es ist erfreulich, auf dem Wege zu erfahren, dass Laura ausreichend genesen ist, um Empfänge zu besuchen«, bemerkte Miss Haddon bei Tisch.

»Und gut zu wissen, dass die Kultur nicht zu kurz kommt. Es gibt nichts Schöneres, als die antiken Kunstschätze aus nächster Nähe zu studieren«, fügte Miss Fonteyn hinzu. »Italien und Griechenland, einfach herrlich! Und das Wetter ist wunderbar mild.«

»Mr. Easterbrook scheint ein besonders aufmerksamer Reisebegleiter zu sein«, warf Miss Fellner etwas spöttisch ein. »Ich kann mir durchaus vorstellen, dass gewöhnliche Frauen ihn anziehend finden. Man kann seiner Erscheinung einen gewissen Reiz nicht absprechen.«

»Miss Gray, Sie sind so still«, sagte Miss Haddon.

»Nun, ich hoffe immer noch, dass Laura ihre Ausbildung in Riverview beendet. Wobei ich es natürlich begrüße, wenn diese Reise ihre Gesundheit wiederherstellt und ihr zu einer tieferen Kenntnis der mediterranen Kultur verhilft.« Matildas Worte klangen furchtbar steif.

»Wenn ich den Jargon des Gesellschaftsteils richtig deute« – Miss Haddon schaute in die Runde –, »sieht es aus, als wäre Mr. Easterbrook daran gelegen, Laura zu mehr als seinem Mündel zu machen. Sie ist jung, sodass man mit der Heirat möglicherweise noch warten wird, doch als Verlobte dürfte sie kaum in die Schule zurückkehren. Ich fürchte, wir müssen uns endgültig von einer begabten Schülerin verabschieden.«

»Was ich außerordentlich bedaure.« Matilda wandte sich wieder ihrem Essen zu, während das Gespräch um sie herum weiterplätscherte.

Sie konnte ihre Gefühle nur mühsam beherrschen. Außer ihr schien niemand verbittert bei dem Gedanken, eine Schülerin wie Laura Ancroft zu verlieren, weil sie sich viel zu früh vermählte. Und mehr noch, mit einem Mann, dem sie nicht traute, vor dem sie sich sogar zu fürchten schien. Wut und Sorge ließen Matildas Brust eng werden.

Mehr als einmal streifte Miss Haddons Blick sie, doch Matilda aß weiter und schob schließlich den halb vollen Teller beiseite, bevor sie sich erhob. »Ich muss mich entschuldigen, ich habe noch etwas vorzubereiten.«

Als sie den Speisesaal verließ, spürte sie die Blicke, die ihr folgten.

Mrs. Westlake hielt den Zeitungsausschnitt in der Hand und schaute Matilda etwas ratlos an. »Wenn ein junges Mädchen und ein Gentlemen, der nicht unattraktiv zu sein scheint, wie Sie selbst gesagt haben, eine längere Reise unternehmen, kann so etwas passieren. Sie haben nicht so viel Erfahrung in Liebesdingen, aber ich habe Mr. Westlake auch auf einer Reise kennengelernt. Gut, es war nicht in Italien oder Griechenland, sondern in England, und nicht die mediterrane Sonne, sondern ein verregneter Sommer im Lake District, aber dennoch …«

»Wenn alles so wunderbar ist, warum hat Laura mir dann die Botschaft geschickt und sich solche Mühe gemacht, sie zu verbergen? Ich … ich glaube nicht, dass es nur ein Scherz gewesen ist.« Sie wusste, dass sie sich nicht rational verhielt.

Mrs. Westlake erhob sich mühsam und drückte Matilda in einen Sessel. »Sie trinken jetzt ein Glas Port, und dann erklären Sie mir, warum die Welt untergeht, falls sich Laura Ancroft mit ihrem Vormund verlobt.«

Matilda saß mit dem Glas in der Hand da und schaute auf den Teppich. Sie hatte Lauras Geheimnis lange für sich behalten, doch nun begriff sie, dass sie jemandem davon erzählen musste. Aber wie sollte sie es anstellen?

Vermutlich war es Zufall, doch Mrs. Westlake lenkte das Gespräch selbst in die richtige Bahn.

»Wenn ich kurz etwas einwerfen darf, meine Liebe – ich habe mich heute ebenfalls aufgeregt. Mir ist noch ganz flau davon. Wilde soll es sehr schlecht gehen, eine Bekannte hat Freunde aus Paris getroffen, die ihr davon erzählt haben. Man munkelt, er läge im Sterben. In einem schäbigen Hotel, weil er völlig ruiniert ist.«

»Sie meinen Oscar Wilde?«

»Ja. Ich bin ihm ein paarmal begegnet, natürlich vor dem Prozess. Er hatte ein Haus in der Tite Street, gar nicht weit von hier. Was für eine schreckliche Tragödie – jemanden dafür zu bestrafen, dass sich seine Liebe nicht an unsinnige Gesetze hält.«

Matilda schaute die ältere Frau mit offenem Mund an. Sie kannte Oscar Wildes Geschichte und hatte ihn insgeheim bedauert. Doch als der Prozess stattfand, war sie in der Ausbildung gewesen, wo es als undenkbar galt, dass die jungen Frauen untereinander oder mit ihren Lehrerinnen über solche Dinge sprachen.

Sie räusperte sich. »Verstehe ich Sie richtig, Mrs. Westlake? Sie würden einen Menschen nicht verurteilen, der sich zu seinem eigenen Geschlecht hingezogen fühlt? Sie würden es nicht als Verbrechen oder Sünde wider die Natur erachten?«

Mrs. Westlake lächelte bekümmert. »Ich würde keinen Menschen für seine Liebe verurteilen, solange er anderen keinen Schaden zufügt. Und der Schaden, den Oscar Wilde und die englische Literatur genommen haben, ist weitaus größer als jeder moralische Schaden, den sein Verhalten angerichtet haben mag.«

»Bitte entschuldigen Sie mich.« Matilda erhob sich abrupt, ging in ihr Zimmer und holte Lauras Ansichtskarte. Dann nahm sie allen Mut zusammen. »Es gibt etwas in Bezug auf Laura Ancroft, das ich Ihnen nicht erzählt habe. Ihnen nicht und auch niemandem sonst …«

Als sie zu Ende gesprochen hatte, beugte Mrs. Westlake sich vor und ergriff Matildas Hand. »Sie armes Kind. Und das haben Sie seit Juni mit sich herumgetragen? Sie haben sich schuldig gefühlt, weil Sie glaubten, Laura sei Ihretwegen nicht in die Schule zurückgekehrt?«

Matilda schluckte. »Anfangs schon. Bis ich die Karte erhielt. Aber ich habe erst jetzt verstanden, dass die Karte selbst ein Hinweis ist. Sie will mir damit sagen, dass sie sich nicht geändert hat. Sie hat mir das Bild einer Dichterin geschickt, die

Frauen liebte. Darüber haben wir gesprochen, als wir uns das letzte Mal begegnet sind.«

Mrs. Westlake betrachtete das Bildnis der jungen Frau. »Sie haben recht, die Karte wird sie nicht zufällig ausgewählt haben.«

»Dann verstehen Sie sicher auch, weshalb mich die Anspielungen auf Mr. Easterbrooks Absichten beunruhigen. Ich kann mir nicht vorstellen, dass Laura eine Ehe mit ihm wünscht. Sie hat mir von unterwegs eine Botschaft geschickt, die auf ihren Vormund völlig unverfänglich wirken musste. Ein antikes Fresko aus einem Museum, das sie gemeinsam besucht haben, das ideale Motiv, wenn man aus einem Italienurlaub nach Hause schreibt. Sie hat mit dieser Karte jedoch gleich zwei Botschaften übermittelt, die nur für mich bestimmt sind. Und vor wem wollte sie die verbergen? Vor Mr. Easterbrook.«

»Sie haben es von Anfang an geahnt, nicht wahr?«, warf Mrs. Westlake ein.

Matilda zuckte mit den Schultern. »Ja. Und Laura ist ihm ausgeliefert. Aber in der Schule mache ich mich zum Gespött, wenn ich das erwähne.«

»Was wissen Sie über den Herrn?«, warf Mrs. Westlake ein.

»Ich weiß nur, dass er Anwalt und Lauras Vormund ist und offenbar ein attraktiver Mann. Und dass Laura ihn nicht sonderlich mochte und möglichst wenig Zeit mit ihm verbringen wollte, aber das reicht nicht, um jemanden zu verurteilen.«

»Da wäre noch der Brief, den er an die Schule geschrieben hat.«

»Ich hätte längst mehr über ihn herausfinden müssen. Ist er mit Laura verwandt? Und falls nicht, weshalb hat er und nicht ihre Angehörigen die Vormundschaft übernommen?

Wie ist es um seinen gesellschaftlichen Ruf bestellt? Hat er Familie?«

Mrs. Westlake schenkte ihr Portwein nach. »So gefallen Sie mir viel besser. Sich seinen Gefühlen hinzugeben, mag schön sein, aber Sie brauchen für diesen Fall einen klaren Kopf.« Dann schlug sie die Hand vor den Mund. »Verzeihung, aber Sie waren vorhin so erregt, dass ich gar nicht an die Post gedacht habe.«

Sie deutete auf die Anrichte, wo ein Brief an einer Vase lehnte. »Der kam mit der Nachmittagspost.«

Matilda sprang auf. Professor Fleming musste sofort geantwortet haben, nachdem er ihre Nachricht erhalten hatte.

»Gehen Sie nur, meine Liebe«, sagte Mrs. Westlake. »Wir sehen uns beim Essen.«

Sehr geehrte Miss Gray,
herzlichen Dank für Ihre Zeilen. Es freut mich sehr, dass Ihr Besuch bei Mr. Upchurch nicht vergebens war. Ihr unermüdlicher Forscherdrang wird uns sicher bald Ergebnisse liefern.

Vor allem aber sollten wir uns dringend treffen. Ich habe etwa die Hälfte des Buches durchgearbeitet und einiges entziffern können. Das würde ich Ihnen gern persönlich zeigen.

Es wäre in diesem Falle angebracht, dies in meiner Wohnung zu tun, da ich, wie Sie wissen, über keine Räume in der Universität verfüge und nicht erneut das Wohnzimmer Ihrer Vermieterin beanspruchen möchte.

Ich hoffe, dass Sie diesen Vorschlag nicht als unangemessen empfinden, und würde mich freuen, Sie morgen um halb sieben bei mir zu Hause in der Bedford Row 12 zu empfangen. Bitte geben Sie mir Bescheid, ob Ihnen dies recht ist.

Mit herzlichen Grüßen,
Stephen Fleming

Matildas Herz hämmerte, während sie rasch die Antwort nie-
derschrieb. Als Sally das Essen auftrug, übergab sie ihr den
Brief. »Wenn du den heute noch einwerfen könntest, wäre ich
dir dankbar.«

Mrs. Westlake warf ihr einen amüsierten Blick zu. »Oh, das
ging schnell.«

Matilda lächelte. »Es gibt Dinge, die man nicht aufschieben sollte.«

18

Professor Fleming sah zu, wie Matilda sich in seinem Arbeitszimmer um sich selbst drehte und dabei nach oben schaute. Von der Decke hingen außer der modernen Lampe auch ein verschlissenes seidenes Banner, eine alte Laterne und ein Wirtshausschild, das einen Eberkopf zeigte.

»The Boar's Head Inn – das ist aber nicht das Original, oder? Shakespeare? Falstaff?«

Er lächelte. »Nein, obwohl auch das erhalten geblieben ist. Dieses Schild stammt von einer Taverne in Whitechapel, die denselben Namen trug. Dort wurden im 16. Jahrhundert Theaterstücke aufgeführt, eine schöne Idee, wie ich finde. Ich bin bei einer Versteigerung darüber gestolpert und konnte nicht widerstehen.«

Matilda trat an ein großes Regal, das die rechte Wand des Zimmers einnahm und mit den unterschiedlichsten Gegenständen gefüllt war.

»Lassen Sie sich ruhig Zeit. Meine Studenten nennen es das Museum.«

Sie deutete auf eine Öllampe aus Ton. »Darf ich?«

»Hier darf man alles anfassen.«

Der Professor trat neben sie und schaute ihr über die Schulter, als sie die Lampe behutsam aufnahm.

»Zwei Gladiatoren, die sich in voller Rüstung gegenüberstehen. Durch das Loch im Spiegel – so nennt man die Oberseite – wurde das Öl eingefüllt. Der Docht wurde in die vordere Öffnung gesteckt, fertig. Man hat die Lampe bei Bauarbeiten in Cheapside gefunden, ich kam zufällig vorbei. Der Arbeiter hat sie mir für ein paar Shilling verkauft.«

»Sie stammt aus römischer Zeit?« Matilda stellte die Lampe zurück.

»Irgendwann spuckt Londons Erde alles wieder aus. Oder fast alles. Wo immer Sie gehen, die Geschichte ist gleich unter Ihren Füßen. Aber das wissen Sie ja.«

Matilda schlenderte langsam am Regal entlang. »Ich weiß sehr wenig. Aber seit ich Ihnen und Mr. Arkwright begegnet bin, sehe ich mehr. Er hat mir von den verborgenen Flüssen erzählt und erwähnte dabei auch das römische London. Er sagte, der Walbrook sei der heiligste aller Flüsse.«

»Er sollte unterrichten, statt in seinem staubigen Laden zu hocken«, sagte Fleming bedauernd. »Wissen ist wie Liebe. Es hat nur Sinn, wenn man es teilt.«

Matilda blickte überrascht auf, doch sein Gesicht verriet nichts.

»Kein Sprichwort. Es ist von mir.« Er nahm etwas aus dem Regal und reichte es ihr. Ein winziges Buch, nicht länger als drei Zoll, das nicht in Leder, sondern in ein hartes, schimmerndes Material gebunden war.

»Eine sogenannte Daumenbibel, eins meiner wertvollsten Stücke. Sie stammt aus dem frühen 17. Jahrhundert und ist eines der ersten Exemplare ihrer Art.«

Matilda berührte den Einband. »Ist das Schildpatt? Wie ungewöhnlich.«

»Ein Glücksfall bei einer Versteigerung in Southwark. Der Auktionator und das Publikum hatte keine Ahnung, sie hielten das Büchlein für eine nette Spielerei.«

»Wissen Sie, wo es die dreihundert Jahre dazwischen verbracht hat?«, fragte Matilda gespannt.

»Leider nicht. Der Auktionator sagte, er dürfe seine Auftraggeber nicht preisgeben. Möglicherweise wurde die Daumenbibel gestohlen. Ich habe bei der Polizei nachgefragt, ob ihnen eine Meldung vorliegt. Dort schüttelte man nur den Kopf und sagte mir, sie hätten Besseres zu tun, als sich mit Zwergenbüchern zu beschäftigen.«

Matilda ging langsam weiter, sah sich Gemälde, Spiegel und Landkarten an den Wänden an, blieb vor einer Vitrine stehen, in der alte Schlüssel lagen. Vermutlich hatte jeder eine eigene Geschichte, und der Professor kannte sie alle. »Das ist ein magisches Zimmer«, sagte sie schließlich. »Ich könnte mich den ganzen Abend umschauen und Fragen stellen.«

»Zuerst aber möchten Sie wissen, was ich herausgefunden habe«, ergänzte er lächelnd. »Sie können sich meine Sammlung jederzeit ansehen. Dazu ist sie da.« Er öffnete eine Schreibtischschublade und holte eine Ledermappe heraus.

»Bitte machen Sie sich keine allzu großen Hoffnungen. Große Teile des Manuskriptes sind unwiederbringlich verloren. Alter und Feuchtigkeit haben dem Papier zugesetzt, die Tinte ist verlaufen. Dem Geruch nach wurde es über längere Zeit in einem Keller oder einem anderen unterirdischen Raum aufbewahrt. Ich habe die Hälfte geschafft und einiges entziffern können. Bitte verschaffen Sie sich einen Eindruck, und dann sprechen wir darüber.«

Die Mappe enthielt Lauras Buch und einige handbeschriebene Blätter. Matilda zog sie zu sich heran und begann zu lesen. Der Professor hatte fehlende Stellen mit drei Punkten markiert und manche Wörter mit Fragezeichen versehen.

Und doch spürte Matilda plötzlich, wie eine Stimme zu ihr sprach, die lange geschwiegen hatte und jetzt endlich Gehör fand.

... so ehrlich und wahrheitsgetreu wie ... Wenn jemand dies in späterer Zeit findet ... verstehen, was mit uns passierte ... Entsetzen ... kein Ende nahm.

... eine angesehene Familie ... gehandelt ... aus fernen Ländern ... saß auf seinem Schoß ... erzählte, wie er als junger (Mann?) dorthin gefahren war ... Smyrna ... in seinem Warenlager ... streicht mir über die Haare ...

»Hier steht etwas von Smyrna«, sagte sie aufgeregt. »Mr. Upchurch hat mir ein altes Lexikon gezeigt, in dem zu lesen war, das beste Opium käme aus der Türkei, vor allem aus Smyrna und Aleppo. Das würde unsere Theorie, nach der der Schatz aus einer Kaufmannsfamilie stammt, bestätigen.«

Apotheke in Cheapside ... nur bei ihm ... Sein Bekannter (Flecken und Löcher, vermutlich durch Mäuse) ... einem Streit ... laut und heftig ... danach sah ich ihn nicht mehr bei uns ...

»Das ist auch interessant. Ein Streit, aber zwischen wem? Und wer erzählt uns die Geschichte?«
»Eine Frau. Die Handschrift lässt keinen Zweifel daran.«

... Nachrichten vom Kontinent ... Die Krankheit tobte ... Amsterdam berichtet man von 50 000, eine Zahl, so grauenhaft und unermesslich ...

»Die Pest«, sagte Matilda atemlos. »Es geht um die Pest, nicht wahr?«

... Hamburg ... Komet, wie Vater sagte ...

»Ein Komet? Das ist ein guter Hinweis, nicht wahr? Man kann herausfinden, wann Kometen erschienen sind.«

»Sie sind herzerfrischend ungeduldig, Miss Gray.« Der Professor lächelte und schob ihr ein aufgeschlagenes Buch hin. »Samuel Pepys berichtet am 1. März 1665 in seinem Tagebuch davon. Und schauen Sie, welcher alte Bekannte dort noch auftaucht: ›Mittags zum Essen ins Trinity House, und von dort zum Gresham College, wo zuerst Mr. Hooke eine zweite sehr scharfsinnige Vorlesung über den letzten Kometen hielt, worin er unter anderem sehr glaubwürdig bewies, dass dies derselbe Komet ist, der zuvor im Jahre 1618 erschienen war und wahrscheinlich im gleichen Zeitabstand wieder erscheinen würde, eine ganz neue Theorie; aber es wird alles im Druck erscheinen.‹«

»Der Komet erschien also kurz vor dem März des Jahres 1665. Und wenn die Verfasserin ihn gesehen hat, wissen wir, wann sie dies geschrieben hat.«

Er hob warnend die Hand. »Nicht unbedingt. Sie könnte es auch viele Jahre später aus der Erinnerung geschrieben haben.«

»Richtig. Ich war zu voreilig.«

»Lesen Sie weiter.«

… selbst glaubt nicht an Himmelszeichen. … Schmutz und Enge … zu viele Menschen. In den Straßen … übers Meer.

Im Februar … einen Toten in St. Giles. Und als das Wetter … wurde, gab es auch mehr Tote. Vater sagte, oft habe man die Ursache nicht angegeben, doch er vermute, dass die Pest nun gänzlich ausgebrochen sei. Ich fürchtete mich sehr … getröstet.

»Sie scheint an ihrem Vater zu hängen«, sagte Matilda nachdenklich. »Er ist der einzige Verwandte, den sie bisher erwähnt. Ihr Verhältnis wirkt sehr vertraut.«

... lachte ... Das alles helfe nicht gegen die Plage. Dann lieber beten,
das sei wenigstens umsonst. Mutter war (erbost?) ...

Dann hörten ... Middlesex ... ein Haus geschlossen. ... auch in
St. Giles ...

»Was heißt das?«, fragte Matilda, die plötzlich eine seltsame
Beklommenheit verspürte. »Was bedeutet es, wenn ein Haus
geschlossen wird? Ich weiß, dass man Häuser kennzeichnete,
in denen jemand erkrankt war, aber ...«

»Man malte ein rotes Kreuz an die Außenmauer und dazu
die Worte ›Gott sei uns gnädig‹. Mitunter postierte man aber
auch einen Wachmann davor, der jedem den Zutritt verwehrte.
Und umgekehrt durften die Bewohner das Haus nicht mehr verlassen. Diese Schließung oder Quarantäne dauerte vierzig Tage.«

»Wovon haben die Leute so lange gelebt?« Er zuckte mit den
Schultern. »Von ihren Vorräten. Falls sie die noch brauchten.«

»Sie meinen, falls sie nicht starben, bevor sie alles aufgegessen hatten?«

»So ist es. Es soll aber auch Fälle gegeben haben, in denen
die Menschen starben, obwohl sie gar nicht an der Pest er-
krankten. An Hunger und Durst. An anderen Krankheiten.
Oder weil sie sich aus Angst das Leben nahmen.«

»Das ist furchtbar.«

»Pepys erwähnt dies auch am 30. April: ›Hier in der City
große Angst vor der Seuche, es heißt, dass zwei oder drei Häuser schon verschlossen sind. Gott bewahre uns alle!‹«

Es wurden immer mehr. Im Juni ... zu verlassen. Mutter war auf-
gebracht, sie sorgte sich ... ausrauben. Doch Vater blieb hart ... ge-
packt ... ein Strom von Menschen ... aus der Stadt (bewegte?)
... die alte Beth ...

Matilda schob die Blätter zusammen und blickte auf.

»Weiter bin ich leider noch nicht gekommen«, sagte Professor Fleming ernst. »Was halten Sie davon, Miss Gray? Ist es das, was Sie erwartet haben?«

»Ich weiß nicht, was ich erwartet habe, aber es bewegt mich. Hier spricht eine Frau oder eher ein Mädchen über mehr als zweihundert Jahre hinweg zu uns. Noch wissen wir nicht, wer sie war oder was aus ihr geworden ist, aber einiges können wir herauslesen.«

»Nur zu.« Sie hörte den Respekt in seiner Stimme. Fleming hatte nichts von der Herablassung, die sie bei Arkwright manchmal gespürt hatte.

»Ich halte es für eine Art Bericht. Die Verfasserin schreibt nicht nur für sich wie in einem Tagebuch. Sie ist die Tochter eines Kaufmanns, die ein inniges Verhältnis zu ihrem Vater pflegt. Er hat die Türkei bereist und war in Smyrna, wo er möglicherweise Opium gekauft hat.«

Fleming nickte.

»Dann beschreibt sie den Ausbruch der Pest, die sich vom Festland herüber nach England bewegt. Am Himmel erscheint ein Komet, den manche als böses Omen deuten. Der Vater unserer Verfasserin teilt diesen Aberglauben nicht. Dies würde zu einer Bekanntschaft mit Mr. Hooke passen, der eine wissenschaftliche Vorlesung über den Kometen gehalten hat. Auch das ist jedoch eine Mutmaßung.«

»Sie gehen präzise und methodisch vor, Miss Gray. Ich hätte Sie gern in einem meiner Seminare.«

»Sie berichtet von geschlossenen Häusern. Dann erwähnt sie einen Konflikt zwischen den Eltern. Ihr Vater sagt, etwas helfe nicht gegen die Pest, vielleicht Amulette und Arzneien, ich habe einmal gelesen, dass die überall auf den Straßen verkauft wurden. Die Mutter scheint seine sorglose Haltung nicht zu teilen.«

»Und verstand seine Worte vermutlich als Blasphemie.«

»Im Sommer verschlimmert sich die Epidemie. Der Vater will die Stadt verlassen, so wie es viele andere auch tun. Die Mutter fürchtet, das Haus könnte ausgeraubt werden, doch der Vater setzt sich durch. Dann erwähnt sie ›die alte Beth‹.«

»Fast perfekt, Miss Gray.«

»Nur fast?«, erwiderte sie belustigt.

Der Professor verschränkte die Arme. »Eins haben Sie übersehen. Der Vater ist nicht nur Omen gegenüber skeptisch, er versucht auch, die Ursache für die Krankheit mit dem Verstand zu ergründen. Schmutz, Enge, Überbevölkerung. Wir wissen seit einigen Jahren, dass die Pest von Bakterien hervorgerufen wird. Sie wird begünstigt, wenn zu viele Menschen in unhygienischen Verhältnissen dicht beieinander leben. Und genauso war es damals in London. Die Stadt war überfüllt, der Bürgerkrieg gerade vorbei, die Monarchie wiederhergestellt, die Armee aufgelöst. Die Menschen drängten in die Stadt. Sie wollten hier ihren Lebensunterhalt verdienen, ihr Glück schmieden, sich amüsieren. Man nimmt an, dass die Bevölkerung innerhalb kürzester Zeit um hunderttausend Personen anstieg.«

Matilda räusperte sich. »Sie haben übersehen, dass ich einen weiteren Punkt übersehen habe. Sollen wir sagen, es steht unentschieden?«

Fleming schüttelte lachend den Kopf. »Als Studentin wären Sie ganz schön anstrengend. Aber bitte.«

Sie suchte nach der Stelle. »Hier ist es: (Flecken und Löcher, vermutlich durch Mäuse) *Einem Streit … laut und heftig … … danach sah ich ihn nicht mehr bei uns …* Die Mäuse haben sich an einer unglücklichen Stelle zu schaffen gemacht. Es gab einen Streit im Hause der Familie. Es klingt, als sei ein Mann öfter zu Besuch gekommen und habe das Haus danach nur noch selten aufgesucht. Wir wissen nicht, ob es ein privater oder geschäftlicher Zwist war, aber er muss wichtig gewesen sein, sonst hätte sie ihn nicht erwähnt.«

Professor Fleming deutete auf seine Pfeife, die auf dem Tisch lag. »Darf ich?«

»Bitte.«

Er stopfte sie in aller Ruhe und zündete sie an, bevor er antwortete. »In der Tat, ein wichtiger Hinweis. Ihre Deutungen beeindrucken mich. Was halten Sie davon, wenn Sie sich an der zweiten Hälfte versuchen?«

Matilda zögerte. »Ich bin keine Historikerin.«

»Was Sie vor allem brauchen, sind gute Augen und einen scharfen Verstand. Wer jemals Klassenarbeiten entziffern musste, weiß, wie man Handschriften deutet. Ich spreche aus Erfahrung.«

Matilda erkannte, dass er sie nicht im Stich ließ wie der Sammler, sondern sein Vertrauen unter Beweis stellen wollte.

»Gut, ich werde es versuchen. Leider ist es, als hätte man alles unkenntlich gemacht, was unsere Fragen beantworten könnte.«

»Die große Mäuseverschwörung«, sagte der Professor lächelnd, dann erhob er sich. »Meine Köchin hat einen kleinen Imbiss vorbereitet. Sie haben einen langen Tag hinter sich. Wollen wir? Dabei können wir uns weiterunterhalten.«

Der »kleine Imbiss« entpuppte sich als üppiger Eintopf mit Fleisch, Gemüse und Kräutern, der einen betörenden Duft verströmte.

Matilda tunkte ein Stück Brot hinein und verzog genießerisch das Gesicht. »Das ist köstlich, Mr. Fleming, ein Kompliment an Ihre Köchin. So etwas habe ich noch nie gegessen. Es schmeckt irgendwie exotisch, aber nicht orientalisch. Ich kann es schlecht beschreiben.«

Er schenkte ihr ein Glas Wein ein und stieß mit ihr an. »Auf unseren Ermittlungserfolg.«

Als sie getrunken hatten, deutete er auf die Terrine mit dem Eintopf. »Das ist ein Gericht aus dem 17. Jahrhundert, angepasst an unsere heutigen Essgewohnheiten. Es nennt sich Spanisches Allerlei.«

»Und was ist da drin?«, fragte Matilda, die sich beherrschen musste, um den Eintopf nicht hastig in sich hineinzulöffeln.

»In Mrs. Polleys Version zu gleichen Teilen Rind, Lamm, Kalb und Geflügel, genau wie im Originalrezept. Auf den Kapaun und die Haustauben haben wir verzichtet. Dazu Zwiebeln, Lauch, Weißkohl und Knoblauch, ein Bündel süßer Gewürze, wie es heißt, aber das ist Mrs. Polleys Geheimnis, und Salz. Und es muss lange kochen, fünf bis sechs Stunden. Die Kräuter kommen zuletzt hinein, damit ihr Geschmack erhalten bleibt.«

Das Fleisch war von selbst zerfallen, die Aromen hatten einander völlig durchdrungen, und die Zutaten waren zu einer sämigen braunen Soße verschmolzen.

»Es schmeckt wunderbar. Essen Sie immer historisch?«

Er biss lachend in sein Brot. »Nur zu besonderen Anlässen. Mrs. Polley ist Gold wert, aber das kann ich nicht täglich von ihr verlangen.«

Matilda ließ den Löffel sinken. »Ich danke Ihnen. Es war kein Zufall, dass Sie ein Rezept aus diesem Jahrhundert ausgewählt haben, nicht wahr? Vorhin hatte ich das Gefühl, dass dieses Mädchen zu mir spricht, und jetzt kann ich schmecken, was sie vielleicht geschmeckt hat. Das ist sehr eindrucksvoll.«

»Sie sind sicher, dass es ein Mädchen war?«

Matilda nickte. »Es liegt daran, wie sie über ihren Vater schreibt. Ich stelle mir vor, dass sie noch bei den Eltern lebte.« Sie legte eine nachdenkliche Pause ein. »Ich frage mich, ob Laura weiß, was sich hinter ihrem Schatz verbirgt.«

»Immerhin hat sie sich große Mühe gegeben, ihn zu verstecken.«

»Ich möchte ihr so viele Fragen stellen!«

»Eine Frage hätte ich auch an Laura: vor wem sie den Schatz versteckt. Noch Eintopf?«

Matilda warf einen begehrlichen Blick auf die Terrine und nickte. Sie dachte an den Brief, den Mr. Easterbrook an die Schule geschrieben hatte, und den Zeitungsartikel, den Dora Spencer ihr gebracht hatte.

»Leider weiß ich sehr wenig über Laura und ihre Familie. Sie ist mit ihrem Vormund auf Reisen.« Sie sah nachdenklich auf ihren Teller. »Von ihm weiß ich sehr wenig, nur dass er Anwalt ist. Ich würde gern einmal in der Kanzlei vorsprechen, vielleicht kann ich etwas herausfinden. Die Schulsekretärin müsste die Adresse haben, aber ich darf es mir derzeit nicht erlauben, danach zu fragen.«

»Vielleicht kann ich Ihnen behilflich sein«, erbot sich der Professor. »Wie lautet der Name des Anwalts?«

»Charles Easterbrook.«

Matilda aß herzhaft weiter. Einen zweiten Nachschlag lehnte sie dankend ab, schob den Teller beiseite und tupfte sich den Mund mit der Serviette ab. Dann kehrten sie ins Arbeitszimmer zurück.

»Ich würde mir gern noch einmal den Zettel anschauen, der hinten im Buch lag.« Fleming drehte ihn hin und her, untersuchte ihn mit der Lupe und wollte ihn gerade weglegen, als Matilda spontan nach seiner Hand griff.

»Einen Moment!«, sagte sie, ohne darüber nachzudenken, dass sie ihn berührte. »Lassen Sie mich mal sehen.«

Sie fuhr sich nachdenklich mit dem Finger über die Lippen. »Hier, diese senkrechte rötliche Linie. Das Papier stammt nicht aus einem Schulheft, die sind waagerecht liniert.«

»Und?«

Sie tippte auf den Zettel. »Ein Kontenbuch hat Spalten, die mit senkrechten Linien voneinander getrennt werden. Laura findet den Schatz und will einen Hinweis niederschreiben. Dazu reißt sie eine Ecke aus einem Kontenbuch, das deutet auf Eile hin. Also muss sie eins zur Hand gehabt haben.«

»Ihr Elternhaus. Es war Geschäft und Wohnung zugleich. Folglich hat sie den Schatz wohl dort gefunden.«

»So ist es.«

Der Professor deutete eine Verbeugung an. »Meine Anerkennung, Miss Gray. Wenn dieser Abend eine Prüfung wäre, hätten Sie mit Auszeichnung bestanden.«

Matilda spürte, wie sie rot wurde. Sie bemerkte, dass ihre Hand dicht neben seiner lag, und zog sie zurück.

»Ich werde mir das Haus auch einmal ansehen, vielleicht fällt mir etwas auf«, sagte Fleming und fügte dann hinzu, als sei es die selbstverständlichste Sache der Welt: »Sollten alle unsere Bemühungen fehlschlagen, bleibt natürlich immer noch ein Einbruch.«

Sie sah das Zwinkern in seinen Augen, doch sein Gesicht war ernst.

Matilda war gerade in die Droschke gestiegen, als sie Flemings Stimme hörte. »Einen Augenblick, bitte«, sagte sie zum Kutscher und beugte sich hinaus.

Der Professor hatte an der Haustür kehrtgemacht und kam in Weste und Hemdsärmeln zurück zu dem Gefährt gelaufen. »Mir ist noch etwas eingefallen! Wegen Hooke.«

»Der Mann mit dem Mikroskop und dem Kometen.«

»Und noch mehr. Hooke war ein Universalgenie mit den unterschiedlichsten Aufgaben. Er arbeitete auch für die Stadt London.«

Matilda sah ihn gespannt an.

»Er war fünf Jahre lang städtischer Vermesser, von 1667 bis 1672, also kurz nach dem Großen Brand. Die Stadt lag in Trümmern, vier Fünftel waren völlig zerstört, über 13 000 Häuser niedergebrannt. Hooke und seine Kollegen vermaßen die Grundstücke, damit die Eigentümer wieder darauf bauen konnten. Und dazu untersuchten sie die Fundamente, die geblieben waren …«

»Ich hätte noch was zu tun, die Herrschaften«, ertönte eine ungeduldige Stimme vom Bock.

Fleming hob die Hand. »Eine Sekunde, Mann. Die Fundamente, verstehen Sie? Ein Haus unter dem Haus. Falls er die Gegend vermessen hat, wäre das eine weitere Verbindung zu den Ancrofts. Und er hat womöglich Unterlagen hinterlassen, die uns etwas über das Haus verraten können.«

Seine Begeisterung wirkte ansteckend. Sie hatten mit Bruchstücken begonnen, die sich allmählich zu einem Bild fügten.

In ihrer Euphorie vergaß Matilda, was er über den Einbruch gesagt hatte.

19

Stephen Fleming hatte sich warm angezogen, doch die Kälte drang durch seinen Mantel. Er nahm einen anderen Weg als Miss Gray und ging nicht die Cannon Street, sondern die Upper Thames Street entlang. Von hier aus führten enge Gassen zur Themse hinunter, und in der Luft hing der Geruch vom nahen Fischmarkt in Billingsgate. Dann bog er nach links in die Laurence Pountney Lane, eine schmale Straße, die von hohen Häusern gesäumt wurde. An den Mauern hingen Messingschilder, die Kaufmannsfirmen und ein Architektenbüro ankündigten. Eine ruhige, respektable Straße.

Er blieb vor dem Haus der Ancrofts stehen. Das Erdgeschoss mit dem Ladenlokal war mit schwarzem Holz verkleidet. Neben der Tür befand sich ein großes Fenster, darunter sah man zwei hölzerne Klappen, die mit Vorhängeschlössern gesichert waren. Fleming strich darüber und wischte sich den Rost von den Fingern. Sie waren lange nicht geöffnet worden. Vor dem Haus war eine hölzerne Falltür in den Gehweg eingelassen, deren Scharniere ebenfalls verrostet waren.

Fleming schaute nach oben und bemerkte einen Metallring in der Hauswand. Früher hatte sich dort ein Flaschenzug befunden, mit dem man schwere Säcke und Kisten in den Keller unter der Falltür beförderte.

Über dem Fenster stand in geschwungener goldener Schrift, deren Farbe jedoch stellenweise abgeblättert war: *G. P. Ancroft & Co. – Kaufleute*. Alles wirkte verlassen, das Geschäft war vermutlich geschlossen, seit der Inhaber und seine Frau gestorben waren.

Er dachte an das Mädchen, das Miss Gray so sehr am Herzen lag. Hatte sie nach dem Tod der Eltern die Ferien hier verbracht, über einem leeren Geschäft, in dem ihr Vater nie wieder etwas verkaufen würde, mit Blick auf einen Garten, unter dem sich Gräber aus längst vergangener Zeit befanden? Hatte sie den Kasten irgendwo in diesem Haus gefunden?

Dort drüben war der schmale Durchgang, in dem Miss Gray dem Mandelverkäufer begegnet war. Fleming glaubte nicht an Spuk, doch das Haus verströmte Einsamkeit, und dass unter dem Garten ein Friedhof lag, trug noch zu der unheimlichen Atmosphäre bei. Es gab Menschen, die ein besonderes Gespür dafür besaßen, den Geist eines Ortes wahrzunehmen, und bisweilen gehörte er dazu.

Er hatte einmal eine Baugrube besichtigt, in der man dreiundvierzig Skelette gefunden hatte, Männer, Frauen und Kinder. Die Arbeiter waren auf ein Pestgrab aus der Zeit des Schwarzen Todes gestoßen, und als er – es war auch in einem November gewesen – neben dem Loch gestanden und die Knochen betrachtet hatte, die nach so langen Jahren ihre Geschichte offenbarten, hatte er flüchtig eine Glocke gehört, die im Nirgendwo zu läuten schien. Niemand außer ihm hatte sie bemerkt.

Fleming ging bis zur Ecke und bog nach links in den Durchgang, der am Garten entlangführte. Dunkelrote Ziegel, weiße Fenster, gepflegtes Grün, ein Weg, der im Bogen vom Gartentor zur Haustür führte, eine Mauer, die von einem schwarz gestrichenen Metallzaun gekrönt wurde.

Aber was war das? Er stutzte, ging zurück und schaute am Haus empor. Und dann begriff er. An der Straßenseite gab es ein Stockwerk mehr. Das Erdgeschoss, in dem sich der Laden befand, war nicht dasselbe Erdgeschoss, in das man durch die Gartentür gelangte.

Fleming holte ein Notizbuch aus der Tasche und fertigte eine grobe Skizze an. Er schätzte, dass der Garten über vier Yards höher lag als Kontor und Warenlager. Mit anderen Worten, die Nordwand von Keller und Geschäftsräumen grenzte an den Untergrund des Gartens und damit an den ehemaligen Friedhof.

Er dachte an den Papierfetzen aus dem Kontenbuch. *Ein Haus unter dem Haus.*

»Kann ich Ihnen helfen, Sir? Sie scheinen die Gegend äußerst interessant zu finden.«

Fleming blickte hoch und sah sich einem gut gekleideten Herrn von etwa sechzig Jahren gegenüber, der ihn missbilligend durch seinen Kneifer betrachtete. Er deutete zum Nachbarhaus, neben dessen Tür ein Schild mit der Aufschrift *Edwin Losey, Architekt,* hing. »Ich konnte nicht umhin zu bemerken, dass Sie schon eine Weile hier umherschleichen. Herumlungerer sind bei uns nicht gern gesehen.«

Fleming hob lächelnd den Hut. »Verzeihen Sie, wenn ich diesen Eindruck erweckt habe, Mr. Losey. Ich bin Historiker am University College und studiere zurzeit die Architektur des 17. Jahrhunderts in der City. Dies hier ist ein schönes Beispiel.«

Er deutete auf das Haus.

»Nun, wenn Sie es sagen. Eigentlich sehen Sie auch nicht wie ein Herumtreiber aus. Oder wie einer dieser Kerle, die Häuser auskundschaften, um darin einzubrechen.«

»Ich versichere Ihnen, mein Interesse ist rein wissenschaftlicher Natur.«

Mr. Losey zog seinen Schal enger um den Hals. »Das Haus

steht leer, eine Schande. Und so etwas lockt Einbrecher an.« Er schien sich wirklich vor Kriminellen zu fürchten.

»Kurz nach dem Großen Brand errichtet«, sagte Fleming, der sich für seine Rolle erwärmte. »Spätere bauliche Veränderungen, die Fassade des Kontors ist typisch für das ausgehende 18. Jahrhundert. Sagen Sie, wie lange steht es schon leer?«, fragte er dann unvermittelt.

Losey senkte pietätvoll die Stimme. »Ich habe das Büro 1897 übernommen. Mein Vorgänger sagte mir, einige Zeit zuvor habe es ein Unglück gegeben, der Besitzer und seine Frau starben bei einem Feuer. Zweimal im Monat kommt ein Gärtner, der von außen alles instand hält.«

»Haben Sie sonst schon einmal jemanden hier gesehen?«

Der Architekt rieb sich die Oberarme, als könne er es nicht erwarten, ins Warme zu kommen. »Nein. Als ich das Büro übernahm, nannte mir mein Vorgänger die Adresse eines Anwalts. Ich solle mich bei allen Angelegenheiten, die das Nachbarhaus beträfen, an ihn wenden. Aber dazu gab es bisher keinen Grund. Ruhigere Nachbarn kann ich mir nicht wünschen.«

Mit diesem müden Witz wollte er sich verabschieden, doch Fleming nutzte die Chance. »Wäre es sehr vermessen, wenn ich Sie um die Adresse des Anwalts bäte? Ich würde mir das Haus gern von innen ansehen.«

Mr. Losey zögerte kurz. »Na schön. Aber dann muss ich wieder an den Zeichentisch. Kommen Sie mit, hier draußen holt man sich ja den Tod.«

Zwei Minuten später stand Fleming mit der Adresse wieder auf der Straße.

»Ein Telegramm für Sie, Miss Gray.« Die Schülerin hatte den Kopf zur Tür des Klassenzimmers hereingesteckt und hielt einen kleinen Umschlag in der Hand. »Es wurde bei Miss Chambers abgegeben.«

Harry!, war ihr erster Gedanke. Matilda dankte dem Mädchen und griff zitternd nach dem Umschlag. *Ich habe zuletzt kaum an ihn gedacht ich war mit anderem beschäftigt wenn ihm etwas passiert ist verzeihe ich mir nie* – all das ging ihr in Sekundenschnelle durch den Kopf, bevor sie sah, dass es ein ganz normales, ziviles Telegramm war.

Sie faltete es auseinander: EASTERBROOK & VINE STOP 122 CHANCERY LANE STOP VIEL ERFOLG STOP SF

»Ist es etwas Schlimmes, Miss Gray?«

Die kleine, rundliche Henrietta Alcott schaute sie besorgt an, und in den Gesichtern der anderen Mädchen las sie die gleiche bange Frage.

Matilda schüttelte den Kopf, während Zorn und Erleichterung in ihr kämpften. »Nein, eine private Angelegenheit.« Sie steckte das Telegramm in die Rocktasche und setzte den Mathematikunterricht fort, als sei nichts geschehen, bemerkte aber, wie die Schülerinnen verstohlene Blicke tauschten.

Am Ende der Stunde verließ Matilda rasch das Klassenzimmer und eilte in den Waschraum. Sie hielt die Handgelenke unter kaltes Wasser und betupfte sich die Stirn. Ihr Herz schlug immer noch heftig. Als sie in den Spiegel schaute, las sie die Wut in ihren Augen.

Ein Telegramm in die Schule! Was für eine absurde, unpassende, gedankenlose Idee. Fleming hatte es gut gemeint, hatte ihr weitere Erkundigungen ersparen wollen, doch war dies der denkbar schlechteste Weg, ihr das mitzuteilen.

In den vergangenen Wochen hatte sie Miss Haddon mehr als einmal Rede und Antwort stehen müssen. Während des

Unterrichts ein privates Telegramm zu empfangen war mehr als heikel.

Nicht zum ersten Mal fragte sie sich, ob es sich wirklich lohnte, ihren Lebensunterhalt und ihre Zukunft für ein Mädchen zu riskieren, das womöglich als verheiratete Frau nach England zurückkehren und die Schule nie wieder betreten würde. Matilda hatte schwer für ihre eigene Unabhängigkeit gekämpft. Dieses Leben war kostbar, sie durfte es nicht leichtfertig aufs Spiel setzen.

Es wäre ganz einfach, flüsterte eine Stimme tief in ihr. Sie könnte Lauras Kasten an die Kanzlei schicken und sich wieder ausschließlich ihrer Arbeit und den anregenden Abenden mit Mrs. Westlake und Adela widmen. An den Wochenenden aufs Land fahren oder ins Museum gehen. Für eine Reise sparen. Sie könnte öfter an Harry schreiben und ihn wissen lassen, dass er in England nicht vergessen war.

Matilda schaute erneut in den Spiegel, doch sie sah nicht sich, sondern die Postkarte mit dem Bild der jungen Frau, die man für Sappho hielt. Es gab kein Zurück.

Und da sie sich dazu erzogen hatte, ehrlich mit sich zu sein, wusste sie auch, dass sie längst nicht mehr nur Laura Ancroft helfen wollte. Das Ganze hatte einen Sog entwickelt, dem sie sich nicht entziehen konnte.

Dennoch, Professor Fleming verdiente einen Tadel. Einen gewaltigen Tadel.

Matilda kam glimpflich davon. Miss Chedley fragte, ob es schlechte Neuigkeiten gewesen seien, was sie höflich verneinte, und Miss Fonteyn erinnerte sich besorgt, dass ihr Bruder gegen die Buren kämpfte, worauf Matilda sie beruhigen konnte.

Nach der Arbeit ging sie beschwingt zum Bahnhof. Zum

ersten Mal seit Stunden atmete sie frei und strich über die Manteltasche, in der das Telegramm knisterte.

Sie sah auf die Uhr. Kurz vor fünf. Der Weg war etwas umständlich, sie musste mehrmals umsteigen, doch von Earl's Court aus konnte sie mit der District Railway bis Temple durchfahren. Dann war es nicht mehr weit bis zur Chancery Lane. Sie würde sich in der Gegend umsehen, auch wenn sie in der Kanzlei wohl niemanden mehr anträfe.

Als sie schließlich in der Untergrundbahn saß, spürte sie, wie erschöpft sie war. Das Telegramm hatte sie aufgewühlt, und das Rattern der Räder drohte sie einzulullen. Sie las die Namen der Stationen, die im Wagen angeschlagen waren – Sloane Square, Victoria, St. James's Park, Westminster, Charing Cross, Temple – und erkannte, dass sie nicht nur von Westen nach Osten reiste, sondern sich auch in der Zeit zurückbewegte.

Unvermittelt erinnerte sie sich an den Kupferstich, den sie in Mr. Arkwrights Laden betrachtet hatte.

Wo heute Züge durch Tunnel unter der Themse fuhren, zeigte das Bild nur eine einzige Brücke, und wo keine Häuser standen, sah man Weideland, auf dem der Künstler winzige, liebevoll gezeichnete Kühe und Pferde grasen ließ. Sloane Square und Victoria existierten nicht. St. James war nur ein Wald, in dem der König Hirsche jagte, Westminster mit seinem Palast lag fern der City, und Charing Cross war eine Wegkreuzung, an der König Edward I. mit einem steinernen Denkmal seiner verstorbenen Frau gedacht hatte.

Innerhalb von dreihundertfünfzig Jahren war eine neue Welt entstanden.

Orte, die früher eine Tagesreise entfernt lagen, waren zu Stationen auf Fahrplänen geworden, und kaum hatte man die Zeitung einmal durchgeblättert, war man schon da. Wie schnell die Welt geworden war, dachte Matilda, als sie in Temple einfuhren. Ihre Müdigkeit war verflogen, und sie begab sich rasch zum Ausgang.

Bis zur Chancery Lane war es nicht weit, und sie beschloss, durch den Temple-Bezirk zu gehen. Als sie durch die stillen Straßen wanderte, umgeben von hellem Sandstein und dunkelroten Ziegeln und Bäumen, deren kahle Äste sich scharf wie Scherenschnitte vor dem Abendhimmel abzeichneten, tauchte sie in die Vergangenheit ein. Alles um sie herum schien zeitlos, und sie rechnete fast damit, das Klirren einer Rüstung zu hören oder die Glocke eines Aussätzigen, der um Almosen bat.

Matilda erinnerte sich an den Mandelverkäufer, der glaubte, am Haus der Ancrofts ginge etwas um. Hier war die Stimmung anders, friedlich und von einer beinahe feierlichen Ruhe.

Vor ihr tauchte die runde Temple Church auf. Als Kind war sie mit ihrem Vater einmal dort gewesen. Danach hatte sie einen angsteinflößenden Traum gehabt, in dem sich ein steinerner Ritter aus seinem Grab erhoben hatte und ihr gefolgt war. Harry hatte sie weinen hören und war zu ihr ins Bett gekommen, wo er blutrünstige Geschichten von den Kreuzzügen erzählte, die ihre Furcht seltsamerweise vertrieben hatten.

Dann tauchten die spitzen Türmchen der Royal Courts of Justice vor ihr auf, und als Matilda die geschäftige Fleet Street überquerte, dachte sie daran, was sich unter ihren Füßen befand. Als Lauras Schatz entstanden war, floss hier der River Fleet, verrufen und voller Unrat. In seiner Umgebung hatte man gleich mehrere berüchtigte Gefängnisse errichtet. Und doch war es ein bewegendes Gefühl, sich den lebendigen Wasserlauf auszumalen. Sie würde London nie mehr sehen wie zuvor.

Matilda bog in die Chancery Lane ab, eine eher unauffällige Straße, der man ihre siebenhundertjährige Geschichte nicht ansah. An vielen Häusern kündeten Schilder von Rechtsanwaltskanzleien, die sich mit Verträgen, Testamenten und ähnlichen Angelegenheiten befassten.

Dann hatte sie das Haus gefunden. Eine unscheinbare, gepflegte Fassade mit blank poliertem Namensschild. Matilda begab sich auf die andere Straßenseite und bemerkte, dass in einem Raum noch Licht brannte. Sie nahm es als Zeichen. Nach dem Schreck mit dem Telegramm war sie gegen alles gewappnet.

Also betätigte sie den Türklopfer. Ein junger Mann mit Kneifer und Ärmelschonern öffnete die Tür und schaute sie verwundert an.

»Bedauere, Miss, die Kanzlei ist geschlossen.«

Matilda gab sich geknickt. »Oh, ich hatte Licht gesehen und dachte … Dann muss ich wohl ein anderes Mal wiederkommen. Man hat mir Ihre Kanzlei empfohlen.«

Der junge Mann schaute über die Schulter und trat einen Schritt zurück. »Nun … Mr. Easterbrook ist noch im Haus. Ich werde fragen, ob er Sie empfängt.«

Wie konnte er im Hause sein? Matildas Herz schlug heftig. Der Sekretär bat sie in ein Vorzimmer, wo sie durch eine halb geöffnete Tür einen etwa sechzigjährigen Mann im Sessel sitzen sah.

»Sir.« Der Mann klopfte an die Tür. »Hier ist eine junge Dame, der man unser Haus empfohlen hat. Darf ich sie hineinführen, oder soll sie morgen wiederkommen?«

»Herein mit ihr, Hastings. Holen Sie mir einen Brandy und Tee für die Dame.« Die Stimme klang nicht unfreundlich.

Matilda hatte nicht damit gerechnet, einen Easterbrook hier anzutreffen, doch nun musste sie ihre Chance ergreifen. Zum Glück hatte sie einen kleinen Plan entworfen.

Der Anwalt stand auf und gab ihr die Hand. »Womit kann ich Ihnen dienen?«

Er trug einen dunklen gepflegten Vollbart, der in seltsamem Gegensatz zu seinem schlohweißen Kopfhaar stand. Es sah aus, als widersetzte sich der Bart dem Alter. Hinter der goldenen Brille funkelten lebendige graue Augen.

Der Sekretär kam mit Tee und Brandy herein, was Matilda eine Frist verschaffte, um sich die Worte zurechtzulegen.

»Nun?«, fragte der Anwalt, nachdem er einen Schluck getrunken hatte.

»Man hat mir in Bezug auf eine Vermögensangelegenheit Ihre Kanzlei empfohlen, genauer gesagt, Mr. Charles Easterbrook. Der sind Sie, nehme ich an«, sagte sie, wohl wissend, dass er es nicht sein konnte.

Er hob abwehrend die Hand. »Nein, Miss …«

»Jones.«

»Miss Jones, dabei handelt es sich um meinen Sohn. Ich bin John Easterbrook.«

»Verzeihung.«

»Falls die Angelegenheit eilig sein sollte, müssen Sie mit mir vorliebnehmen, da mein Sohn verreist ist.«

Sie würde den Mann nie wiedersehen, er kannte ihren Namen nicht. Sie hatte nichts zu verlieren und konnte ihrer Fantasie daher freien Lauf lassen. »Viel Aufschub duldet die Sache leider nicht. Eine Bekannte von mir ist schwer krank. Sie ist verwitwet und hat zwei Kinder. Da es keine nahen Verwandten gibt, macht sie sich furchtbare Sorgen um die Zukunft ihrer Töchter, zumal sie nicht unvermögend ist.« Sie merkte, wie sie in einen beinahe juristischen Jargon verfiel. »Jemand erwähnte, Ihre Kanzlei übernehme Vormundschaften, und so hat sie mich gebeten, Erkundigungen einzuziehen.«

»Danke, dass Sie sich herbemüht haben, Miss Jones. Ihr Vertrauen ehrt mich sehr.«

Nun, da sich Matilda sicherer fühlte, schaute sie sich im Raum um. Die Möbel waren aus dunklem Holz, in den Regalen reihten sich die ledernen Rücken juristischer Bände, es roch nach Tabak und Papier. Neben einer Urkunde hing eine gerahmte Fotografie, die Mr. Easterbrook und einen jüngeren Mann zeigte, der Talar und Barett trug, und die wohl bei einer offiziellen Feier aufgenommen worden war.

Der präraffaelitische Heilige, dachte Matilda. Die Pomade konnte die Locken kaum bändigen, sein Gesicht war ebenmäßig, die Augen strahlten förmlich aus dem Bild heraus.

»Das ist mein Sohn«, sagte Mr. Easterbrook, der ihrem Blick gefolgt war. »Er hat am University College studiert. Mein Vater war auch schon Anwalt, aber Charles ist der Erste in der Familie mit einem Abschluss in Jura.«

»Dann hätte er auch Gerichtsanwalt werden können?«, fragte Matilda und dachte unwillkürlich, wie beeindruckend er in Talar und Perücke aussehen würde.

»Gewiss, aber er ist ein den Traditionen verhafteter Mensch und möchte unsere Kanzlei fortführen. Doch die Ausbildung war nicht ohne Nutzen, er konnte wichtige Verbindungen knüpfen.« Easterbrook senior hielt inne. »Verzeihung, Sie sind nicht gekommen, um unsere Familiengeschichte zu hören. Wenden wir uns Ihrer Bekannten zu, Miss Jones. Ich bedauere sehr, Ihnen das sagen zu müssen, aber wir übernehmen keine Vormundschaften. Unser Fachgebiet sind Testamente und geschäftliche Verträge aller Art.«

»Ach, dann muss es sich um eine Verwechslung handeln. Man hatte meiner Bekannten etwas anderes gesagt.«

»Ein bedauerliches Missverständnis.«

Matilda erhob sich. »Ich bitte nochmals um Entschuldigung, dass ich Ihre Zeit beansprucht habe. Können Sie mir vielleicht einen Kollegen empfehlen, damit ich nicht mit leeren Händen zurückkehre?«

Easterbrook griff nach einem Zettel und notierte einige Namen. »Bitte sehr. Die Herren sind alle in der Nähe ansässig und werden Ihnen gern behilflich sein.«

Er öffnete ihr die Tür. Der Sekretär blickte von seinen Unterlagen auf. »Führen Sie die Dame bitte hinaus, Hastings. Und dann machen Sie Feierabend, ich gehe jetzt auch.« Er wandte sich an Matilda. »Ihnen einen angenehmen Abend, Miss Jones.«

Es hatte zu nieseln begonnen. Matilda legte den Kopf in den Nacken und spürte, wie sich ein kühler, feuchter Schleier auf ihrem Gesicht ausbreitete.

Sie bog nach rechts in Richtung Holborn ab, der Untergrundbahnhof Chancery Lane war nicht weit. Ihre lebhaften Gedanken spiegelten sich in dem Schwung, mit dem sie durch den Regen ging.

Charles Easterbrook war Lauras Vormund, obwohl seine Kanzlei keine Vormundschaften übernahm. Also musste eine private Verbindung zu den Ancrofts bestehen. Er hatte Lauras Eltern sicher gekannt, sonst hätte man ihm die Aufgabe nicht angetragen. Matilda würde noch einmal mit Anne Ormond-Blythe sprechen; sie war die Einzige, die etwas über Easterbrook zu wissen schien. Nach der Theateraufführung, nahm sie sich vor, wenn wieder Ruhe eingekehrt war.

Fürs Erste aber gestattete Matilda sich ein wenig Stolz auf das, was sie herausgefunden hatte. Und jetzt rasch in die Bahn und nach Hause, wo ein warmes Essen wartete. Danach war ein strenger Brief an den Professor fällig.

20

Matildas Herz klopfte, als sie die Rosebery Avenue entlangging. Ein Abendessen mit einem Mann, den sie kaum kannte,
in einer Gegend, die von italienischen Einwanderern bewohnt
wurde, war auch für sie nicht ganz alltäglich. Sie schaute sich
um, doch niemand schien von ihr Notiz zu nehmen.

Der Professor stand auf und breitete die Arme aus, als sie
das Restaurant betrat. Dann senkte er den Kopf. »Schuldig in
allen Punkten der Anklage.«

Mit dieser entwaffnenden Geste hatte Matilda nicht gerechnet. Sie lächelte und streckte dem Professor die Hand entgegen. »Und ich verkünde jetzt das Urteil?«

Er schaute sich flüchtig um. »Vielleicht sollten Sie das Beil
erst herausholen, wenn wir wieder draußen sind. Es könnte
den anderen Gästen den Appetit verderben.«

In diesem Augenblick trat ein Kellner zu ihnen und nahm
ihr den Mantel ab. »Darf ich Sie an Ihren Tisch führen, *signora
e signor?*«

Das *Ristorante Roma* lag in der Rosebery Avenue unweit
des Sadler's Wells Theatre. Professor Fleming hatte höflich
angeboten, sie von der Untergrundbahn abzuholen, und Matilda hatte ebenso höflich abgelehnt.

Der Raum war einfach eingerichtet – italienische Eichen-
möbel, rot-weiß karierte Decken auf den Tischen, das Muster
wiederholte sich bei den Stuhlkissen. An den Wänden hingen
Ansichten von Neapel und Florenz, dazu signierte Fotografien
kostümierter Opernsängerinnen. Die Kerzen auf den Tischen

ließen das Restaurant anheimelnd wirken, und der überwältigende Duft von Gewürzen, Käse und gebratenem Fleisch machte Matilda hungrig.

Der Kellner rückte ihr den Stuhl zurecht, zündete die Kerze auf dem Tisch an und reichte ihnen die Karte.

»Trinken Sie Rotwein?«, fragte der Professor.

»Danke, gern.«

Er bestellte eine Flasche Wein und Wasser dazu. »Kennen Sie die italienische Küche? Falls nicht, fragen Sie mich einfach.«

Sie entschieden sich für *antipasti misti, gnocchi con burro e salvia* für Matilda und *coda di rospo alla saltimbocca* für den Professor.

»Ich habe einige Restaurants ausprobiert und nirgendwo besser italienisch gegessen.« Er hob sein Glas, um mit ihr anzustoßen. »Auf die bisherigen Erfolge und die, die noch kommen werden.«

Als er getrunken hatte, räusperte er sich. »Um auf das Telegramm zurückzukommen – ich bedauere sehr, wenn ich Ihnen Unannehmlichkeiten bereitet habe. Ich wollte Ihnen unnötige Mühen ersparen, aber es war unbedacht, an die Schule zu schreiben. Ich hoffe, Sie nehmen die Entschuldigung an.«

Sie musste erneut lächeln. »Natürlich tue ich das. Es ist glimpflich abgegangen. Ich hatte nur Sorge, weil ich schon öfter unangenehm aufgefallen bin. Aber lassen Sie uns nicht mehr darüber reden.«

»Haben Sie schon etwas wegen Easterbrook unternommen?« Er beugte sich gespannt vor.

Matilda berichtete von dem Gespräch mit dem Anwalt.

»Sie haben einen falschen Namen angegeben? Das ist ja wie in einem Detektivroman.«

»Oder wie bei Adela Mornington«, sagte sie lachend. »Jedenfalls hat der ältere Mr. Easterbrook kategorisch erklärt, dass sie keine Vormundschaften übernehmen. Daher vermute ich, dass die Easterbrooks privat mit den Ancrofts bekannt waren.«

In diesem Augenblick wurden ihre Vorspeisen serviert. Als der Kellner gegangen war, sagte Fleming rasch: »Die Frage kann ich beantworten, bevor wir uns über die Köstlichkeiten hermachen.« Er berichtete kurz von Mr. Losey, dem Architekten. »Ich vermute, Easterbrook hat Ancroft geschäftlich vertreten. Da lag es nahe, ihm die Vormundschaft zu übertragen, falls es keine engeren Verwandten gab.«

Matilda zögerte. »Schade, ich hatte schon gehofft, die Easterbrooks hätten etwas zu verbergen.«

»Das eine schließt das andere nicht aus. So, und jetzt müssen Sie die *pomodori gratinati alla pugliese* und den *prosciutto di Parma* probieren.«

Darüber vergaßen sie ihre Nachforschungen. Matilda genoss die fremdartigen Aromen von Olivenöl, Knoblauch und mediterranen Gewürzen. Das Essen war einfach, aber von erlesener Qualität, und sie ertappte sich dabei, wie sie die letzten Tropfen Öl und Marinade mit Brot aufwischte. Sie bemerkte den belustigten Blick des Professors.

»Ich weiß, eine Dame isst nicht so, aber ich habe Hunger.«

»Wer viel arbeitet, muss auch essen«, sagte er und schenkte ihr Wein nach. »Mir brauchen Sie nichts vorzumachen. Ich lege keinen Wert auf Regeln, die man nur einhält, weil man die Missbilligung anderer fürchtet.«

Sie sah ihn überrascht an. »Ich dachte immer, dass genau das von Frauen erwartet wird.«

»Aber nur weil viele etwas erwarten, ist es noch lange nicht richtig.«

Als sie die Vorspeisen aufgegessen hatten, schaute Matilda den Professor über ihr Glas hinweg an. »Sie haben sicher auch etwas zu erzählen.«

»In der Tat. Aber ich würde gern bis nach dem Hauptgericht warten, um es Ihnen zu zeigen. Ich habe nämlich eine Zeichnung des Ancroft-Hauses angefertigt.«

»Sie haben also etwas herausgefunden?«

Er nickte. »Es könnte von Bedeutung sein.«

Matilda reckte den Hals nach dem Kellner. »Hoffentlich kommt das Essen bald, wenn Sie mich so auf die Folter spannen.«

Als hätte er sie gehört, näherte sich der Kellner mit den Hauptgerichten, und sie ließen es sich abermals schmecken. Matilda trank ein ganzes Glas Wein, das ihr erschreckend schnell zu Kopf stieg. Von nun an Wasser, nahm sie sich vor.

Die Teller wurden abgeräumt, und der Professor holte ein Blatt hervor, das er auf dem Tisch glatt strich. Es zeigte das Ancroft-Haus von verschiedenen Seiten.

»Ich bin kein guter Zeichner, doch man müsste es erkennen. Mir ist es allerdings nicht sofort aufgefallen.«

Matilda schaute prüfend auf die Skizzen. »Hm, es sieht so aus, wie ich es in Erinnerung habe.« Sie deutete auf den Durchgang, der an den Garten grenzte. »Hier habe ich gestanden. Und dort habe ich den Mandelverkäufer getroffen.«

»Sie kamen von Laurence Pountney Hill, nicht wahr?« Fleming deutete auf die Gasse.

»Ja.«

Dann tippte er auf die Zeichnung, die das Haus von der Straßenseite zeigte. »Haben Sie es auch von dieser Seite angesehen?«

»Nein. Das war nachlässig von mir. Ich kann es nur damit

rechtfertigen, dass mich der Mandelverkäufer abgelenkt hat. Danach bin ich denselben Weg zurückgegangen, obwohl ich eigentlich die nächste Gasse nehmen wollte.«

»Sie brauchen sich nicht zu entschuldigen. Dies ist die Ansicht von der Laurence Pountney Lane. Fällt Ihnen etwas auf?«

Und dann sah sie es. »Das Haus hat hier ein Stockwerk mehr!«

»So ist es.«

»Aber wie kann das sein?« Matildas Augen wanderten hin und her.

»Das habe ich mich auch gefragt. Der Friedhof, der zum Garten geworden ist, lag viel höher als das Haus. Vermutlich gab es damals schon zwei Eingänge, um den Höhenunterschied zu überbrücken – die Tür zur Gasse, die schon immer benutzt wurde, und eine neue Hintertür zum Friedhof, damit Familie und private Besucher nicht durch das Kontor ein und aus gehen mussten. Später, als der Friedhof zum Garten wurde, hat man dort einen repräsentativen Eingang angelegt.«

»Das ist historisch sicher interessant, aber …« Matilda zögerte. »Hilft es uns weiter?«

»Möchten Sie ein Dessert?«, fragte der Professor, als der Kellner an den Tisch kam.

»Nur einen Kaffee, danke.«

»Ob es uns hilft? Möglicherweise schon.«

»Ein Haus unter dem Haus?«

»Daran dachte ich auch. Die Karte von 1550 beweist, dass dort früher schon ein Haus gestanden hat. Und auf seinen Trümmern hat man nach dem Großen Brand gebaut. Darunter vermute ich einen tiefen Keller.«

»Wie kommen Sie darauf?«

Der Professor wirkte ehrlich aufgeregt. »Im Gehweg befindet sich eine hölzerne Falltür, an der Hausmauer habe ich die Überreste eines Flaschenzugs bemerkt. Es muss also einen Keller unter dem Straßenniveau geben. Mit anderen Worten, es gibt nicht nur ein Stockwerk mehr als an der Gartenseite, sondern zwei.«

Die Aufregung sprang auf Matilda über. »Ein alter Keller? Und in dem hat Laura den Holzkasten gefunden?«

Er zuckte mit den Schultern. »So weit sind wir noch nicht, aber es wäre denkbar.«

Matilda rührte Zucker in den Kaffee, der sehr schwarz aussah. »Seien wir kühn. Vielleicht war der Kasten fast zweihundertfünfzig Jahre dort unten versteckt – die Besitztümer eines Mädchens, das mit seiner Familie in diesem Haus gelebt hat.«

Ihre Begeisterung riss sie mit, und sie trank den Kaffee, der tatsächlich äußerst bitter schmeckte, rasch aus.

Nachdem Fleming bezahlt und ihr in den Mantel geholfen hatte, wies er in Richtung Tür. »Haben Sie noch Zeit für einen Spaziergang? Ich möchte Ihnen etwas zeigen.«

»Es wäre mir ein Vergnügen.«

»Erzählen Sie mir etwas über diese Gegend«, sagte Matilda, als sie das Restaurant verlassen hatten und die Rosebery Avenue nach Süden gingen. Von Weitem wehte der Klang einer Drehorgel herbei, die eine italienische Volksweise spielte.

»Das hier ist Saffron Hill oder Little Italy. Die Italiener leben für gewöhnlich hier oder in Soho. Ich komme gern her, weil das Essen gut ist und man sich unterhalten kann. Die Menschen sind offener als wir Engländer. Die meisten stammen aus Kalabrien und Neapel.«

»Ich habe eine Geschichte von Arthur Conan Doyle gelesen«, sagte Matilda, »in der der Schurke Italiener war und auch aus dieser Gegend stammte.«

»Schurken in Romanen sind meist keine Engländer«, erwiderte Fleming belustigt. »Vermutlich haben wir so viele einheimische Verbrecher, dass die Leute nicht auch noch in Romanen über sie lesen wollen.«

Sie hatten den Drehorgelspieler erreicht, dem statt eines dressierten Affen ein bunter Papagei auf der Schulter saß. Der Mann trug einen verschlissenen, aber sauberen Anzug und eine Schirmmütze. Matilda warf einige Münzen auf den Teller, der vor seinen Füßen stand, worauf er sich leicht verbeugte. »Ein ganz neues Lied, *signora e signor,* nur für Sie.«

Er drehte die Kurbel, und aus der Orgel ertönte eine langsame, wehmütige Melodie, die etwas in Matilda zum Klingen brachte. Die Stimme des Musikers war tief und voll, als er zu singen begann: »*Che bella cosa è na jurnata 'e sole, n'aria serena doppo na tempesta!*«

»Das habe ich noch nie gehört, aber es ist wunderschön.« Sie blieben stehen, bis das Lied zu Ende war, worauf Matilda in die Hände klatschte.

Beim Weitergehen hielt sie den Kopf nachdenklich gesenkt. »Sie haben erwähnt, dass manche Orte ihren eigenen Geist besitzen. Das sagte auch der Mandelverkäufer.«

»Und?«, fragte der Professor. »Spüren Sie hier etwas?«

Sie schaute sich um. Die breite Straße wurde von jungen Bäumen gesäumt, deren Laub längst abgefallen war. Die Häuser waren zumeist aus rotem Backstein, einige vier oder fünf Stockwerke hoch, andere deutlich niedriger. »Seltsam, ich spüre gar nichts.«

»Die Straße ist neu. Sie wurde erst vor einigen Jahren angelegt, um die St. John Street zu entlasten, die ständig überfüllt war. Vor allem im Süden hat man viele Häuser abgerissen, um Platz zu schaffen.«

Matilda schlug sich an die Stirn. »Ich stelle lauter Fragen, dabei wollten Sie mir doch etwas zeigen! So wie ich Sie kenne, ist es alt und tief vergraben. London ist ein Körper, die Oberfläche eine dünne Haut, unter der Adern, Knochen, Muskeln liegen, unter der Leben herrscht, das man von außen nicht erahnt. Das hat Mr. Arkwright einmal gesagt.«

»Und er hat recht, Miss Gray. Das Pflaster Londons ist die Haut, und die Tunnel, Kanäle, Flüsse und Leitungen sind Adern, durch die Wasser, Unrat, Gas und Menschen strömen.« Flemings Stimme klang leidenschaftlich; er liebte die Stadt offenbar mit all ihren dunklen Seiten.

Das Gaslicht fiel auf sein Gesicht, und Matilda dachte, wie angenehm es war, mit Fleming hier zu gehen und zu plaudern, ohne an die Schicklichkeit zu denken. Er wählte gern Orte, an denen Anstandsregeln wenig galten. Das mochte Absicht sein oder die Haltung eines Mannes, für den es selbstverständlich war, mit unabhängigen Frauen umzugehen.

»Oh, hat das Wort Unrat Sie verschreckt?«, fragte er halb besorgt, halb belustigt – vermutlich, weil sie so lange schwieg.

»Ganz und gar nicht. Ich habe von Bazalgette und seinen Abwasserkanälen gelesen, den Kathedralen der Londoner Unterwelt. Und vom großen Gestank des Jahres 1858.«

»So schlimm wird es heute nicht. Bei Weitem nicht. Wir müssen jetzt nach links.«

Die Straßen, in die sie gelangten, waren deutlich schmaler, die Häuser älter.

Fleming machte eine Bewegung mit dem Arm, als wolle er die ganze Gegend umfassen. »Das hier war früher Hockley-in-the-Hole, eines der verrufensten Viertel von ganz London.

Männer lieferten sich Schaukämpfe mit Schwertern oder bloßen Fäusten, der Lärm und Dreck waren unbeschreiblich.«

»Es sieht immer noch ein bisschen düster aus«, sagte Matilda fasziniert. Genau das war es, was sie reizte: keine breiten Durchfahrtsstraßen oder hässliche Neubauten, sondern das, was abseits lag und alt war und eine Geschichte zu erzählen hatte.

»Stimmt. Gegenden bewahren ihren Geist, auch wenn die Häuser, die dort standen, längst verschwunden sind.« An einer unscheinbaren Straßenkreuzung blieb er stehen und deutete auf ein Pub. »Hier gab es eine ganz besondere Vergnügungsstätte, den Bärengarten. Bis vor hundert Jahren hätten Sie hier an jedem Montag und Donnerstag Stier- und Bärenkämpfe erleben können. Bevor der Wettbewerb begann, wurden die Tiere durch die Straßen geführt, als lebende Reklame. Das mutet heute grausam an, aber die Menschen liebten solche Zerstreuungen.«

»Es ist wirklich grausam, Tiere gegeneinander kämpfen zu lassen«, sagte Matilda angewidert.

Fleming nickte. »Irgendwann wurde einer der Besitzer dieses Bärengartens von seinem eigenen Tier angegriffen. Als man es bemerkte, hatte der Bär ihn schon fast aufgefressen. Immerhin hat man eine Messe für ihn gelesen. Was aus dem Bären wurde, ist nicht überliefert.«

Matilda musste unwillkürlich lachen. »Ich wünsche ihm, dass er entkommen und in einen Wald geflüchtet ist, wo er den Rest seines Lebens in Freiheit verbracht hat.«

»Das hoffe ich auch.« Fleming trat genau vor dem Pub auf die Straße und winkte Matilda zu sich. Vor seinen Füßen befand sich ein Gitter im Boden. Er legte den Zeigefinger an die Lippen und sagte: »Horchen Sie.«

Matilda hielt die Hände wie Trichter um die Ohren und beugte sich vor.

Wasser rauschte, doch es klang nicht wie ein Kanal, sondern wie ein Fluss, der über Steine wirbelte und strömte. Sie blickte auf. »Ich nehme an, Sie haben mich nicht hergeführt, um mir einen Abwasserkanal zu zeigen.«

Der Professor sah sie beinahe stolz an. »Das ist der River Fleet, Londons größter verborgener Fluss. Er entspringt in Hampstead Heath und galt als heilig. Man entdeckte einen Tempel nicht unweit seines Laufs, achteckig und von innen ganz in Rot gehalten. Dort haben Kelten oder Römer ihre Götter verehrt.«

Matilda zog erstaunt die Augenbrauen hoch. »Ich wusste, dass er unter der Fleet Street fließt, aber ich hatte keine Ahnung, dass man ihn noch hören kann.« Sie senkte andächtig den Blick. »Dann stehen wir also mitten im Wasser.«

Fleming streckte den Arm aus. »Sehen Sie, wie sich die Straßen senken und eine Art Mulde bilden? Dort ist das Flussbett. Die Spuren des Vergangenen sind überall, man muss sie nur zu deuten wissen.«

Im schwachen Schein der Laternen schien sein Gesicht von innen her zu leuchten. Seine Begeisterung und Ehrfurcht sprangen auf sie über, und Matilda merkte, wie eine wunderbare Wärme sie durchströmte. Fleming ähnelte einem Märchenerzähler, der von Bärenkämpfen und unterirdischen Flüssen zu berichten wusste und sie mit seinen Geschichten in eine andere Welt entführte.

Als sie feststellte, dass sie ihn anstarrte, wandte sie sich verlegen ab. »Danke, dass Sie mich herumgeführt haben. Ohne Sie hätte ich das alles nie entdeckt.«

»Kommen Sie, der Bahnhof Farringdon ist nicht weit.«

Als sie vor den Säulen des Eingangs stehen blieben, nahm er den Hut ab und schaute unschlüssig von ihr zur Bahnhofshalle. »Miss Gray, Sie wünschten vorhin keine Begleitung. Gestatten Sie mir wenigstens jetzt, Sie nach Hause zu bringen?«

Ihr lag schon ein Nein auf der Zunge. Dann aber zögerte sie, wollte den Abend noch nicht enden lassen. »Danke, gern, falls Sie nichts anderes vorhaben.«

Als sie auf dem Bahnsteig standen, fiel ihr etwas ein. »Ich kenne auch eine Geschichte«, sagte sie triumphierend. »Hier fuhr vor siebenunddreißig Jahren die erste Untergrundbahnlinie der Welt. Die Strecke war vier Meilen lang und verlief zwischen Farringdon und Paddington.«

Der Professor legte die Hand an die Brust und verbeugte sich leicht. »Dem habe ich nichts hinzuzufügen, Miss Gray.«

Sie schlenderte langsam auf und ab und sah ihn schelmisch an. »Kommen Sie, ich weiß genau, dass Sie mir mehr darüber sagen können, als dass die Bahn von einer Dampflok gezogen und die Eröffnung mit einem gigantischen Bankett gefeiert wurde. Ich habe ein Bild davon gesehen. Eine riesige Tafel, und keine einzige Frau dabei.«

In diesem Augenblick fuhr die Bahn ein, und während sie sich Plätze suchten, glaubte Matilda schon, Fleming habe ihre letzte Bemerkung vergessen.

»Das wäre heute sicher anders«, sagte er jedoch, als sie sich gesetzt hatten. »Das mit den weiblichen Gästen, meine ich.«

Die Bahn fuhr mit einem Ruck an und tauchte in den Tunnel ein.

»Glauben Sie wirklich, Mr. Fleming? Wenn ich mir meine Schülerinnen anschaue, hat sich weniger verändert, als mir lieb ist. Sie sehen es aus einer anderen Perspektive, weil Ihre Studentinnen es bis an die Universität geschafft haben. Aber die meisten Mädchen nutzen ihr Wissen noch immer, um Konversation zu machen, nicht mehr. Und das ist traurig.«

Ihre Worte schienen Fleming nachdenklich zu stimmen. »Und dann kommt eine, die wirklich anders ist, in die Sie große Hoffnungen setzen, und verschwindet einfach aus der Schule. Wird womöglich heiraten, ohne ihren Abschluss gemacht zu haben.«

Matilda spürte, wie ihre Kehle eng wurde. Sie schaute aus dem Fenster, in dem sich das Wageninnere spiegelte. »Sie haben es in zwei Sätzen auf den Punkt gebracht.«

Es war eine lange Fahrt, und Matilda wurde bewusst, wie ungewohnt es war, mit einem anderen Menschen unterwegs zu sein. Nicht dass ihr die Gesellschaft fehlte, wenn sie zur Arbeit fuhr; im Gegenteil, sie zog es vor, die Nase in ein Buch zu stecken, damit man sie nicht ansprach.

Doch das hier war anders. Sie und der Professor redeten ganz ungezwungen miteinander, obwohl sie sich noch nicht lange kannten. Aber es gab wohl Menschen, die man nicht lange kennen musste, um mit ihnen vertraut zu werden.

Und dann kam ihr wie aus dem Nichts ein seltsamer Gedanke: Ich darf mich nicht an ihn gewöhnen.

»Miss Gray? Mir scheint, Sie sind meilenweit von hier entfernt.«

Sie zuckte zusammen und blickte auf.

»Habe ich etwas Falsches gesagt?«

»Ganz und gar nicht. Verzeihen Sie, dass ich abwesend war … Was Laura angeht, fühle ich mich so hilflos! Sie ist weit weg, braucht vielleicht meine Hilfe, und ich sitze hier und versuche, ein Buch zu entziffern.« Matilda senkte den Blick auf ihre Hände, die sie im Schoß gefaltet hielt.

Fleming schaute sich kurz um, bevor er sich nach vorn

beugte. »Miss Gray, sehen Sie nicht nur auf das, was vor Ihnen liegt, sondern auch auf den Weg, den Sie schon zurückgelegt haben. Sie haben mit einer Postkarte angefangen.«

Der Zuspruch tat gut.

In Chelsea wollte sie sich verabschieden, doch Fleming ließ es nicht zu. »Wenn ich sage, ich bringe Sie nach Hause, meine ich es auch so. Beaufort Street. Also gehen wir.«

Sie lächelte bei sich, als sie in Gleichschritt fielen. Nachdem sie ein Stück schweigend zurückgelegt hatten, sagte Matilda: »Ich bin ein bisschen nervös wegen des Buches. Ich weiß, dass ich nicht zu viele Hoffnungen hineinsetzen darf, aber ...«

Er berührte ihren Arm. »Ich hatte gehofft, Sie mit den Bären und dem River Fleet ablenken zu können.«

Und wieder brachte er sie zum Lachen. »Das ist Ihnen wunderbar gelungen. Die Zweifel kamen mir erst wieder in der Bahn.«

Ein Omnibus fuhr an ihnen vorbei. Auf der Plattform stand ein junger Mann, in der Hand eine Trompete, und spielte eine Melodie, die zu verweilen schien, als der Bus kaum noch zu sehen war.

»Ich liebe Chelsea«, sagte Matilda.

»Sie passen gut hierher.«

»Obwohl ich weder male noch musiziere?«

Er tat die Bemerkung mit einer beiläufigen Handbewegung ab. »Es kommt auf den Geist an, Miss Gray. Und so wie ich nach Bloomsbury gehöre, scheint dies hier Ihr natürliches Revier zu sein.«

Sie gelangten in die Beaufort Street mit ihren langen Häuserreihen, wo die erleuchteten Erkerfenster den trüben Abend erhellten. Vor Mrs. Westlakes Haus gaben sie einander die Hand.

»Schreiben Sie mir, wenn Sie etwas herausgefunden haben.«

»Das mache ich. Ich danke Ihnen für das wunderbare Essen, die Bären und den River Fleet.«

Er ließ Matildas Hand los und tippte sich lächelnd an den Hut. »Es war mir ein Vergnügen. Bis zum nächsten Mal.«

»Und danke auch, dass Sie mich nach Hause gebracht haben«, rief sie ihm nach. »Es wird sehr spät für Sie.«

Er hielt kurz inne und sagte über die Schulter: »Ach, auf mich wartet niemand.« Dann ging er rasch in Richtung King's Road.

21

Matilda schaute kurz bei Mrs. Westlake herein, die bei der Arbeit war und sich nur flüchtig zu ihr umdrehte. »Ich hoffe, Sie hatten einen angenehmen Abend. Gehen Sie ruhig in Ihr Zimmer, ich komme gerade gut voran. Wir sehen uns beim Frühstück.«

Matilda begab sich sofort nach oben, holte das Buch heraus und machte sich ans Werk. Zum Glück war morgen Samstag. Sie hätte auch in der Woche bis in die frühen Morgenstunden gearbeitet, so neugierig war sie, doch der Gedanke, dass sie ausschlafen konnte, war beruhigend. Matilda merkte nicht, wie die Zeit verrann, hörte nicht Mrs. Westlakes Schritte auf der Treppe, als sie ins Bett ging, nahm nichts wahr außer dem Geruch von altem Papier und dem Anblick bräunlicher Buchstaben, viele davon nie mehr zu entziffern.

Dennoch erkannte sie, dass dieser Teil des Buches anders war als der erste. Etwas weniger bruchstückhaft. Und der Text klang persönlicher, so als spräche das Mädchen unmittelbar zu ihr.

Matilda arbeitete wie im Rausch. Es fiel ihr zunehmend leichter, die Wörter zu entziffern.

... nicht an der Pest gestorben war ... Sucherin im Viertel ist ... seien ein Pesthaus und man werde es verschließen. ... mit Vernunft und dann mit Drohungen ... malten Zeichen an die Wand ... nagelten ... verzweifelt ... auf und ab ... jemand wolle uns übel. Mutter war aufgebracht ... wer es war. Du sollst kein falsches Zeugnis ... weiß, was ich sage ...

... still und bedrückt ... liebe Vater ... er hat recht ... Wahrheit sein? ... ganzen Familie ... Ancroft ... so etwas tun? ... kann mein Vater so irren ... der andere verleumdet ...

Zwei ... allmählich knapp. ... ob wir das durchhalten. Mutter ist ... Fieber. Lucy leidet an Ausschlag. Vater ... an der Tür und redet mit den Wachen ... und fleht ... ihnen Geld ...

... kann kaum noch schreiben ... Kerzen aus. Mutter schreit in Panik auf, das Feuer dürfe nicht ... dann müssten alle sterben. Lucy ... nicht essen. Trinken will sie auch nicht mehr.

Vater ist ... einen Brief von ihm ... Wuchersumme. ... in der Kirche deponieren und an Anthony ... ganzes Vermögen ... Vater vertraut mir ... nicht vor der Wahrheit ... lebend herauskommen.

Noch elf ... Lucy ist gestorben ... einwickeln und vor die Haustür legen ... werfen sie in eine Grube ... Mutter ... werfen meine kleine Tochter ... mit den Pestkranken ... Elizabeth ... spürt nichts mehr ... bei Gott ... weint den ganzen Tag und isst nicht ...

Noch acht Tage. Vater ist jetzt ... Fieber ... immer übel und kalt ... mag nichts essen ... in den Keller geschafft ... mir lieb ist, in meinen Kasten ... Bleibt nur noch dieses Buch ... in späteren Tagen, wenn die Welt wieder bei Verstand ... in diesem Hause ... getötet durch Verrat. Der Herr möge uns gnädig sein ... Amen.

Katherine ... 1665
   ... Mohn liegt ... Gold

Matilda saß da, die Seiten vor sich auf dem Tisch, die Hand vor den Mund gepresst. Ancroft, dort stand es schwarz auf weiß! Es mussten Lauras Vorfahren gewesen sein, die man bezichtigt hatte, die Pest im Haus zu haben. Das Haus war verschlossen worden, eine übliche Maßnahme, um die Ausbreitung der Seuche zu verhindern. Wenn sie es richtig deutete, hatte man die ganze Familie eingesperrt, bei erlöschendem Licht, mit schwindenden Vorräten. Zuerst war die Tochter Lucy gestorben, dann waren die Eltern erkrankt und letztlich auch Katherine, die das alles erzählte.

Und es war die Rede von Verleumdung, von jemandem, der der Familie übelwollte. Hatte dieser Jemand absichtlich das Gerücht gestreut, bei den Ancrofts sei die Pest ausgebrochen, als die alte Beth, vermutlich eine Dienstbotin, gestorben war? Hatte er die Ancrofts angezeigt, um die Familie zu vernichten? Der Verdacht war ungeheuerlich, doch die Worte, die die Jahre überdauert hatten, deuteten darauf hin.

Nun wurde Matilda einiges klar. Mit dem Kasten und dem, was er enthielt, hütete Laura die Geschichte ihrer eigenen Familie. Katherine war ein junges Mädchen gewesen, vermutlich in etwa so alt wie Laura jetzt.

Matilda stand auf. Sie war ganz steif und kalt gefroren und musste sich bewegen, um das Entsetzen abzuschütteln, das sie überkommen hatte. Es war eine grausame Geschichte, wenngleich lückenhaft und unvollständig.

Nachdem sie sich gefasst hatte, breitete sie die Abschrift aus und schlug ihr Notizbuch auf. Es war spät, doch sie würde nicht schlafen, bevor sie die wichtigsten Hinweise festgehalten hatte.

... still und bedrückt ... liebe Vater ... er hat recht ... Wahrheit sein? ... ganzen Familie ... Ancroft ... so etwas tun? ... kann mein Vater so irren ... der andere verleumdet ...

Wenn die ganze Familie in Folge der Verleumdung gestorben war – wer hatte dann überlebt und das Haus wiederaufgebaut?

Am interessantesten war dieser Teil: *Vater ist … einen Brief von ihm … Wuchersumme. … in der Kirche deponieren und an Anthony … ganzes Vermögen … Vater vertraut mir … nicht vor der Wahrheit … lebend herauskommen.*

Wer war Anthony? Ein Verwandter oder Freund der Familie? Sie las die Worte wieder und wieder, bis eine Idee in ihr keimte: Vielleicht hatte Katherines Vater jemanden bestochen, der gegen eine Wuchersumme einen Brief entgegengenommen und zu *der* Kirche gebracht hatte, wie Katherine schrieb, womit vermutlich die Gemeindekirche der Ancrofts gemeint war. Die Familie hatte wohl gehofft, dass der bewusste Anthony dort nachfragen und den Brief auf diesem Weg erhalten würde. *Ganzes Vermögen* – was mochte das sein? Stand in dem Brief, was daraus geworden war? Hatte der Vater es verkauft oder aus dem Haus geschafft?

Matilda dachte an den Kasten, der offenbar vor fast zweieinhalb Jahrhunderten von einem sterbenden Mädchen versteckt und von Laura wiedergefunden und erneut versteckt worden war.

Sie dachte an den Zettel – *ein Haus unter dem Haus* – und daran, was Fleming über die Architektur erzählt hatte. Ein tiefer Keller. Eine Mauer, die an den Friedhof grenzte.

Matilda war so aufgeregt, dass sie beim Schreiben die Tinte verschmierte. Sie wollte alle Fragen festhalten, bevor sie ihr entglitten.

– Wer ist Anthony?
– Welche Kirche ist gemeint?
– Worin besteht die Verbindung zu einem Apotheker?

- Worin besteht das Vermögen und was ist daraus geworden?
- Was bedeuten die rätselhaften Worte ganz am Ende?

Als sie endlich im Bett lag, versuchte sie, ihre rasenden Gedanken zu beruhigen. Sie schloss die Augen und drehte sich auf die Seite.

Doch kurz darauf schreckte sie wieder hoch. Eine verschwommene Erinnerung an eine Kellerwand, die sich nach außen wölbte, in der sich Risse und Spalten auftaten, durch die Erde drang und weiße Splitter, die wie Knochen aussahen.

Matilda setzte sich auf, trank ein Glas Wasser und wartete, bis ihr Herzschlag sich beruhigt hatte. Dann legte sie sich wieder hin, zog die Decke über den Kopf und versank endlich in einen erschöpften Schlaf.

Später Licht, das auf blonde Haare fiel und das Grau darin silbern schimmern ließ. Eine schlanke Hand, die temperamentvoll durch die Luft fuhr oder auf etwas zeigte, um Worte zu betonen. Und ein Mann, der beiläufig und ohne Selbstmitleid kundtat, dass zu Hause niemand auf ihn warte.

Matilda erwachte um halb zehn, als die Sonne blass durchs Fenster schien. Sie fühlte sich erstaunlich frisch, zog warme Socken und einen Pullover über und begann mit einem Brief an den Professor. Sie schrieb alles, was sie im Buch entziffert hatte, noch einmal sorgfältig ab und setzte ihre Fragen und Vermutungen darunter.

Dann endete sie mit den Worten:

Nächste Woche wird mich die Schule sehr beanspruchen, da unsere Shakespeare-Aufführung kurz bevorsteht. Aber schreiben Sie mir

bitte jederzeit, was Sie von meinen Gedanken halten. Ich freue
mich, von Ihnen zu hören.

    Herzliche Grüße,
    Matilda Gray

Als sie zum Frühstück hinunterkam, fand sie zwar den Tisch
gedeckt, das Zimmer zu ihrem Erstaunen jedoch leer vor. Sie
machte sich auf die Suche nach Sally, die einen Finger an die
Lippen legte und mit dem Kopf zum Arbeitszimmer deutete.

Matilda folgte ihr in die Küche.

»Mrs. Westlake wollte nicht frühstücken. Sie ist hineingegangen, hat die Tür zugemacht und ist seither nicht wieder
aufgetaucht. Nicht einmal Tee hat sie getrunken.«

Kurz darauf trug Matilda ein Tablett mit Kanne, Tassen,
Zucker und Milch zum Arbeitszimmer und klopfte.

»Herein.«

Mrs. Westlake saß im Morgenrock am Schreibtisch. Die
Haare, die sie gewöhnlich aufgesteckt trug, fielen ihr als Zopf
über den Rücken.

»Guten Morgen. Was ist denn los mit Ihnen? Was ist geschehen?«, fragte Matilda besorgt. Sie schenkte zwei Tassen
ein, reichte Mrs. Westlake eine davon, setzte sich in einen Oh-
rensessel und zog die Beine unter sich. Dann bemerkte sie,
dass die Augen der älteren Frau gerötet waren.

»Ich will nicht indiskret sein, aber Sie wollen nicht frühstücken und sehen aus, als hätten Sie geweint.«

Mrs. Westlake hielt ihr wortlos ein Blatt hin, das mit ihrer
Handschrift bedeckt war.

»Ein Nachruf?«

»Wilde ist tot.« Sie schluckte mühsam. »Es kommt nicht
überraschend, aber das ändert nichts an der himmelschreien-

den Ungerechtigkeit, dass er Queensberry nur um ein Jahr überlebt hat. Ein Bekannter schrieb mir aus Paris, er sei an einer Gehirnhautentzündung gestorben. Andere reden von Syphilis, aber ich halte nichts davon, sein Andenken weiter zu beschmutzen. Man hat einen Menschen vernichtet, das habe ich schon vor fünf Jahren gesagt und sage es noch heute.« Sie deutete auf den Nachruf. »Ich weiß nicht, ob irgendeine Zeitschrift ihn veröffentlicht. Die einen werden sich zieren, weil es um Wilde geht, die anderen, weil ich Heftromane schreibe.« In ihrer Stimme schwang leise Bitterkeit mit. Matilda hatte nie erlebt, dass Mrs. Westlake sich für ihre Arbeit schämte, sie hatte immer stolz betont, wie gern sie Menschen unterhalte. »Irgendwann kommt eine Zeit, in der man den Namen Oscar Wilde wieder mit Anerkennung und Bewunderung aussprechen wird. Aber ob ich sie noch erlebe?« Dann riss sie sich zusammen und schaute Matilda über die Tasse hinweg an.

»Verzeihen Sie, ich habe mich gehen lassen. Aber einen Rat möchte ich Ihnen geben: Wenn Sie Laura wiedersehen, sagen Sie ihr, sie soll vorsichtig sein. Für Frauen ist es leichter, solche Gefühle zu verbergen, sie nach außen hin in Freundschaft zu kleiden, aber ganz sicher können auch sie nicht sein, selbst wenn ihnen kein Prozess droht. Auch die gesellschaftliche Ächtung kann einen Menschen zerstören.«

So hatte Matilda ihre Vermieterin, diese ansonsten so lebenslustige, unkonventionelle, vor Ideen sprühende Frau, noch nie erlebt.

Die Frage war heraus, bevor sie richtig darüber nachdenken konnte.

»Meinen Sie etwa, es wäre klüger, wenn Laura ihren Vormund heiratet?«

Mrs. Westlake stieß einen Schrei aus, als ihr der heiße Tee

auf die Hand spritzte. Sie stellte die Tasse ab und wischte mit dem Handrücken über den Morgenrock, wobei sie heftig den Kopf schüttelte. »Natürlich nicht, niemals. Wenn das Mädchen so ist, wie Sie sagen, könnte es ihr Leben zerstören. Es war nur eine gut gemeinte Warnung. Ich bin sehr aufgewühlt.«

Matilda deutete auf die gerötete Hand. »Brauchen Sie etwas zum Kühlen?«

»Nein, es geht schon. Ich trinke jetzt zivilisiert meinen Tee und höre mir an, wie Sie den gestrigen Abend verbracht haben.«

Mrs. Westlake, die anfangs noch etwas zerstreut wirkte, wurde zunehmend aufmerksamer und lauschte bald mit großen Augen. »Mal im Ernst, meine Liebe«, sagte sie schließlich, »ich weiß nicht, ob mir das für Adela eingefallen wäre. Keine Sorge, ich nehme das Ganze sehr ernst. Ich will damit nur sagen, dass die Geschichte unerhört ist, grausam und unmenschlich. Mir wird ganz kalt bei dem Gedanken.«

Matilda dachte an den wirren Traum, in dem sich der Friedhof in den Keller zu ergießen drohte. Der Gedanke an ein Haus, vernagelt und bewacht, die Bewohner krank und verzweifelt, konnte einen bis in den Schlaf verfolgen.

»Was mag Laura darüber wissen?«

Sie zuckte mit den Schultern. »Wäre sie hier in England, würde ich alles in Bewegung setzen, um mit ihr zu sprechen. Ich habe so viele Fragen! Doch solange sie mit diesem Mann im Ausland bleibt, können wir nur eigene Antworten finden.«

Mrs. Westlake stellte die Tasse ab und erhob sich. »Ich danke Ihnen für den Tee und dass Sie mich abgelenkt haben. Wollen wir jetzt endlich frühstücken? Das haben wir uns verdient.«

22

In den ersten Tagen der neuen Woche fand Matilda keine Zeit, um weiter nachzuforschen. Die letzten Proben vor der Schulaufführung standen an, und es blieb viel zu tun. Die Kulissen waren nicht fertig, einige Kostüme wurden geändert, nachdem zwei Mädchen krank geworden waren und Zweitbesetzungen einspringen mussten. Zum Glück waren die Schülerinnen so enthusiastisch, dass Matilda keine Katastrophe zu befürchten hatte. Viele Eltern und Verwandte wurden zur Vorstellung erwartet, und Miss Haddon hatte deutlich erklärt, dass es um das Ansehen der Schule ging.

Wenn sie heimkam, war sie so müde, dass sie nach dem Essen nur noch ein Glas Port mit Mrs. Westlake trank und dann in ihr Zimmer ging. Sie bereitete rasch den Unterricht vor, überflog die Notizen, die sie sich bei den Proben gemacht hatte und fiel danach in einen tiefen Schlaf, in dem sie keine bösen Träume heimsuchten.

Am Mittwoch, dem Tag vor der Aufführung, meldete sich Claire, eine eher stille Schülerin, im Englischunterricht. Sie hatte die Hand nur halb erhoben, und Matilda bemerkte erst auf den zweiten Blick, dass das Mädchen etwas sagen wollte.

»Ja, bitte, Claire?«

»Ich … ich habe eine Frage.« Sie schaute sich zögernd in der Klasse um und senkte dann den Blick.

»Was ist denn?«, fragte Matilda freundlich nach.

Claire zuckte mit den Schultern. »Ach, es … hat sich schon erledigt. Verzeihung, Miss Gray.«

Matilda ging die Sache nicht aus dem Kopf, und nachdem die Glocke ertönt war, trat sie vor das Pult des Mädchens. »Möchtest du mir etwas unter vier Augen sagen?«

Claire sah rasch nach links und rechts und nickte dann. Also gingen sie zusammen nach vorn ans Lehrerpult, wo Matilda sich anlehnte und die Arme verschränkte. »Bitte.«

»Es geht um Oscar Wilde. Mein älterer Bruder hat mir vor Jahren ein Buch von ihm geliehen. Jetzt würde ich gern mehr von ihm lesen, aber meine Eltern haben es verboten. Oder sie würden es verbieten, wenn ich sie danach fragte. Aber es hat mir so gut gefallen, und ich möchte die Theaterstücke lesen und die Gedichte …« Die Worte sprudelten nur so aus Claire heraus, und Matilda war heilfroh, dass sie inzwischen allein im Klassenzimmer waren.

»Ich kann dir nichts von ihm leihen, das wirst du verstehen. Wenn deine Eltern es nicht wünschen, darf ich mich dem nicht widersetzen.«

Claire nickte, konnte ihre Enttäuschung aber nicht verbergen.

Matilda erinnerte sich daran, was Mrs. Westlake erst vor wenigen Tagen zu ihr gesagt hatte, und wiederholte es nun. »Irgendwann kommt eine Zeit, in der man den Namen Oscar Wilde wieder mit Anerkennung und Bewunderung aussprechen wird. Bis dahin solltest du vorsichtig sein und klug vorgehen.«

Sie überlegte, ob sie zu viel gesagt hatte. Andererseits widerstrebte es Matilda, die jungen Mädchen immer nur zur Fügsamkeit zu mahnen. »Natürlich hindert dich nichts daran, deinen Bruder zu fragen, ob er noch mehr Bücher von ihm besitzt«, sagte sie augenzwinkernd. »Und es gibt öffentliche Bibliotheken. Ich verlasse mich allerdings auf deine Diskretion«, fügte sie hinzu, worauf Claire heftig nickte, einen Dank stammelte und den Klassenraum verließ.

Matilda blieb nachdenklich zurück. Manchmal kam sie sich unehrlich vor. Sie wollte den Mädchen helfen unabhängig zu werden und für sich selbst zu denken, und musste sie doch immer wieder zu Vorsicht und Zurückhaltung mahnen. Wenn nicht gar dazu, sich zu verstellen. Sie träumte von einer Schule, in der sie alle Fragen beantworten durfte, die man ihr stellte, und wo man nicht hinter vorgehaltener Hand über gewisse Themen sprechen musste. In der sie nicht immer wieder an Grenzen stieß, die nur der Konvention geschuldet waren.

Die Schule war festlich erleuchtet, vor dem Eingang hatte man einen Teppich ausgerollt und mit Rosen bestreut. Die Idee stammte von Miss Haddon, und es war sehr hübsch anzusehen, wenngleich Matilda daran denken musste, dass im Stück durch die Bemerkung, Frauen seien wie Rosen, auf deren Vergänglichkeit hingewiesen wurde. Nun, man hatte ihr nicht in die Regie hineingeredet, und folglich würde sie jetzt auch nichts zu den Dekorationen der Schulleiterin sagen.

Jene Familien, die nicht in London wohnten, nutzten den Anlass für eine Reise in die Metropole, und es wurden eilig weitere Stühle herbeigeschleppt, da mehr Gäste als erwartet herbeiströmten. Die Damen trugen keine ganz großen Roben wie in der Oper, hatten sich aber festlich gekleidet, um ihren Töchtern Ehre zu machen.

Während Sekt gereicht wurde, wanderte Miss Haddon umher und begrüßte die Familien persönlich. Sie strahlte eine gelassene Würde aus und schien ganz in ihrem Element, während Matilda ein wenig nervös war. Hoffentlich ging alles gut, die Mädchen hatten neben ihren Schulaufgaben hart dafür gearbeitet.

Der Theatersaal war mit Tannenzweigen geschmückt, die vorweihnachtliche Stimmung verbreiteten. Vielleicht hätten wir das Wintermärchen spielen sollen, dachte Matilda, als sie sich hinter die Bühne begab. Aber nein, *Was ihr wollt* war eine gute Wahl. Das hintergründige Spiel mit den Geschlechterrollen hatte ihr immer gefallen, und dass in einer Umkehrung dessen, was zu Shakespeares Zeit üblich war, alle Rollen von Mädchen gespielt wurden, befriedigte sie ungemein.

Hinter der Bühne herrschte aufgeregtes Flüstern und Gewimmel.

»Ruhe bitte.« Sie sprach nicht laut, doch ihr Ton ließ alle innehalten. »Wir fangen gleich an. Der Saal ist voll, einige Herren müssen sogar stehen.« Jenseits des Vorhangs hörte man Stühle, die über den Boden scharrten, Rascheln von Papier und raunende Stimmen. »Mary, wenn du den Malvolio so spielst wie bei den letzten Proben, kannst du in dieser Schule Geschichte schreiben. Das gilt im Übrigen für euch alle – zeigt, was ihr in den vergangenen Monaten geleistet habt. Lasst Shakespeares Worte leben. Also – Hals- und Beinbruch!«

Mit diesen Worten trat sie beiseite und gab Miss Haddon ein Zeichen, die einige Worte zur Begrüßung sprach. Als es im Saal still und dunkel war, hob sich der Vorhang.

Es wurde ein verzauberter Abend. Selbst das, was zuvor Mühe bereitet hatte und nie glatt gelaufen war, gelang und fügte sich zu einem Ganzen. Annes Soli auf der Violine erhielten Szenenapplaus, ebenso alle Szenen, in denen Mary Clutterworth als Malvolio auftrat. Kostüme und Maske waren so geglückt, dass sich die Grenzen der Geschlechter reizvoll verwischten.

Matildas Stolz wuchs mit jeder Szene, und am Ende konnte sie kaum an sich halten, als der Saal in Applaus und Bravorufe ausbrach. Sie stand am Rand der Bühne hinter dem Vorhang, als Mary plötzlich zu ihr kam und ihr die Hand entgegenstreckte. Matilda zögerte, doch die anderen Mädchen drehten sich zu ihr um und riefen sie herbei. Sie wurde sanft in die Mitte geschoben, die Schülerinnen bildeten einen Halbkreis um sie, und sie verbeugte sich, wobei ihr die Röte ins Gesicht stieg.

Als sich der Applaus gelegt hatte, sagte sie: »Ich danke Ihnen allen, dass Sie heute Abend gekommen sind. Ich bin sehr stolz auf das, was unsere Mädchen geleistet haben, und möchte ihnen herzlich gratulieren.« Dann nannte sie noch einmal die Namen, und die Darstellerinnen traten einzeln vor und verbeugten sich. Sie dankte Lucy, die die Kostüme genäht hatte, und Ellen und Claire, die mithilfe eines Schreiners an den Kulissen gearbeitet hatten. Zuletzt deutete sie auf Anne.

»Und ich danke Anne, die neben ihrem vielen Üben Zeit gefunden hat, uns musikalisch zu begleiten.«

Anne wurde rot und verbeugte sich mit der Violine in der Hand.

Bald darauf verließen alle übermütig die Bühne, um sich von ihren Familien beglückwünschen zu lassen und die Erfrischungen zu genießen.

Matilda hatte zwei kleine Sandwiches gegessen und ein Glas Wein getrunken, während sie immer wieder Glückwünsche entgegennahm. Miss Haddon warf ihr einen anerkennenden Blick zu, und die Kolleginnen fanden herzliche Worte für die Aufführung. Als sie gerade einen Moment allein dastand und in die Runde schaute, berührte jemand sie am Arm.

Eine dunkelhaarige Frau mit müden Augen, die aussah, als sei sie gerade von einer langen Krankheit genesen, lächelte sie freundlich an. »Mein Name ist Ormond-Blythe, ich bin Annes Mutter.«

Matilda gab ihr die Hand. »Es freut mich sehr, Sie kennenzulernen, Mrs. Ormond-Blythe.«

Sie spürte, wie die Frau zögerte und dann zur Tür schaute. »Hätten Sie einen Augenblick Zeit? Ich würde gern allein mit Ihnen sprechen.«

»Gewiss.« Matilda stellte ihr Glas auf einen Tisch und führte Annes Mutter in einen Flur, in dem es ruhiger und kühler war als im Vorraum des Theatersaals. In einer Ecke standen zwei Sessel. »Bitte, nehmen Sie Platz.«

Mrs. Ormond-Blythe setzte sich und strich ihr Kleid glatt. Dann beugte sie sich ein wenig vor, als fürchtete sie, jemand könne sie hören. »Ich möchte mich bei Ihnen bedanken, Miss Gray.«

»Wofür?«

Annes Mutter holte tief Luft. »Anne ist ein sehr stilles Mädchen, wie Sie sicher wissen. Sie neigt dazu, sich mit ihrer Geige zurückzuziehen, sich ganz in ihre Welt zu verkriechen, was ich bedauere. Natürlich besitzt sie ein besonderes Talent, das wir auch fördern, aber es macht mich traurig, meine Tochter so oft allein zu sehen.« Sie räusperte sich. »Als ich erfuhr, dass Laura nicht mehr in der Schule ist, war ich in großer Sorge um Anne. Laura ist ihre einzige enge Freundin. Daher freut es mich umso mehr, dass Sie ihr diese Aufgabe übertragen haben.«

»Ich habe Anne darum gebeten, weil sie am begabtesten ist. Keine andere Schülerin hätte die Stücke so schnell lernen und so souverän vortragen können. Es freut mich, dass ich, ohne es zu wissen, etwas Gutes bewirkt habe, aber der Dank gebührt nicht mir. Sie können stolz auf Ihre Tochter sein, Mrs. Ormond-Blythe.«

Die Mutter lächelte, schien aber noch etwas auf dem Herzen zu haben, denn sie machte keine Anstalten, sich zu erheben. »Ich … mein Mann hat gesagt, ich soll nicht darüber sprechen, aber Anne vertraut Ihnen, das merke ich ihren Briefen an. Darum wende ich mich an Sie, Miss Gray.« Sie hielt inne, als zweifele sie doch an ihrer Entscheidung, gab sich dann aber einen Ruck. »Wissen Sie etwas über Laura Ancroft? Es steht mir nicht an, nach einer Schülerin zu fragen, aber ich weiß, dass Anne sie schrecklich vermisst. Laura hat mehrmals die Sommerferien bei uns in Hampshire verbracht, sie ist ein so fröhliches, lebenslustiges Mädchen! Wenn sie da war, sprang etwas von ihrer Munterkeit auf Anne über. Anne hat keine Post von Laura erhalten, nicht einen einzigen Brief, seit sie im Ausland ist. Das erscheint mir seltsam.«

Matildas Herz schlug heftig. Es gab also doch noch Menschen außer ihr, die Interesse an Laura hatten und Zweifel über diese Reise hegten.

»Mrs. Ormond-Blythe, ich befinde mich in einer heiklen Lage.« Nun schaute sich auch Matilda um, ob sie wirklich ungestört waren. »Ich mache mir Sorgen um Laura, seit ich erfahren habe, dass sie vermutlich nicht nach Riverview zurückkehrt. Sie ist eine sehr begabte Schülerin, die ein Studium an einer Universität anstrebte. Daher erschien es mir zunächst undenkbar, dass sie ihre Ausbildung hier einfach aufgeben würde. Meine Kolleginnen teilen diese Zweifel jedoch nicht, und dem muss ich mich fügen. Dennoch behalte ich mir vor, auf Lauras Rückkehr zu hoffen, auch wenn es noch so unwahrscheinlich sein mag.«

Annes Mutter nickte und schaute auf ihre Hände, die sie im Schoß verschränkt hatte. »Sie ist ein besonderes Mädchen, wie unsere Anne, aber auf andere Weise. Sie hat ein gewinnendes Wesen und geht mühelos auf andere zu. Und wissen Sie, was ich an ihr bewundere? Ihren Lebensmut trotz ihres schweren Schicksals. Der Tod ihrer Eltern war eine furchtbare Tragödie. Sie hat mir einmal davon erzählt, als Anne mit ihrem Vater unterwegs war. Es schien ihr ein Bedürfnis zu sein, sich mir anzuvertrauen. Einer Mutter.«

Matilda hörte atemlos zu. »Was hat Sie Ihnen erzählt?«

»Wie sie davon erfahren hat. Sie war mit ihrer Gouvernante in London, in dem Haus, das sie gern als ›dunklen Kasten‹ bezeichnete. Anne tadelte sie einmal, weil es doch ein so prächtiges Haus sei, doch Laura schien es nicht zu mögen. Sie sagte, es sei auf einem schwarzen Fundament gegründet, wollte aber nicht erklären, was sie damit meinte. Es klang, als habe es eine düstere Geschichte. Nun, jedenfalls war sie in diesem Haus, während ihre Eltern wie so häufig aufs Land gefahren waren. Sie empfingen dort Künstler und Freunde, da hätte ein junges Mädchen wohl nicht hingepasst.«

Matilda hörte einen leisen Vorwurf heraus.

»Doch ich bin dankbar, dass sie an jenem Wochenende allein in London blieb, sonst wäre sie womöglich auch gestorben … Am Tag, nachdem die Eltern abgereist waren, kam ihr Anwalt, mit dem diese auch privat befreundet waren, zu Laura nach Hause. Sie merkte sofort, dass etwas nicht stimmte, doch die Gouvernante schickte sie zunächst in ihr Zimmer. Erst eine halbe Stunde später durfte sie nach unten kommen, stellen Sie sich das vor! Mr. Easterbrook sei jetzt ihr Vormund und vertrete ihre Eltern, verkündete die Gouvernante. Er selbst zeigte sich wohl freundlicher, ging mit ihr in den Garten und berichtete so behutsam wie möglich, was geschehen war. Man kann von Glück sagen, dass Laura ihn bereits kannte, sodass kein völlig Fremder in ihr Leben trat.«

»Dennoch muss es ein furchtbarer Schock gewesen sein. Und ich habe den Eindruck, dass das Verhalten der Gouvernante zu wünschen übrig ließ. Sicher war es gut, dass Laura bald darauf in unsere Schule kam, sie schien sich hier sehr wohlzufühlen. Sind Sie Mr. Easterbrook persönlich begegnet?«

»Er hat sie einmal bei uns abgeholt, am Ende der Ferien.«

»Darf ich fragen, wie Sie ihn empfunden haben? Ich kenne ihn nur vom Sehen.«

»Er ist ein sehr zuvorkommender Herr.«

Matilda dachte daran, wie anders Anne über den Vormund gesprochen hatte. »Das beruhigt mich. Ich war überrascht, als ich erfuhr, dass Laura mit einem Herrn auf Reisen geht, aber bislang habe ich nur Gutes über ihn gehört.«

Mrs. Ormond-Blythe nickte. »Er ging im Hause Ancroft ein und aus, war mit den Eltern eng befreundet. Ein Glück, dass er an jenem Wochenende nicht bei ihnen auf dem Land war, sonst wäre Laura ganz allein zurückgeblieben.«

»Gehörte er auch zu dem Kreis, der sich dort traf?«, fragte Matilda interessiert. »Ich dachte, dort hätten nur Künstler verkehrt.«

»Lauras Eltern betrachteten sich als Mäzene und förderten junge Künstler, doch es kamen wohl auch andere Bekannte dazu, erzählte Laura, darunter ihr Anwalt Mr. Easterbrook. Mr. Ancroft selbst war auch kein Künstler, sondern Kaufmann. Heutzutage vermischt sich das in der Gesellschaft, was ich persönlich nicht bedauere. Unsere Töchter haben Möglichkeiten, die uns damals verwehrt waren.«

Matilda dachte an Anne, die ihr Herz und ihren Willen daransetzte, Musikerin zu werden. Sie konnte sich glücklich schätzen, eine so weltoffene Mutter zu haben.

»Warum lächeln Sie, Miss Gray?«

»Ich dachte nur, wie gut Anne es angetroffen hat, dass sie sich auf ihre Mutter verlassen kann. Sie arbeitet mit großem Fleiß auf ihre Prüfung hin. Zu wissen, dass ihre Familie sie unterstützt, ist eine große Hilfe.«

Mrs. Ormond-Blythe strich ihren tadellos sitzenden Rock glatt. »Es hat ein wenig Mühe gekostet, meinen Mann davon zu überzeugen. Aber Annes erster Violinlehrer hat mich dabei unterstützt. Vielleicht fällt es Vätern schwerer, ihren Töchtern einen eigenen Willen zuzugestehen, als den Müttern, die selbst unter vielen Einschränkungen zu leiden hatten.«

Noch nie hatte eine Mutter ihrer Schülerinnen sich so unverblümt geäußert, und Matilda spürte eine plötzliche Verbundenheit mit dieser Frau. »Es ist nach wie vor nicht einfach für junge Mädchen, ihren Weg zu finden, aber es gibt Hoffnung. Und ich als Lehrerin versuche dazu beizutragen. Darum hat es mich persönlich sehr betrübt, Laura als Schülerin zu verlieren.«

»Ich hoffe sehr, und nicht nur für Anne, dass Laura nach Riverview zurückkehrt. In der Zeitung stand kürzlich eine Gesellschaftsnotiz, in der sie und Mr. Easterbrook erwähnt wurden.« Sie zögerte und schaute Matilda fragend an. »Es geht mich nichts an, aber ich würde es bedauern, wenn einträte, was dort angedeutet wurde. Sie ist noch so jung.«

»Ich weiß, wovon Sie sprechen, und stimme Ihnen zu.«

»Louise, ich habe schon nach dir gesucht!«

Mrs. Ormond-Blythe drehte sich um, als ein großer, kräftig gebauter Mann mit blondem Schnurrbart auf sie zukam. Er verbeugte sich knapp vor Matilda. »Major Ormond-Blythe, sehr erfreut.«

»Das ist Miss Gray, Annes Lehrerin, von der sie so oft spricht.«

Er gab Matilda die Hand und lächelte. »Verzeihen Sie den militärischen Ton, den wird man nie wieder ganz los. War mir ein Vergnügen. Erstklassige Aufführung, habe mich prächtig unterhalten.«

Matilda spürte, dass das vertrauliche Gespräch vorbei war, und verabschiedete sich von dem Major und seiner Frau. Als sich die Blicke der beiden Frauen begegneten, war es, als hätten Matilda und Mrs. Ormond-Blythe einen Bund geschlossen.

Matilda ging beschwingt zur Bahn. Es gab vollkommene Tage, an denen einfach alles gelang, und dies war einer von ihnen. Sie hatte nur lobende und freundliche Worte gehört, und die Mädchen hatten ihr einen Blumenstrauß überreicht, den sie in einer Vase auf den Schreibtisch gestellt hatte. Doch die eigentliche Überraschung war Mrs. Ormond-Blythe gewesen. Sie hatte nicht damit gerechnet, an diesem Abend etwas über Laura zu erfahren, geschweige denn, einen Menschen zu treffen, der dachte wie sie.

Die Bahn war leer, und Matilda konnte ungestört ihren Gedanken nachhängen. Etwas geisterte durch ihren Kopf, eine Erinnerung an das Gespräch mit Mrs. Ormond-Blythe, doch sie entglitt ihr immer wieder. Es hatte mit dem abgebrannten Haus zu tun, das wusste sie. Was war es nur gewesen?

Als sie in Chelsea ausstieg, war es ihr noch immer nicht eingefallen.

Der Abend war kalt, aber trocken, und Matilda entschied,

dass ihr ein Fußmarsch guttun würde. Auf der King's Road herrschte kaum Verkehr, nur wenige Passanten waren unterwegs. Sie zog die Schultern hoch, weil ein scharfer Wind durch die Straße pfiff und letzte Blätter vor sich hertrieb.

Wie so oft fragte sie sich, was Laura gerade machte, ob sie noch in Griechenland war und an Orte reiste, die sie sich in ihrer Fantasie ausgemalt hatte. Vielleicht auf die Insel Lesbos, auf der Sappho gelebt hatte? Sie zu besuchen wäre sicher ganz nach Lauras Herzen, doch schien es fraglich, ob sie den Ort genießen konnte, wenn Mr. Easterbrook sie begleitete. Dorthin müsste sie mit einer Freundin reisen, nicht mit ihrem Vormund.

Dem Vormund, der zuvorkommend und stets zur Stelle war, wenn man ihn brauchte, der selbstlos die Verantwortung für ein verwaistes Mädchen übernommen und sogar die Lehrerinnen in Riverview bezaubert hatte.

Aber auch der Vormund, dem Laura offenkundig aus dem Weg gegangen war, der ihr Leben lenken wollte und vor dem sie sich zu fürchten schien.

Matilda wäre fast an der Beaufort Street vorbeigelaufen. Sie machte kehrt und bog in ihre stille Straße, ging jetzt aber langsamer, weil sie den Gedanken noch zu Ende führen wollte. Kurz vor dem Haus blieb sie stehen, als sie begriff, was sie die ganze Zeit gestört hatte.

Mit wenigen Schritten war sie an der Tür und drehte energisch den Schlüssel herum. Sie wusste, was sie gleich morgen unternehmen würde.

Mrs. Westlake empfing sie mit einer Flasche Champagner, die in einem Eiskübel stand. Sie stand auf und winkte mit zwei Gläsern. »Und, gibt es Grund zum Anstoßen, meine Liebe?«

Matilda lächelte. Sie war müde nach dem ereignisreichen Tag, wollte ihrer Vermieterin aber nicht die Freude nehmen.

»Ja, es war eine überaus gelungene Vorstellung. Und ich bin stolz auf die Mädchen. Außerdem hatte ich ein interessantes Gespräch mit einer Mutter, aber das erzähle ich Ihnen morgen.« Sie ließen die Gläser aneinanderklirren und tranken.

Matilda spürte bald, wie ihr der Champagner zu Kopf stieg, da sie kaum etwas gegessen, in der Schule aber schon Wein getrunken hatte.

»Sie sehen aus wie eine Katze, die Milch geleckt hat«, zog Mrs. Westlake sie auf.

»Ich habe den Mädchen viel Freiheit gelassen, und sie wurden dafür belohnt statt gescholten. Das kommt selten vor.«

»Dann haben Sie nun endlich wieder Zeit für Ihre Nachforschungen. Und Ihren Professor.«

Matilda schaute Mrs. Westlake strafend an. »Er ist nicht ›mein‹ Professor. Und Sie tun geradezu, als hätte ich ihn vernachlässigt. Er ist ein erwachsener Mann, der sehr gut ohne mich zurechtkommt.«

»Dennoch hat er Ihnen geschrieben. Der Brief liegt im Flur«, erwiderte die Vermieterin selbstzufrieden.

»Ich nehme an, er hat etwas herausgefunden, das er mir mitteilen möchte«, sagte Matilda betont beiläufig, obwohl sie den Brief am liebsten sofort gelesen hätte.

»Davon gehe ich aus«, erwiderte die ältere Frau augenzwinkernd.

Matilda verdrehte heimlich die Augen. Ab und zu war Mrs. Westlakes frivole Art anstrengend. Doch die nächsten Worte ließen sie aufhorchen.

»Er hat ihn persönlich abgegeben.«

Matilda merkte, wie ihr die Hitze in die Wangen stieg. »Vielleicht war er zufällig in der Gegend.«

Mrs. Westlake stellte ihr Glas ab und sah Matilda an. Sie war plötzlich ernst geworden. »Ich bin überzeugt, er ist eigens hergekommen, um Sie zu sehen. Der Brief war nur ein Vorwand.«

»Wie kommen Sie auf die Idee?«

»Weibliches Gespür, meine Liebe. Sally hat ihn hereingeführt, und ich habe auf seine Augen geachtet, als ich ihm sagte, Sie seien nicht da. Es war nur ein Moment, und er wollte es vor mir verbergen, aber er war enttäuscht.«

Matilda schaute zur Tür. Sie war nicht mehr nüchtern und wollte in diesem Zustand nicht darüber sprechen. Sie wollte am liebsten gar nicht darüber sprechen. Mrs. Westlake war eine unverbesserliche Romantikerin, die überall Gefühle sah und Geschichten daraus wob. Ob sie der Wirklichkeit standhielten, war eine ganz andere Frage.

»Jetzt habe ich Sie verlegen gemacht. Verzeihen Sie.« Die ältere Frau lächelte. »Ich dachte nur, Sie wüssten es gern.«

»Danke.« Matilda stellte ihr Glas ab und erhob sich, wohl wissend, dass Mrs. Westlake glauben könnte, sie sei gekränkt. »Es war wirklich ein langer Tag. Ich sollte besser schlafen gehen.«

»Tun Sie das. Ich hoffe, Sie sind mir nicht böse.« Ihr Blick war so entwaffnend, dass auch Matilda lächeln musste.

»Nie länger als eine Minute, Mrs. Westlake. Gute Nacht.«

Im Flur nahm sie den Brief – hellgraues Papier, dunkelblaue Tinte – von der Ablage und ging damit nach oben. Sie setzte sich in den Sessel und öffnete ihn.

Liebe Miss Gray,

ich hoffe, es geht Ihnen gut und die Aufführung wird ein Erfolg.

Weiterhin hoffe ich, dass die Aufzeichnungen Sie nicht zu sehr beunruhigt haben. Ich stimme Ihnen in allen Schlussfolgerungen zu und beglückwünsche Sie zu der ausgezeichneten Arbeit.

Die Vorstellung, dass eine ganze Familie samt ihren Dienstboten in einem Haus eingeschlossen und dem Tod preisgegeben wurde, ist erschütternd. Dass es womöglich den Vorfahren eines Mädchens passiert ist, das Sie persönlich kennen, mag noch erschütternder sein, selbst wenn das Ereignis lange zurückliegt. Natürlich wissen wir nicht, ob es sich tatsächlich um dieselbe Familie handelt, aber es spricht einiges dafür.

Ich werde versuchen zu ermitteln, wem das Haus gehört hat, das früher auf dem Grundstück stand. Vielleicht finde ich auch eine weitere Verbindung zu Robert Hooke, der ja wiederholt in der Geschichte auftaucht. Sobald es Neuigkeiten gibt, hören Sie von mir.

Und ich würde mich freuen, wenn Sie es ebenso hielten.

Mit den besten Grüßen,

Stephen Fleming

Matilda ließ das Blatt in den Schoß sinken. Hatte Mrs. Westlake recht gehabt? Für diesen Brief hätte der Professor nicht eigens nach Chelsea fahren müssen. War er also doch wegen ihr gekommen, in der Hoffnung, sie nach der Aufführung zu sehen? Sie spürte ein warmes Gefühl im Bauch. Und er hatte sie zum ersten Mal mit »Liebe Miss Gray« angesprochen.

Lächelnd faltete sie das Blatt und schob es wieder in den Umschlag.

23

»Mr. Marsden? Ich hoffe, Sie erinnern sich an mich. Sie haben mir schon einmal geholfen.«

Der Journalist sah aus, als hätte er seit Tagen nicht geschlafen, lächelte sie aber freundlich an. »Selbstverständlich erinnere ich mich. Miss Gray, nicht wahr? Hierher verirren sich selten junge Damen, zumal nach Einbruch der Dunkelheit. So etwas vergesse ich nicht.« Er deutete auf einen Stuhl. »Möchten Sie einen Tee?«

»Nein danke.« Sie legte Schal und Handschuhe auf ihren Schoß. »Ich werde Sie nicht lange aufhalten.«

Marsden lachte und trank etwas Bernsteinfarbenes, das verdächtig nach Whisky aussah. Er bemerkte ihren Blick und zuckte mit der gesunden Schulter. »Ich kann nicht noch mehr Kaffee trinken und muss mich irgendwie wachhalten. Die anstehende Wahl, die Berichte aus Südafrika, das hält mich schön auf Trab. Ich sitze schon seit heute Morgen um neun hier.« Als er ihren Blick bemerkte, fügte er hinzu: »Ihr Besuch ist eine willkommene Ablenkung. Nur zu, was kann ich für Sie tun?«

»Beim letzten Mal war ich wegen des Brandes in Kent hier, bei dem ein Ehepaar ums Leben kam.« Auf sein Nicken hin fuhr sie fort: »In dem Jahresband, den Sie mir gezeigt haben, habe ich keine weiteren Artikel über das Unglück gefunden. Dürfte ich mir den Band für das folgende Jahr einmal ansehen?«

»Gewiss.«

Matilda wäre am liebsten aufgestanden und hätte das schwere Buch mit der Aufschrift 1897 selbst aus dem Regal genommen, wollte den Journalisten aber nicht kränken. Also sah sie zu, wie er eine Trittleiter heranzog, trotz seines krummen Rückens mühsam hinaufstieg und den Band aus dem Regal nahm. Er wischte darüber und legte ihn auf den Schreibtisch.

»Bitte, Miss Gray. Nehmen Sie sich alle Zeit, die Sie brauchen. Ich hole mir kurz etwas zu essen.«

Er zog sein Jackett über und verschwand im dunklen Flur.

Matilda begann im Januar, und wie es das Glück wollte, wurde sie schon im Februar fündig.

Ermittlung in Brandunglück abgeschlossen

Nach dem Brand eines Cottages in Cranbrook, Kent, bei dem im vergangenen Oktober der Londoner Kaufmann George Ancroft und seine Ehefrau Violet ums Leben kamen, wurde die Untersuchung gestern abgeschlossen.

Man hatte einen Brandinspektor der Metropolitan Fire Brigade hinzugezogen, um eindeutig zu klären, ob es sich um Brandstiftung handeln könne. Mr. Lewis Carpenter, der Fachmann, untersuchte die verkohlten Überreste des Hauses aus dem 16. Jahrhundert und gab zu Protokoll, das Feuer habe ungehindert wüten können, da es sich um ein Fachwerkhaus handelte. Das Ehepaar habe sich vermutlich im ersten Stock aufgehalten und sei im Schlaf vom Rauch überrascht worden, sodass sich die Opfer nicht durch einen Sprung aus dem Fenster retten konnten.

Hinweise auf eine Brandstiftung hätten sich nicht ergeben. Man müsse jedoch einschränkend sagen, dass Feuerwehr und Helfer an der Unglücksstätte mögliche Spuren verwischt hätten. Der Boden sei zertrampelt und von den Rädern des Löschwagens zerfurcht worden, sodass keine verwertbaren Fußabdrücke zurückgeblieben seien. Dies sei dem Versuch geschuldet, Menschenleben zu retten, und daher verständlich.

Utensilien, die auf eine Brandstiftung hindeuteten, habe man weder in den Überresten des Hauses noch im Garten oder dem angrenzenden Wald gefunden.

Die Polizei gelangte zu dem Schluss, es habe sich vermutlich um einen Unglücksfall gehandelt, ausgelöst durch Funken des Kamin- oder Herdfeuers.

Wie wir bereits berichteten, hinterlässt das Ehepaar eine Tochter. Mr. Charles Easterbrook, ein Anwalt aus London, der an jenem verhängnisvollen Wochenende verhindert war und somit den Flammen entging, wird sich des verwaisten Mädchens annehmen. Er ist im Ort bekannt, da er häufiger zu Gast bei den Ancrofts weilte, und drückte der Lokalzeitung gegenüber seine Erleichterung aus. Nachdem die Untersuchung abgeschlossen sei, könne er die Vormundschaft antreten und »für die sichere Zukunft des Mädchens und dessen seelisches Wohl« sorgen.

Matilda las den Artikel zweimal. Etwas ließ ihr keine Ruhe, erinnerte sie an das Gespräch mit Mrs. Ormond-Blythe. Sie stützte nachdenklich den Kopf in die Hand und überflog noch einmal die eng gedruckten Zeilen. Und dann fügten sich drei Sätze wie von selbst zusammen:

Der an jenem verhängnisvollen Wochenende verhindert war, stand hier zu lesen.

Ein Glück, dass er an jenem Wochenende nicht bei ihnen auf dem Land war, sonst wäre Laura ganz allein zurückgeblieben, hatte Mrs. Ormond-Blythe gesagt.

Dazu ein Satz aus dem Zeitungsartikel vom Oktober: Man könne von Glück sagen, dass die Wochenendgäste noch nicht eingetroffen waren, sonst wären möglicherweise noch weitere Opfer zu beklagen gewesen.

Es war einfach zu perfekt. Der befreundete Familienanwalt war fürs Wochenende eingeladen, aber verhindert und somit nicht zugegen, als das Feuer ausbrach. Er hatte die Vormundschaft übernommen, obwohl die Kanzlei, wie Matilda von seinem Vater erfahren hatte, keine Vormundschaften anbot. Und nun konnte er seine Mandanten monatelang dem Vater überlassen, da sein Mündel erkrankt war und zur Erholung nach Italien und Griechenland reisen musste.

Als die Tür aufging und Mr. Marsden mit einer Papiertüte hereinkam, die stark nach Bratfett roch, drehte Matilda sich um.

»Ich danke Ihnen. Sie haben mir auch diesmal sehr geholfen.«

Er ließ sich ächzend auf dem Stuhl nieder und öffnete die Tüte. »Sie gestatten?«

»Natürlich.«

Er wickelte zwei Bratwürste aus und legte sie auf einen Teller, den er in der Schreibtischschublade aufbewahrte. »Es ist ja nicht so, als hätte ich gar keine Kultur.«

Sie musste lachen. »Guten Appetit. Darf ich Ihnen noch eine Frage stellen?«

Er nickte auffordernd, während er kaute.

»Wissen Sie etwas über die Kanzlei Easterbrook & Vine in der Chancery Lane? Es können auch private Dinge sein, Klatsch, gesellschaftliche Ereignisse. Mich interessiert alles, was mit den Easterbrooks zu tun hat.« Dann hielt sie abrupt inne. »Ich muss Sie allerdings bitten, meine Frage diskret zu behandeln.«

Diesmal war er es, der lachte. »Meine werte Miss Gray, gewöhnlich warnt man Journalisten, *bevor* man ihnen etwas anvertraut, nicht danach. Aber für Sie will ich eine Ausnahme machen. Lassen Sie mich zu Ende essen und dabei überlegen.«

Es war geradezu absurd, in diesem Büro zu sitzen und einem Mann zuzusehen, wie er zwei Würste aß, doch Matilda nahm es mit stoischer Ruhe.

Als er fertig war, wischte er sich Mund und Hände gründlich ab, zerknüllte die Tüte und warf sie überraschend geschickt in den Papierkorb. »So. Easterbrook, Vater und Sohn, nicht wahr? Spezialisiert darauf, angesehene Familien in allen Belangen zu vertreten. Testamente, geschäftliche Verträge, Grundbesitz, Heiratsverträge, was eben so anfällt.«

»Aber keine Vormundschaften«, warf Matilda ein.

Marsden sah sie verwundert an. »Darüber weiß ich nichts. Allerdings muss man nicht zwangsläufig Anwalt sein, um eine Vormundschaft zu übernehmen. Das kann im Grunde jeder, der einen guten Leumund hat.«

»Würde es nicht naheliegen, dass ein erfahrener Familienanwalt diese Aufgabe übernimmt, wenn er mit einer Familie privat befreundet ist und diese nach tragischen Ereignissen ein minderjähriges Kind hinterlässt?«

»Gewiss.« Er runzelte nachdenklich die Stirn. »Ich frage mich wirklich, worauf Sie hinauswollen.«

»Ich mich auch. Ich komme mir vor wie jemand, der sich in einem dunklen Raum an den Wänden entlangtastet.«

Er hob die Hand, um sie höflich zu unterbrechen. »Da fällt mir ein, ich habe kürzlich etwas über Easterbrook den Jüngeren gebracht.« Er wühlte in einem schwankenden Zeitungs-stapel, der neben seinem Schreibtisch aufgeschichtet war, und zog eine Ausgabe heraus, die er ihr über den Tisch schob.

Eine Fotografie zeigte Charles Easterbrook vor einem italienischen Palazzo. Neben ihm standen ein Mann mit gezwirbeltem Schnurrbart im dunklen Gehrock und eine elegante Frau, die sich mit ihm unterhielten. Die Bildunterschrift lautete: *Der britische Botschafter und seine Gattin im Gespräch mit Mr. Charles Easterbrook, einem Londoner Anwalt. Mr. Easterbrook befindet sich auf einer Genesungsreise mit seinem Mündel, Miss Ancroft. Sie konnte an diesem Tag leider nicht zur Teegesellschaft kommen, da ihre Gesundheit, wie er erklärte, noch angegriffen sei. Der Botschafter bedauerte dies sehr und drückte die Hoffnung aus, das Paar auf dem Rückweg empfangen zu können.*

Matilda schaute auf das Datum. Ende September. Vermutlich war Rom eine der ersten Etappen der Reise gewesen. Sie las den letzten Satz noch einmal. Das Paar? Es passte zu dem, was die Gesellschaftsnotiz aus Athen angedeutet hatte.

Sie tippte auf den Artikel. »Es klingt beinahe, als bestünde eine romantische Verbindung zwischen der jungen Dame und ihrem Vormund.«

Marsden zuckte mit den Schultern. »Davon weiß ich nichts. Es gehörte zu einem Artikel über Briten im Ausland, mit dem wir die Seiten gefüllt haben. Höflich ausgedrückt, geben diese Leute nicht viel her. Sie sind nicht glanzvoll oder berühmt genug. Tut mir leid, dass ich Ihnen nicht mehr dazu sagen kann.«

Sie stand auf und streckte Mr. Marsden die Hand entgegen. »Sie haben mir sehr geholfen. Ich danke Ihnen noch einmal ganz herzlich.«

Er ergriff sie und lächelte. »Meine Empfehlung an Mrs.

Westlake. Es würde mich freuen, gelegentlich mit ihr zu plaudern. Falls sie einen anständigen Brandy zu bieten hat, ihren Port kann ich nämlich nicht ausstehen.«

»Oh, ich finde ihn ganz schmackhaft«, sagte Matilda belustigt.

In der Untergrundbahn fand sie Zeit, in Ruhe nachzudenken.

Es hatte also eine Untersuchung in Kent gegeben. Das war üblich, wenn ein Haus abbrannte und niemand sich aus den Flammen retten konnte. Das Ergebnis, zu dem der Ermittler gelangt war, erinnerte ein wenig an die Formulierung »Freispruch aus Mangel an Beweisen«. Man hatte niemanden beschuldigt, aber der Artikel ließ anklingen, dass eine Brandstiftung nicht gänzlich ausgeschlossen war, da mögliche Spuren verwischt und die Zeugen des Unglücks tot waren.

Wie schwer musste das für Laura gewesen sein!

Die Beleuchtung im Wagen flackerte, und Matilda schloss die Augen, weil sie davon Kopfschmerzen bekam.

Ihre Gedanken mündeten immer wieder in die gleichen Fragen. Was wusste Laura, was erwartete sie von Matilda? Und vor allem – warum misstraute sie Charles Easterbrook?

Laura hatte den Holzkasten in der Schule verborgen, am einzigen Ort, der für ihren Vormund unzugänglich war. Sie hatte ein Postkartenmotiv gewählt, dessen Bedeutung nur ihre Lehrerin verstehen würde. Und die Botschaft auf der Postkarte so sorgfältig versteckt, dass Matilda sie fast übersehen hätte.

Mr. Easterbrook wiederum hatte an Miss Haddon geschrieben, weil er auf der richtigen Spur war. *Womöglich befinden sich noch einige persönliche Gegenstände in der Schule, die mir bei meinem Besuch nicht ausgehändigt wurden. Dabei handelt es sich*

um Erinnerungsstücke von sentimentalem Wert, die ich Laura gern
übergeben möchte. Sie würden sicher zu ihrer Genesung beitragen.

Der Gedanke, dass Laura Ancroft mit einem Mann, dem sie nicht traute, seit Monaten auf Reisen war, war schwer zu ertragen.

Matilda hätte beinahe ihre Haltestelle verpasst und sprang im letzten Moment auf den Bahnsteig.

Sie ging schnell heimwärts, der Abend war bitterkalt. Aus einem Lokal drang der Geruch von Glühwein, aus einer Nebenstraße wehte Klaviermusik herüber. Jemand übte *Adeste fideles,* vielleicht ein Kind, das bis Weihnachten fehlerlos spielen wollte.

Es war, als hülle Dunkelheit sie ein und durchströme ihre Adern, eine Dunkelheit, die das Licht der Straßenlaternen nicht vertreiben konnte. Sie breitete sich in ihrem ganzen Körper aus, drang bis ins Geäst der feinsten Adern und Nerven. Die Erinnerung an die Weihnachtsfeste mit den Eltern, die nicht mehr lebten, konnte sie beiseiteschieben, doch da war auch Harry, der Weihnachten in Afrika verbringen würde, wenn kein Wunder geschah.

War es nur das Lied, das sie so aus der Fassung brachte? Oder auch das unablässige Grübeln? Dass sie Weihnachten nicht mit ihrem Bruder, sondern mit ihrer Vermieterin und deren angeheiterten Freundinnen verbringen würde – sofern sie sich nicht dazu durchrang, Vaters unverheiratete Cousine in Yorkshire zu besuchen, die mit säuerliche Miene fragen würde, wie lange Matilda noch »außer Haus tätig sein« wolle?

Sie liebte ihre Unabhängigkeit, doch in diesem Augenblick, auf der abendlich kalten King's Road, mit eisigen Füßen und einem Mantel, der sie kaum wärmte, fühlte sie sich einsam.

Sie zwang sich, rasch weiterzugehen, um nicht länger als nötig in der Kälte zu verharren.

Wenn *sie* sich schon einsam fühlte, wie musste es dann Laura gehen, die Weihnachten in einem fremden Land verbrachte, mit einem Mann, den sie nicht mochte? Einem Mann, der einen tadellosen Ruf genoss und unangreifbar schien … Matilda durfte nicht aufgeben. Laura vertraute ihr. Mrs. Westlake und Professor Fleming glaubten ihr. Das musste genügen.

Als sie das Haus betrat, hörte Matilda Mrs. Westlake im Wohnzimmer lachen. Sie zögerte. Die seltsame Stimmung, die sie vorhin überkommen hatte, war noch nicht verschwunden; andererseits war ihr nicht danach, allein zu sein.

Dann hörte sie die Männerstimme, ließ die Tasche fallen, wo sie stand, warf Hut und Mantel auf die Garderobe und öffnete schwungvoll die Tür.

Mrs. Westlake und Mr. Fleming saßen einträchtig am prasselnden Kaminfeuer, er mit einem Glas Whisky in der Hand, sie mit der unvermeidlichen Portweinkaraffe. Die beiden schauten ihr lächelnd entgegen.

Der Professor erhob sich und gab ihr die Hand. »Guten Abend, Miss Gray. Sie verzeihen hoffentlich, dass wir es uns ohne Sie behaglich gemacht haben. Ihre reizende Vermieterin hat mir erzählt, dass Sie seit geraumer Zeit sehr spät nach Hause kommen, weil Sie sich in der Stadt herumtreiben. Ihre Worte, nicht meine.«

Bevor Matilda etwas sagen konnte, war Mrs. Westlake aufgestanden, hatte sie in einen Sessel gedrückt und ihr ein Glas gereicht. »Trinken Sie. Sie sehen aus, als wäre Ihnen dort draußen ein Geist begegnet.«

Matilda spürte, wie sich die dunkle Stimmung verflüchtigte, und genoss es, im warmen Zimmer am Feuer zu sitzen, mit Menschen, die zwar nicht ihre Familie waren, ihr aber mit großer Freundlichkeit und Güte begegneten.

»Kein Geist. Aber es ist kalt und einsam auf den Straßen. Was führt Sie her, Mr. Fleming? Hat Mrs. Westlake Ihnen etwa aus den Geheimnissen der Alhambra vorgelesen?«

Er lachte. »So weit sind wir nicht gediehen, aber ich habe einiges über Adela Mornington erfahren. Eine faszinierende junge Dame. Sehr eigenständig und abenteuerlustig.« Es war nicht nur der Ton, in dem er es sagte, sondern auch der Blick, mit dem er sie bedachte. Matilda schaute zu Mrs. Westlake, die amüsiert eine Augenbraue hochzog.

»Ich mag eine eitle alte Frau sein, aber ich bilde mir nicht ein, dass der Professor meinetwegen gekommen ist.« Sie erhob sich aus ihrem Sessel. »Neun Uhr. Meine schöpferische Phase beginnt. Daher muss ich Sie leider sich selbst überlassen. Matilda, die Küche gehört Ihnen, nehmen Sie, was immer Sie brauchen. Ich wünsche einen guten Abend.« Sie legte die regenbogenbunte Stola um die Schultern und verließ das Wohnzimmer.

Matilda biss sich auf die Lippe und wagte nicht, Mr. Fleming anzusehen. Er löste die Verlegenheit, indem er ihr Portwein nachschenkte.

»Wollen Sie mich betrunken machen? Dann sind Sie auf dem besten Weg.«

Er schüttelte den Kopf. »Als Sie hereinkamen, sahen Sie wirklich aus, als hätten Sie etwas Schlimmes erlebt und könnten einen Schluck gebrauchen. Sind Sie sicher, dass Portwein ausreicht?«

Sie griff rasch danach, bevor er ihr etwas anderes servieren konnte. »Danke, ja. Wenn ich jetzt anfange, Whisky zu trinken, brauche ich morgen früh nicht in der Schule zu erscheinen.«

Er schaute sie prüfend an, und Matilda versuchte seinem Blick auszuweichen. »Darf ich noch einmal fragen, was Sie herführt?«

Er stellte sein Glas ab und zog einige gefaltete Blätter aus der Innentasche seines Jacketts, die er zwischen sich und Matilda auf den Tisch legte. Dann lehnte er sich zurück. »Ich lasse Ihnen gern den Vortritt, wenn Sie etwas zu berichten haben. Sie waren lange unterwegs, und wenn Mrs. Westlake recht hat, waren Sie mit Nachforschungen beschäftigt.«

Matilda nickte. Die Dunkelheit war nur noch ein schwacher Hauch, ähnlich dem Nachhall einer Migräne, wenn der eigentliche Schmerz bereits verschwunden ist. Sie erzählte, dass sie bei Mr. Marsden gewesen sei und einen Artikel über die Brandermittlung gelesen habe.

»Ich finde einfach nichts, das gegen Mr. Easterbrook spricht«, sagte sie frustriert. »Es gibt für alles, selbst für die geheime Nachricht auf der Karte, eine harmlose Erklärung. Wie soll ich beweisen, dass sie nicht Lauras kindlicher Abenteuerlust entsprungen ist, sondern der Angst vor ihrem Vormund?«

Fleming hob die Hand. »Erlauben Sie mir eine Bemerkung, bevor Sie alles infrage stellen, was Sie bis jetzt herausgefunden haben. Ich bin Wissenschaftler. In der Wissenschaft sind Beweise unverzichtbar. Niemand kann mit Intuition und Bauchgefühl eine Theorie beweisen. Aber Sie ahnen nicht, wie oft solche Gefühle bedeutende wissenschaftliche Entwicklungen ausgelöst haben. Ohne Argwohn, Staunen und Neugier gibt es keine Wissenschaft. Die Beweise stehen nicht am Anfang, sie sind das Ergebnis unseres Suchens.«

Matilda schluckte. Seine Worte hatten sie eigenartig ange-
rührt.

»Was Sie haben, sind Verdachtsmomente und Hinweise,
die einzeln nichts bedeuten mögen, in der Summe aber wichtig sind. Ich verstehe Ihr Misstrauen und teile Ihre Sorge.«

»Danke. Ich danke Ihnen sehr.« Sie hob abrupt den Kopf.
»Und jetzt frage ich zum dritten Mal, was Sie mir erzählen
wollen.«

Er stand auf, griff nach den Blättern und hielt sie demons-
trativ in die Höhe. Beim Sprechen ging er im Zimmer auf und
ab, und Matilda ahnte, dass er es bei seinen Vorlesungen genauso hielt.

»Ich habe mich wie versprochen mit Robert Hooke befasst,
der uns immer wieder begegnet: das Bild im Medaillon, die
Vorlesung über den Kometen, den diese Katherine erwähnt,
und sein Wirken nach dem Großen Brand. Ich habe mich bei
meinen Nachforschungen auf den letzten Punkt konzentriert,
weil wir erfahren möchten, wem das Haus gehört hat.«

Er griff nach den Blättern. »Robert Hooke wurde am
14. März 1667 vor dem Lord Mayor und dem Stadtrat als Vermesser vereidigt. Es war ein ehrenvolles Amt, mühselig, aber
unverzichtbar, um die zerstörte Stadt wiederaufzubauen. Eine
seiner Aufgaben bestand darin, Grundstücke auszumessen
und deren Besitzer zu ermitteln. Er traf sich dann mit dem
rechtmäßigen Besitzer auf dem Grundstück. Dieser musste
Hooke, falls erforderlich, Beweise vorlegen; manchmal wurden auch Nachbarn und andere Zeugen gehört. Und hier wird
es interessant. Wir nehmen an, dass während der Pest alle Personen in dem Haus, an dessen Stelle heute das Ancroft-An-
wesen steht, gestorben sind. Falls es keine Erben gab, hätte das
Grundstück also verkauft werden können.«

Matilda sah ihn gespannt an. »Und, haben Sie heraus-gefunden, wie es war?«

Fleming holte eine Ledermappe aus der Aktentasche, die neben seinem Sessel stand. Er legte sie auf den Tisch, schlug sie auf und drehte sie zu Matilda, damit sie das Dokument darin sehen konnte. »Ich musste beim Leben meiner Mutter schwören, dass ich es unversehrt zurückgebe«, sagte er augen-zwinkernd.

Das vergilbte, an den Rändern eingerissene Blatt war mit einer ausladenden, altertümlichen Schrift bedeckt.

»Leider sind nur seine sogenannten Tagebücher erhalten geblieben, nicht aber die genauen Vermessungsunterlagen«, erklärte der Professor. »Hooke war ein Eigenbrötler, der sich entgegen aller Befehle weigerte, der Stadt seine Unterlagen zu übergeben. Angeblich enthielten sie Beobachtungen über das Wetter und andere Naturerscheinungen, auch in diesem Amt blieb er immer Wissenschaftler.«

Fleming deutete auf eine Stelle in der Mitte.

14. Mai 1667 – Laurence Pountney Lane, Vermessung eines Grund-stücks im Auftrag des Käufers Gabriel Ancroft, Kaufmann zu Lon-don. Vormaliger Besitzer des Grundstücks John Cleland, verstorben. Gebühr entrichtet.

»Das C im Wappen!«, rief Matilda aufgeregt. »Erinnern Sie sich? Auf dem Medaillon befindet sich ein Zeichen, eine sogenannte Handelsmarke. Mr. Arkwright hat es mir erklärt. C dürfte für Cleland gestanden haben.«

»Sie haben recht, Miss Gray.«

»Dann kennen wir jetzt Katherines Namen? Katherine Cleland, gestorben während der Pest des Jahres 1665?« Sie sagte es in beinahe feierlichem Ton.

»So ist es. Und wie es aussieht, ist Ihre Laura keine Nachfahrin von Katherine Cleland, sondern von Gabriel Ancroft, dem Erbauer des Hauses.«

»Und doch bedeutet ihr der Schatz so viel«, erwiderte Matilda nachdenklich. »Ich frage mich schon lange, ob sie versucht hat, das Buch zu entziffern, und ob es ihr gelungen ist. Wie gern würde ich sie danach fragen!«

»Das verstehe ich. Vermutlich ahnt sie, dass der Kasten ein Geheimnis birgt, und hat ihn deshalb versteckt.«

»Vor Easterbrook«, sagte Matilda. »Sie versteckt den Kasten, er will ihn haben. Aber warum?«

»Das werden wir herausfinden.«

»Was haben Sie vor, Mr. Fleming?«

24

Der Plan war verrückt und Matildas Vorfreude – nachdem sie sich fünf Minuten lang Sorgen gemacht und ihre moralischen Bedenken dann verworfen hatte – grenzenlos. Sie hatten sich für den nächsten Abend, einen Samstag, verabredet, und es gelang ihr nur mit Mühe, ihre Aufregung zu verbergen. Sie hatte vermutet, es könnte schwierig werden, Mrs. Westlake zu täuschen, und war daher angenehm überrascht, als deren Vermutungen in eine völlig falsche Richtung gingen.

Beim Frühstück am Samstag sagte sie: »Meine Liebe, Ihre Augen funkeln verdächtig.«

Beim Mittagessen verkündete sie: »Wenn ich es nicht besser wüsste, würde ich sagen, Sie sind verliebt.«

Beim Tee erklärte sie dann: »Matilda, ich hoffe, es ist das, was ich vermute, und keine Grippe.«

»Seien Sie unbesorgt, Mrs. Westlake, ich fühle mich ausgezeichnet. Und heute kann es spät werden. Machen Sie sich bitte keine Sorgen.«

Der Blick, mit dem sie Matilda über die Brille hinweg anschaute, sprach Bände. »Ich weiß, Sie sind in guten Händen, meine Liebe. Ich wünsche Ihnen einen wunderbaren Abend.«

Während Matilda im Hausflur ihre wärmsten Stiefel anzog, sich einen besonders dicken Schal um den Hals wickelte und noch einen Pullover in ihre Schultasche stopfte, fragte sie sich, was Mrs. Westlake wohl zu dieser Ausstattung gesagt hätte. Nach einem Rendezvous in einem eleganten Restaurant

sah das nicht aus, eher nach Aal in Gelee bei einem Straßenhändler in Limehouse.

Sie trafen sich nicht in Limehouse, sondern am Untergrundbahnhof Cannon Street, dem Ausgangspunkt ihrer allerersten
Entdeckungsreise. Professor Fleming hatte sich ähnlich warm
gekleidet und trug statt eines Hutes eine Schirmmütze aus
Tweed, in der Matilda ihn erst auf den zweiten Blick erkannte,
sowie ebenfalls einen Schal.

»Das ist aber mal ein hübscher Schal«, sagte sie. »Und so
schön gestreift.«

Er grinste. »Die Farben meines Colleges. Meine Schwester
hat ihn mir vor Jahren gestrickt, ich konnte mich nie davon
trennen.«

»Das sollten Sie auch nicht, er sieht wunderbar warm aus.«

»Letty hat acht Monate dafür gebraucht«, sagte er belustigt
und deutete auf ein hell erleuchtetes Café. »Wollen wir uns
stärken?«

»Acht Monate?«, wiederholte Matilda kurz darauf, als sie
in einer Nische saßen, vor sich starken Tee und Scones. »Ganz
schön lange für einen Schal.«

»Meine Schwester hasst Handarbeiten. Mutter ist an ihr verzweifelt, weil sie drei Stickrahmen zerbrochen hat. Ihre Strick-
arbeiten sahen aus wie Einkaufsnetze. Dies ist das einzige ihrer
Werke, mit dem man sich unter Menschen wagen kann.«

»Umso wertvoller, nicht wahr?«

Er lächelte liebevoll. »Letty ist wunderbar. Heute hat sie
drei Kinder und schnitzt Skulpturen aus Holz. Sie hat den
Wintergarten zum Atelier umgebaut. Mein Schwager be-
schwert sich immer, er sei als Frühstückszimmer gedacht gewesen, kann Letty aber einfach nicht böse sein.«

»Das klingt nach einer wunderbaren Ehe«, sagte Matilda und rührte in ihrem Tee. Als sie aufblickte, huschte etwas über Flemings Gesicht, das sie nicht deuten konnte. Bedauern? Vielleicht Wehmut? *Auf mich wartet niemand.*

»Sie sind sehr glücklich miteinander. Ich verbringe Weihnachten bei ihnen. Letty bekommt einen Satz Bildhauereisen und ein Ziehmesser von mir.«

»Deutlich interessanter als bestickte Taschentücher«, bemerkte Matilda. Dann schaute sie sich um und fragte leise: »Wollen wir?«

Er stellte klirrend seine Tasse ab. »Ich bin bereit.«

Gelblicher Dunst hüllte die Straßen ein, und das Licht der Laternen schimmerte fahl. Von der Themse drangen die klagenden Nebelhörner der Schiffe herüber, und Matilda spürte schon den ersten Hustenreiz. Der Nebel legte sich in jedem Winter wie eine Glocke über die Stadt und tauchte sie in ein geisterhaftes Zwielicht, das seinen Reiz besaß, gegen das Hals und Lungen jedoch rebellierten. Wenn die Sicht noch schlechter wurde, konnten nur die Untergrundbahnen regelmäßig verkehren; für alle anderen Fahrzeuge war es dann zu gefährlich.

Es war nicht weit zur Laurence Pountney Lane. Diesmal war Matilda erleichtert, dass die Gegend abends so einsam dalag. Sowie sie die Cannon Street hinter sich gelassen hatten, senkte sich tiefe Stille über die Häuser. Durch den Nebel waren nicht einmal gedämpfte Laute zu vernehmen.

»So könnte es auch 1665 gewesen sein«, sagte Matilda leise. »Es fühlt sich irgendwie zeitlos an.«

Sie spürte, wie der Professor leicht mit dem Arm gegen ihre Schulter stieß. »Wie dunkel muss die Stadt gewesen sein! Kein Gas, kein Petroleum, keine Elektrizität.«

»Und kalt.« Sie zog den Mantel enger um sich.

Fleming blieb unvermittelt stehen. Jetzt erkannte Matilda, wo sie waren – an der Ecke, unmittelbar vor dem Garten des Ancroft-Hauses. Die kahlen Bäume waren schemenhaft zu sehen, das Haus dahinter eine dunkle Masse an diesem mondlosen Abend.

»Sie halten Wache«, sagte der Professor leise. Matilda postierte sich so, dass sie in die Gasse und den schmalen Durchgang schauen oder, besser gesagt, hineinhorchen konnte. Nur ihre Ohren würden verraten, wenn Gefahr drohte. Ein Stück weiter waren zwei Fenster erleuchtet. Ansonsten hörte man lediglich vereinzeltes Hufgeklapper von der Cannon Street.

Fleming stellte die Tasche auf den Boden und wühlte darin herum. Metall klapperte. Ein Nebelhorn ließ sie zusammenzucken. Die Haare, die unter ihrer Mütze herausgerutscht waren, kräuselten sich in der feuchten Luft. Matildas Atem verharrte als Wolke vor ihrem Gesicht. Sie trat von einem Fuß auf den anderen, um sich ein bisschen aufzuwärmen, doch die Kälte drang ihr jetzt schon in die Beine.

Sie hörte, wie der Professor leise ächzte, als strengte er sich an. Ein Knacken und Schaben, etwas knarrte und prallte zu Boden. Matilda zuckte zusammen und schaute sich unwillkürlich um. Niemand zu sehen. Wenn man etwas Unerlaubtes tat, geriet jedes Geräusch zur Explosion.

»Kommen Sie«, hörte sie Fleming leise rufen. Ein Zischen, als ein Zündholz entfacht wurde, dann leuchtete die Handlaterne auf, die er in seiner Tasche mitgeschleppt hatte.

Matilda trat zu ihm und schaute atemlos auf das rechteckige Loch, das im Pflaster gähnte. Daneben lag die aufgeklappte Falltür. Er hielt die Laterne über die Öffnung. »Die habe ich entdeckt, als ich mir das Haus ansah. Auf diesem Weg hat man früher die Waren in den Keller befördert.« Er reichte

Matilda die Laterne. »Leuchten Sie rein.« Dann warf er seine Tasche hinunter, die mit einem dumpfen Aufprall landete. Anschließend schwang er die Beine in die Öffnung, stemmte sich hoch und ließ sich fallen.

Matilda kniete auf dem Gehweg und beugte sich so weit wie möglich vor. Das Licht fiel auf Flemings Gesicht. Er streckte ihr grinsend die Hand entgegen. »Geben Sie mir die Laterne. Dann springen Sie, ich fange Sie auf. Es ist nicht so tief.«

Sie schluckte und reichte ihm die Laterne. Er stellte sie neben sich ab und streckte ihr beide Arme entgegen. »Kommen Sie.«

Matilda holte tief Luft, schaute sich noch einmal um und sprang in das Loch im Gehweg. Zwei starke Arme bremsten ihren Fall, sie wurde sanft abgesetzt. Sie dachte flüchtig, dass sich dies wirklich nicht schickte. Und stellte fest, dass es sie ganz und gar nicht kümmerte.

Der Professor kniete sich hin und riss ein weiteres Streichholz an. Er hatte noch eine kleinere Laterne aus der Tasche geholt, zündete sie an und gab sie ihr. Matilda leuchtete um sich. Das Licht reichte nicht aus, um den ganzen Keller zu erhellen, erlaubte aber einen ersten Eindruck. Mauern, Regale, ein roher Tisch mit dicken Beinen, Wandhaken, eine Schütte, die in einer Ecke lehnte und wohl dazu gedient hatte, Waren hinunterzubefördern.

Es war ungeheuer kalt und feucht, und sie nahm einen Geruch wahr, den sie nicht genau benennen konnte. Vorsichtig ging sie umher, leuchtete in die Ecken und schnupperte. Konnte man Alter riechen? Dann war es das, was sie gerochen hatte. Kaum zu glauben, dass dieser Keller noch vor wenigen Jahren benutzt worden war. Ihr kam es vor, als hätte sich seit dem 17. Jahrhundert niemand mehr hierher verirrt.

»Helfen Sie mir.« Sie zuckte zusammen, als der Professor eine Holzkiste herbeischleppte und unter die Öffnung stellte. »Ich muss die Tür schließen, sonst fällt noch jemand hinein.«

Matilda hielt beide Laternen, während er hinaufstieg und die Falltür von innen zuklappte.

Es war unheimlich, an einem kalten Winterabend in ein fremdes, unbewohntes Haus einzudringen. Dennoch hätte sie nichts in der Welt davon abgehalten, den Professor zu begleiten.

Er deutete nach oben. »Über uns ist das Ladenlokal. Irgendwo muss es eine Treppe nach oben geben, aber wir schauen uns lieber hier unten um. Falls es noch etwas gibt, das Kaufmann Cleland während der Pest versteckt hat, dann im Keller. Alles, was sich über unseren Köpfen befindet, war damals nicht vorhanden.«

Matilda nickte. Sie trat an die Mauer zu ihrer Linken, hob die Laterne und ging langsam daran entlang. Die Steine sahen alt aus, Mörtel knirschte unter ihren Füßen.

Hinter ihr untersuchte der Professor die Mauer, die zur Gasse hinausging. Matilda hörte, wie er einen leisen Ruf ausstieß und etwas in der Tasche suchte. Wie still es hier unten war! Als befänden sie sich nicht mitten in einer Millionenstadt, als sei London nur ein Dorf, das sich schlafen legte, sobald die Dunkelheit hereingebrochen war.

Er kratzte an der Wand, wobei er die Laterne ganz nah an die Steine hielt, und fragte dann: »Wie sieht die Mauer auf Ihrer Seite aus?«

»Na ja, sie sieht alt aus, der Mörtel rieselt aus den Fugen«, sagte Matilda.

»Welche Farbe haben die Steine?«

»Rötlich, würde ich sagen, so wie Backsteine eben aussehen. Stellenweise grau-weiß, das könnten Ablagerungen oder Flechten sein. Obwohl …« Sie ging in die Hocke und leuchtete auf die Steine. »Die hier unten sehen ganz anders aus, wie richtige Steine.«

»Richtige Steine?« Sie hörte die Aufregung in seiner Stimme. »Kommen Sie bitte mal her.«

Sie ging zu Fleming, der mit einem Stemmeisen auf die Mauer deutete. »So wie diese hier?«

Im Licht beider Laternen konnte Matilda die Ähnlichkeit erkennen. »Ja, genauso sieht es dort drüben auch aus. Was hat das zu bedeuten?«

Er sprang auf und umfasste ihren Arm. »Die oberen Teile der Wände sind gemauert. Aber weiter unten …« Er klopfte mit den Knöcheln dagegen, »haben wir Ragstone. Den findet man vor allem in Kent. Und damit baute man im Mittelalter.«

Matilda hielt unwillkürlich die Luft an. »Im Mittelalter? Sie meinen, der untere Teil der Mauern ist älter als das Haus?«

»Um die dreihundert Jahre, vielleicht auch mehr.« Er legte beinahe ehrfürchtig die Hand darauf.

Und dann begriff Matilda. »Ein Haus unter dem Haus.«

Fleming nickte feierlich. »Die Steine gehörten zu dem Haus, das 1666 abgebrannt ist, dem Haus, in dem …

»… die Familie Cleland starb.«

»Man hat die verbliebenen Fundamente genutzt, als der Neubau errichtet wurde. Es hätte nur Geld und Mühe gekostet, die alten Mauern abzureißen.«

»Also könnte hier noch etwas sein, das Katherines Vater versteckt hat?«, fragte Matilda gespannt. Ihr fiel ein, was das Mädchen geschrieben hatte: *Noch acht Tage. Vater ist jetzt … Fieber … immer übel und kalt … mag nichts essen … in den Keller geschafft … mir lieb ist, in meinen Kasten … Bleibt nur noch dieses*

Buch ... in späteren Tagen, wenn die Welt wieder bei Verstand ...
in diesem Hause ...

Jemand hatte etwas in diesen Keller geschafft, in dem sie nun standen, zweihundertfünfzig Jahre nachdem die Worte geschrieben worden waren.

»Möglicherweise«, sagte der Professor nachdenklich.

Die Kälte war vergessen, ebenso die Angst, entdeckt zu werden. Matilda wandte sich um. »Wenn wir nur mehr Licht hätten!«

Der Professor schien völlig vertieft in die Mauer. Matilda ging vorsichtig umher. Der festgetretene Lehmboden hatte sich im Laufe der Jahrhunderte verhärtet, bis er fast wie Stein geworden war.

»Wohin wollen Sie?«

»Ich versuche nur herauszufinden, wie groß der Keller ist und ob es weitere Räume gibt.«

»Passen Sie auf, das Licht reicht nicht sehr weit.«

Sie hielt die Laterne auf halber Höhe, damit der Lichtschein gleichmäßig auf Boden und Umgebung fiel. Plötzlich streifte etwas ihren Fuß. Fast hätte sie die Laterne fallen lassen, presste aber die Lippen aufeinander und machte einen großen Schritt nach vorn.

Eine Ratte? Lieber nicht dran denken.

Die nächste Mauer war ganz aus Ziegelsteinen, davor lag eine morsche Leiter mit drei zerbrochenen Sprossen. Nichts deutete auf ein Geheimnis hin.

Matilda drehte sich seufzend um und ging zur letzten Mauer, die sie noch nicht untersucht hatten. Sie rief sich die Lage des Gebäudes ins Gedächtnis. Dies musste die Mauer sein, die an den Garten grenzte. Sie drückte die Hand auf die kalten Steine und spürte einen leisen Schauer, als sie sich vorstellte, dass dahinter der Untergrund des alten Friedhofs lag. Stünde jemand im Garten, befände sie sich für denjenigen unter der Erde. Ein verrücktes Haus.

Sie leuchtete die Mauer und den Boden davor sorgfältig ab. Grob gezimmerte Regale, leere Fässer, ein zerrissener Jutesack, keine Spur der Waren, die früher hier gelagert worden waren. Als die Ancrofts gestorben waren, hatte man wohl alles zu Geld gemacht. Wer mochte dafür zuständig gewesen sein? Vermutlich Charles Easterbrook.

Dann entdeckte sie die Steine. »Mr. Fleming!«

Sie hörte, wie er aufstand und zu ihr herüberkam.

»Schauen Sie nur, hier reichen die alten Steine bis zur Decke!«

Sie leuchteten beide hinauf. Ihre Köpfe erschienen als zuckende Schatten an der gegenüberliegenden Wand. »Sie haben die alte Friedhofsmauer verwendet. Sie dürfte mehrere Meter hoch sein und sehr solide, das hat Geld gespart.« Er trat näher, klopfte an die Steine, stocherte in einer Fuge. »Das ist ein fantastischer Fund. Darüber werde ich einen Aufsatz …«

Matilda räusperte sich. »Vorher sollten Sie einen offiziellen Antrag stellen, das Haus untersuchen zu dürfen. Was würde die Universität sagen, wenn Sie Erkenntnisse veröffentlichten, die Sie bei einem Einbruch gesammelt haben?«

Sein Lachen hallte von den alten Mauern wider, dann hielt er den Handrücken vor den Mund. »Verzeihen Sie meinen Übermut, aber das ist wirklich ein spannender Fund. Sie wissen ja, alles, was sich unter der Oberfläche befindet, ist mein Fachgebiet. Und das 17. Jahrhundert hat in dieser Hinsicht viel zu bieten. Die Pestgruben, den Wiederaufbau nach dem Großen Brand und …«

Er kniete sich so unvermittelt hin, dass Matilda schon

glaubte, er sei gestolpert. Ganz nah kroch er an die Mauer und hielt die Laterne knapp über den Boden. Dann winkte er ihr mit der linken Hand. »Kommen Sie, das müssen Sie sich ansehen!« So aufgeregt hatte sie ihn noch nie erlebt.

Ohne auf ihren Rock zu achten, kniete sie sich neben ihn und schaute auf die Mauer. »Da, sehen Sie es?« Er beschrieb mit dem Zeigefinger eine waagerechte Linie.

Wieder wünschte Matilda sich besseres Licht und hob die Laterne dicht an die Steine. Sie fuhr mit der Hand darüber und zuckte ratlos mit den Schultern. »Auch eine Mauer aus dem Mittelalter? Die Steine fühlen sich genauso an wie bei den anderen Mauern. Und sie sehen auch so aus.«

»Nicht die Steine!«

Sie schluckte und spürte einen Anflug von Ungeduld. Sie war keine Wissenschaftlerin, sie konnte keine Feinheiten aus irgendwelchen Mauersteinen lesen. Dann beugte sie sich abrupt vor und hielt die Laterne an eine Fuge knapp über dem Boden. Sie bewegte sie nach oben, dorthin, wo Fleming die Linie beschrieben hatte, und drehte sich triumphierend zu ihm um. »Es ist der Mörtel, nicht wahr? Hier unten hat er eine andere Farbe als weiter oben. Ist das wichtig?«

»Wichtig?« Er stellte die Laterne ab und ergriff ihre Hand. Seine Aufregung war so ansteckend, dass Matilda nicht weiter darauf achtete.

»Die Steine sind die gleichen wie weiter oben. Aber dieser Mörtel ist leicht rosa gefärbt. Das hier unten ist eine römische Mauer!«

Matilda merkte, dass ihr der Mund offen stand. Sie schaute ehrfürchtig auf die unscheinbare Kellermauer. »Sie … Sie meinen – das würde heißen, dass es ein Haus unter dem Haus unter dem Haus gibt?«

Er lächelte. »Nicht unbedingt. Es kann sich auch um eine Grenzmauer handeln, aber sie beweist, dass der Boden, auf dem wir knien, seit fast zweitausend Jahren bebaut ist. Seit fast zweitausend Jahren leben hier Menschen. Wir sind von Geschichte umgeben, und diese Steine sind ihre Zeugen.«

»Und Sie hatten keine Ahnung davon?«

»Nein. Natürlich werden immer einmal Reste aus römischer Zeit gefunden, aber noch nie in dieser Gegend.« Fleming stand auf und ging mit der Laterne an der Mauer entlang. »Die römischen Steine reichen bis zur Hausecke. Vermutlich gehen sie unter der Gasse weiter. Man müsste Ausgrabungen vornehmen, um zu sehen, wie weitläufig diese Überreste sind. Vielleicht war es nur eine Grenzmauer, doch könnten hier auch Häuser gestanden haben, eine Villa, ein Tempel …«

Matilda kniete immer noch auf dem Boden und sah ihn im Dämmerlicht an. Sie spürte, wie ihre Aufregung etwas anderem wich, etwas Feierlichem, beinahe Ehrfürchtigem.

»Sie müssen einen Weg finden, um das zu ermöglichen, Mr. Fleming. Die Ausgrabungen, meine ich. Ganz offiziell und mit der richtigen Ausrüstung.«

Er nickte und schaute sich um. »Das werde ich. Ich werde einen Antrag stellen und die Behörden überzeugen.« Er hielt kurz inne. »Zuvor aber haben wir einen Auftrag zu erfüllen. Wir haben noch nicht gefunden, was wir suchen.«

»Meinen Sie, hier unten ist noch etwas?«

»Kommen Sie, wir suchen die Mauer Zoll für Zoll ab. Ich habe genügend Öl dabei, das Licht wird uns nicht ausgehen.«

Matilda fragte nicht, wonach sie suchten, sondern vertraute darauf, dass sie es erkennen würde, wenn sie es sah, so wie vorhin bei dem Mörtel. Während sie ihre Suche in der nordwestlichen Ecke begann, dachte sie an Laura. Hatte sie sich in einsamen Stunden aus der Wohnung in den Laden und nach unten in den Keller geschlichen? Ausgerüstet mit einer Laterne, genau wie sie jetzt? Hatte sie eine Ahnung gehabt, dass hier etwas verborgen war, oder hatte sie Katherines Kasten zufällig gefunden? Wo mochte er versteckt gewesen sein?

Matilda bewegte die Laterne langsam und sorgfältig auf und ab und leuchtete vom Boden bis zur Höhe ihres Gesichts.

Wenn Cleland sein Vermögen hatte retten wollen und das Haus nicht verlassen konnte und damit rechnen musste, dass es nach seinem Tod verkauft würde ... blieb eigentlich nur der Keller. Die Frage war, für wen er es versteckt hatte. Anthony? Ein Sohn, der nicht mit ihm im Haus gestorben war?

Matilda zwang sich, die Mauer zu betrachten, auch wenn das flackernde Laternenlicht ihre Augen anstrengte.

»Schon was gefunden?«, fragte der Professor aus der anderen Ecke.

»Nein. Bisher sieht die Mauer überall gleich aus. Oben Mittelalter, unten römisch. Falls es ein Versteck gibt, das in zweihundert Jahren nicht gefunden wurde, muss es gut gewählt sein.«

»Hm.« Sie hörte jede seiner Bewegungen, das Knirschen, wenn sich seine Füße vorwärtsschoben, das Rascheln seines Mantels und wie die Laterne an ihrem Griff quietschend auf und ab schwang.

Matilda untersuchte auch den Boden vor der Mauer. Denkbar, dass etwas vergraben und markiert worden war, vielleicht in einer Weise, die für einen Außenstehenden ... Sie musste einen Laut von sich gegeben haben, denn der Professor kam rasch zu ihr und legte ihr die Hand auf die Schulter.

»Was ist?«

Matilda kniete sich auf den festgetretenen Lehmboden, die

Laterne neben sich, und kratzte mit den bloßen Fingern. »Haben Sie ein Werkzeug, irgendetwas Spitzes?«

Er reichte ihr einen Meißel. Matilda bearbeitete eine Stelle unmittelbar vor der Mauer, riss ungeduldig die Mütze vom Kopf und warf sie beiseite. Dann beugte sie sich vor und pustete den losen Dreck fort. »Sehen Sie nur!«

Fleming hielt seine Laterne über die Stelle und pfiff leise. Eine kleine Steinplatte, nicht mehr als vier Zoll im Quadrat, auf die eine Pflanze eingraviert war. Die Pflanze hatte große, überlappende Blütenblätter, deren Umrisse fein gestaltet waren, die Mitte war vertieft und wirkte dadurch dunkler.

»Mohn«, sagte Matilda atemlos. Sie wischte mit der Hand die letzten Erdkrumen weg und versuchte, den Meißel unter die Platte zu schieben. Sie ließ sich mühelos hochdrücken. Matilda leuchtete auf die Stelle und sah enttäuscht, dass sich nur ein flaches Quadrat abzeichnete, kein Loch oder etwas, das auf ein Versteck hindeutete. »Aber es muss doch …«

»Hier!« Fleming hatte sich auch ein Werkzeug genommen und klopfte damit oberhalb der kleinen Steinplatte gegen die Mauer.

»Es klingt hohl.«

»Das geht eigentlich gegen meine Ehre als Wissenschaftler, aber …« Mit diesen Worten begann, er den Mörtel aus den Fugen zu kratzen. »Morgen werde ich mich selbst verfluchen.«

»Wir können es wieder hineinstopfen«, bot Matilda an und fegte mit der Handkante die Bröckchen zusammen.

»Was täte ich nur ohne Sie?«

»Zu Hause am Kamin sitzen, statt sich in einem muffigen, feuchten Keller die Fingernägel abzubrechen.«

Er lachte und kratzte weiter, bis er die Fugen um den Wandstein freigelegt hatte. Dann ließ er den Meißel fallen, schloss beide Hände um den Stein und zog. Mit einem lauten Schaben löste er sich aus der Mauer.

Da er viel größer war als ein Ziegelstein, tat sich ein beträchtliches Loch auf. Fleming schob vorsichtig die Hand hinein. Matilda hörte etwas scharren, dann zog er einen viereckigen Gegenstand heraus.

»Noch ein Kasten!«

»Aber kein so schöner«, sagte der Professor und wischte mit dem Ärmel darüber.

Matilda leuchte mit beiden Laternen darauf. Es sah eher wie eine kleine eisenbeschlagene Truhe aus.

»Machen Sie sie auf!« Erleichtert bemerkte sie, dass es kein Vorhängeschloss gab. Das hätte ihnen gerade noch gefehlt – kurz vor dem Ziel an einem fehlenden Schlüssel zu scheitern!

Behutsam klappte Fleming beide Schließen hoch und öffnete den Deckel. Die Scharniere klemmten ein bisschen, gaben aber auf sanften Druck nach. Matilda entfuhr ein leises »Ohhh«, als sie die Goldmünzen und die Bündel von Papieren sah, die mit einem roten Band verschnürt waren.

»Ein Schatz«, sagte Fleming beeindruckt. »Ich kann es kaum erwarten, die Papiere zu untersuchen.«

»Sie meinen ... wir nehmen sie also mit?«, fragte Matilda im Flüsterton.

Er blickte auf, einen Moment lang unsicher. »Ich könnte verstehen, wenn Sie das Unternehmen abbrechen möchten.« Sie spürte die Enttäuschung, die in seinen Worten mitschwang. »Wir sind hier widerrechtlich eingedrungen. Etwas mitzunehmen wäre Diebstahl.«

Sie versuchte, im flackernden Licht seine Augen zu erkennen, doch er hatte den Kopf abgewandt und wartete auf ihre Antwort.

»Es ist nur dann Diebstahl, wenn wir es gegen den Willen der Besitzerin mitnehmen. Dieses Haus gehört Laura Ancroft. Ich bin davon überzeugt, dass wir ihr helfen und ihr Eigentum schützen müssen. Wir nehmen die Truhe mit.«

»Ich danke Ihnen.«

»Wofür?«

»Für Ihr Vertrauen. Und dass ich all das hier entdecken durfte.« Er machte eine Geste, die den ganzen Keller einschloss. »Wir werden Laura helfen. Erst wenn sich für sie alles zum Guten gewandt hat, kommt die Wissenschaft an die Reihe. Das verspreche ich.«

Die Stimmung war so feierlich, dass Matilda ihm fast die Hand gereicht hätte. Stattdessen deutete sie auf die Truhe. »Wie schaffen wir sie von hier fort?«

Es war schnell erledigt. Das Werkzeug, ein Seil und die übrige Ausrüstung, die Fleming dabeihatte, wanderten in Matildas große Tasche. Dann hoben sie die Truhe, die überraschend schwer war, in die robuste Ledertasche des Professors.

Matilda schaute nach oben. »Ich hätte mir gern den Laden und die Wohnung angesehen, aber wir sollten gehen, bevor wir entdeckt werden.«

Fleming nickte. »Wenn Laura zurück und all das überstanden ist, dürfen Sie sich gewiss das ganze Haus anschauen.«

Matilda schluckte. »Ich hoffe, der Tag wird kommen. Das hoffe ich wirklich sehr.«

Plötzlich spürte sie eine sanfte Berührung unter dem Kinn. Ein einzelner Finger, der ihren Kopf anhob. »Wir sind weit gekommen, Miss Gray. *Sie* sind weit gekommen. Sie hatten nichts außer einer kryptischen Botschaft, versteckt unter einer Briefmarke. Und was ist daraus geworden!«

Sie spürte nichts außer der Fingerspitze, die ihr Kinn berührte.

»Morgen schauen wir uns an, was sich in der Truhe befindet. Ich verspreche Ihnen, ich schaue nicht ohne Sie hinein. Oder ich bringe Sie heute noch zu Ihnen, was immer Ihnen lieber ist.«

Als er den Finger wegnahm, war es, als hätte sie etwas Kostbares verloren.

Sie hielt wieder die Laternen, während er die Kiste unter die Falltür rückte und sie von unten aufstemmte. Der Laut, mit dem sie aufs Pflaster fiel, ließ Matilda zusammenzucken, doch draußen regte sich nichts. Fleming kletterte hinaus und verharrte einen Moment reglos, um sich zu vergewissern, dass sie immer noch allein waren.

Dann erklang seine Stimme von oben. »Geben Sie mir die Taschen hoch.« Matilda ächzte leise, als sie die schweren Taschen nach oben reichte. Dann half er auch ihr hinauf auf den Gehweg.

Fleming ließ die Falltür einrasten, griff nach der Tasche und bot Matilda seinen Arm an. »Gehen wir?«

Als sie die Cannon Street fast erreicht hatten, taumelte ein Betrunkener aus einem Hauseingang. »Wassabt ihr denn hier ssu ssuchen?«, nuschelte er.

Matilda atmete erleichtert auf, als sie an ihm vorbei waren. »Gut, dass er nicht früher gekommen ist.«

Fleming lachte. »Gewiss. Aber ob ihm jemand geglaubt hätte, dass zwei Leute aus einem Loch im Gehweg geklettert sind, die schwere Taschen mit sich schleppten?«

Auf dem Bahnsteig streckte Matilda ihm die Hand entgegen. »Ich danke Ihnen noch einmal. Ich kann gar nicht sagen, wie sehr. Was für ein Abend! Den werde ich so bald nicht vergessen.«

Er lächelte verlegen. »Ich auch nicht.«

»Und danke für Ihre Worte.« Sie meinte noch immer, seinen Finger zu spüren, als habe er einen unsichtbaren Abdruck an ihrem Kinn hinterlassen. »Sie verstehen es, einem Mut zu machen.«

»Wenn man junge Menschen unterrichtet, sollte man das können. Sie können es doch auch, oder?«

»Es ist einfacher, anderen Mut zu machen als sich selbst.« Sie bemerkte, wie ein Anflug von Traurigkeit in sein Gesicht trat. Dann hatte er sich wieder in der Gewalt.

»Sie wollen wirklich nicht, dass ich Sie nach Hause bringe?«

»Nein, so spät ist es nun auch wieder nicht. Es kam mir vor, als hätten wir eine Ewigkeit dort unten verbracht, dabei ist es erst kurz nach neun.«

»London im Dunkeln ist gefährlich.«

»Das ist es immer.«

»Na schön, Sie haben gewonnen.«

Matilda fasste einen spontanen Entschluss. »Kommen Sie doch morgen zum Abendessen. Und bringen Sie die Truhe mit, falls es nicht zu umständlich ist. Um sieben Uhr?«

»Mit dem größten Vergnügen«, sagte er und tippte sich an die Mütze.

Dann fuhr die Bahn ein, und er ließ es sich nicht nehmen, ihr die Tasche anzureichen, nachdem sie eingestiegen war. Ihre Blicke trafen sich für einen Moment, bevor der Schaffner die Tür zuschlug. Und was Matilda in seinen Augen las, begleitete sie bis in ihre Träume.

25

Mrs. Westlake war für den nächsten Abend verabredet. Sie sorgte dafür, dass die Köchin ein exzellentes Mahl zubereitete und Sally ihre neue Schürze anzog. »Und Sie wollen mir immer noch nicht verraten, wo Sie die geheimnisvolle Truhe gefunden haben?«

Ihr treuherziger Blick erinnerte Matilda an einen Hund, und sie lachte resigniert. »Damit hätten Sie den Professor und mich in der Hand. Sie könnten uns bis an unser Lebensende erpressen.«

»Oh!« Mrs. Westlake schlug die Hand vor den Mund. »Jetzt bin ich schockiert. Haben Sie eine alte Frau in ihrem Haus überfallen? Oder gar Kirchenraub begangen? Wie ich hörte, treibt eine skrupellose Einbrecherbande in Mayfair ihr Unwesen. Mir war nicht klar, dass Universitätsprofessoren und Lehrerinnen so schlecht bezahlt werden …«

»Hören Sie auf!«, flehte Matilda und hob die Hände. »Bitte. Ich sage es Ihnen, aber Sie müssen mir versprechen, es niemandem zu verraten.«

»Ich schwöre es«, sagte Mrs. Westlake feierlich und hob die rechte Hand. »Kein Wort, zu niemandem.«

»Wir sind in das Haus der Ancrofts eingestiegen und haben den Keller durchsucht. Dort haben wir die Truhe gefunden.«

»Sie sind dort eingestiegen? Mit dem Professor?«

»Ja, es gibt eine Falltür im Gehweg, durch die man früher die Waren ins Haus befördert hat.«

Mrs. Westlakes Augenbrauen wanderten in die Höhe, und

sie stemmte energisch die Hände in die Hüften. »Meine Liebe, *das* hätte ich mir nicht besser ausdenken können! Falltüren, finstere Keller und Truhen, die aussehen wie von Stevensons Schatzinsel. Ich frage mich nur, wer wen zu diesem halsbrecherischen Plan überredet hat.«

Matilda zuckte mit den Schultern.

»Falls es die Idee des Professors war, zweifle ich nämlich, ob ich Sie noch einmal mit ihm allein lassen kann. Wer weiß, welche Leichen sich in *meinem* Keller finden …«

»Ist das eine Einladung, Mrs. Westlake?«, fragte Matilda belustigt. »Sie scheinen geradezu auf eine Expedition zu hoffen.«

Die ältere Frau ging in den Flur und griff nach ihrem Hut. Matilda half ihr in den Mantel und rückte den Kragen zurecht. »Ich wünsche Ihnen einen unterhaltsamen Abend. Und danke noch einmal, dass Sie sich um alles gekümmert haben.«

»Den Wunsch erwidere ich.« Mrs. Westlake zögerte. »Er ist ein außergewöhnlicher Mann. Sie können sich glücklich schätzen. Nein, meine Liebe, sagen Sie nichts.« Sie blinzelte Matilda zu und verließ das Haus.

Matilda sah ihr lächelnd nach.

Der Professor wischte sich den Mund an der Serviette ab, faltete sie und legte sie neben den Teller. »Was für ein köstliches Gericht. Die Gewürze … es schmeckte italienisch.«

»Das Rezept hat Mrs. Westlake aus Mailand mitgebracht. Die Stadt ist berühmt für ihre ausgezeichnete Küche. Die besondere Note bei den Lammkoteletts kommt vom Majoran.«

»Ganz hervorragend, mein Kompliment an die Köchin.« Er schaute Matilda an und wurde plötzlich ernst. »Ich hoffe, Sie haben sich erholt.«

»Wie meinen Sie das?«

»Gestern Abend hatte ich den Eindruck, dass Sie unbedingt allein sein wollten. Ich hatte befürchtet, unsere Unternehmung könnte Sie in irgendeiner Weise verunsichert haben.«

»Nein!«, rief sie heftiger als beabsichtigt. »Keineswegs. Ich möchte unser Abenteuer um keinen Preis missen.«

Seine Erleichterung war nicht zu übersehen. Er legte den Handrücken an den Mund und schaute sie verschmitzt an. »Das kann ich nur erwidern. Es war mir ein besonderes Vergnügen, und nicht nur, weil wir gleich zwei Schätze gefunden haben.«

Matilda spürte, wie sie rot wurde, und erhob sich vom Tisch, um nach Sally zu klingeln. Während das Mädchen abräumte, führte sie den Professor ins Wohnzimmer, wo er die Truhe zuvor deponiert hatte.

Er blieb daneben stehen, beide Hände in den Hosentaschen, das Jackett offen, sodass man die goldene Uhrkette an seiner Weste sehen konnte. Er hielt den Kopf ein wenig schräg und hatte die Augen auf die Truhe gerichtet.

»Ich habe sie mir von außen angesehen. Sie dürfte etwas älter sein als Lauras Kasten. Vielleicht wurde sie für Katherines Eltern oder Großeltern angefertigt. Eichenholz. Eine solide Arbeit, aber nicht schmuckvoll, sie war für geschäftliche Zwecke gedacht. Ich nehme an, es wurden immer schon wichtige Papiere darin aufbewahrt, möglicherweise auch Geld.« Er deutete auf die Truhe. »Ihr Fall, Miss Gray. Sie sollten sie öffnen.«

Matilda klappte den Deckel auf und sog scharf die Luft ein. »Sehen Sie! Das konnte man im dunklen Keller nicht erkennen.« Von innen war an dem Holz eine kleine, schwarz angelaufene Metallplatte angebracht.

»Darf ich?« Fleming hielt ein sauberes Taschentuch in der Hand.

Matilda nickte, und er rieb darüber, erst vorsichtig, dann fester. Jetzt schimmerte die Platte, und man konnte eine Gravur erkennen:

JOHN WILLIAM CLELAND

Kaufmann
London

Sie schauten einander an. »Das dürfte der Beweis sein«, sagte Matilda atemlos. »Katherines Vater. Den Clelands gehörte das Haus, das früher dort stand; der Vater hat etwas Wertvolles im Keller versteckt, als die Familie dort eingeschlossen war und dem Tod entgegensah, und Katherine hat davon gewusst.«

Sie spürten, dass dies ein ganz besonderer Augenblick war. Es war, als spräche eine Stimme über die Jahrhunderte hinweg zu ihnen, genau wie in den Tagen, als sie das Buch des Mädchens entziffert hatten.

Matilda legte die Papiere beiseite. Dann nahm sie behutsam eine goldene Münze heraus, trat an die Anrichte und holte Mrs. Westlakes Lupe.

Die Goldmünze zeigte auf einer Seite das Abbild eines Königs und die Aufschrift CAROLVS D : G : MAGN : BRIT : FRAN : ET : HIB : REX. Auf der Rückseite stand EXVRGAT : DEVS : DISSIFENTVR : INIMICI : RELIG : PROT : LEG : ANG : LIBER : PAR und die Jahreszahl 1643, dazu waren drei Lilien und die Zahl III eingeprägt.

»Aus der Zeit Charles I.?«, fragte Matilda.

Fleming nickte. »Eine wunderbar erhaltene 60-Shilling-Münze. Verstehen Sie Latein?«

»Nicht gut.«

»Die Inschrift um den Rand lautet ›Exurgat deus dissifentur inimici – Möge Gott sich erheben und seine Feinde zerstreuen.‹ Und die Abkürzungen stehen für ›Die Religion der Protestanten, die Gesetze Englands und die Freiheit des Parlaments.‹«

»Und die andere Seite?«

»Charles, von Gottes Gnaden König von Großbritannien, Frankreich und Irland.«

»Ist das nur ein Sammlerstück, oder besitzt die Münze einen tatsächlichen Geldwert?«, fragte Matilda gespannt.

»Sie stellen die Frage falsch herum«, sagte Fleming lächelnd. »Ihr Wert als Sammlerstück dürfte deutlich höher sein als der materielle Wert. Wenn sie von einem angesehenen Münzhändler oder Auktionator angeboten wird, kann sie eine deutlich höhere Summe erzielen, als wenn man sie einschmilzt.« Er legte sie zurück und ordnete einige andere Münzen auf seiner Handfläche an. »Oh …«

»Was ist?«, fragte Matilda. »Sind die auch besonders?«

»Das sind Cromwell-Münzen«, sagte der Professor aufgeregt und legte sie nebeneinander auf den Tisch. »Sie wurden in den elf Jahren seiner Herrschaft geprägt und sind ungemein selten und wertvoll.« Er deutete auf eine Goldmünze, die schimmerte, als habe man sie gerade erst poliert. Auf der Vorderseite war ein Mann im Profil dargestellt, der einen Lorbeerkranz trug. OLIVAR D GR P ANG SCO ET HIB & PRO.

»Oliver, Protektor von England, Schottland und Irland?«, fragte Matilda.

»Sehr gut.«

Sie drehte die Münze um. »1656 PAX QUAERITUR

BELLO. Friede wird durch Krieg gesucht? Eine seltsame Philosophie.«

»So lautete Cromwells Wappenspruch. Das ist ein Gold Broad, eine Ein-Pfund-Münze.«

Matilda spürte, dass der Mann neben ihr förmlich vibrierte.

»Na, sagen Sie schon, was ist daran so besonders?«

»Münzen aus der Zeit des Commonwealth sind fast immer wertvoll, weil in der kurzen Zeit, in der es bestand, nicht viele geprägt wurden. Und diese gab es sogar nur in einem Jahr: 1656.« Er warf einen Blick in die Truhe. »Lauras Kasten ist ein ideeller Schatz. Dies hier ist ein echter. Ich bin kein Numismatiker, aber die Münzen müssen Tausende Pfund wert sein, vielleicht auch mehr. John Cleland war ein wohlhabender Mann, aber er konnte nicht ahnen, dass Sammler über zweihundert Jahre später ein Vermögen für sein Vermögen bezahlen würden.«

Matilda überlegte rasch. »Wenn jemand ahnt oder weiß, dass die Truhe existiert, wird er alles daransetzen, sie zu finden, nicht wahr?«

»Ganz sicher.«

»Sie war in Lauras Haus versteckt und gehört damit ihr, richtig?«

»Ihr Vorfahr hat das Grundstück rechtmäßig erworben.« Fleming wiegte den Kopf. »Es sind Jahrhunderte vergangen, seit die Truhe dort versteckt wurde. Möglicherweise würde ein Gericht zu dem Schluss gelangen, dass Laura alles gehört, was sich im Haus findet.«

»Also könnte sie die Truhe behalten«, sagte Matilda nachdenklich. »Und wenn sie heiratet …« Sie gab sich einen Ruck, räumte die Münzen wieder ein und zog das Papierbündel heran.

Eine halbe Stunde später wussten sie, dass John Cleland nicht nur ein wohlhabender Kaufmann gewesen war, sondern auch seine Papiere tadellos in Ordnung gehalten und die wichtigsten davon in diese Truhe gelegt hatte.

Eine Liste seiner Lieferanten, von denen er vor allem Opium bezogen hatte.

Ein Verzeichnis der Schiffe und ihrer Kapitäne, die seine Waren aus dem Orient nach London transportiert hatten.

Der Kaufvertrag für das Haus in der Laurence Pountney Lane Nr. 9.

Ein persönlicher Brief an den berühmten Mediziner Thomas Sydenham, in dem er sich höflich erkundigte, welche geschäftlichen Aussichten sich aus der Herstellung von Laudanum ergeben würden.

Und schließlich ein Vertrag mit mehreren Apothekern, der ihm das Vorrecht einräumte, sie allein mit Opium zu beliefern.

»Nun haben wir die Bestätigung für das, was es mit dem Mohn auf sich hat«, sagte Matilda. »Er hat ihn reich gemacht. Darum hat er seiner Tochter das Medaillon mit dem Bild von Robert Hooke geschenkt.«

Fleming klopfte sich mit dem Finger gegen die Lippen. »Nicht zu vergessen die Fliese mit der Mohnblume, die das Versteck markierte. Ich könnte mir vorstellen, dass sie früher im Laden oder den Wohnräumen als Dekor angebracht war.«

»Cleland ahnt, dass sie bald sterben werden. Also legt er alles, was von Wert ist, in die Truhe, versteckt sie in der Mauer und markiert die Stelle mit der Fliese.« Matilda überlegte. »Aber für wen war der Hinweis bestimmt? Anscheinend ist seit zweihundertdreißig Jahren niemand auf die Idee gekommen, dort zu suchen.«

»Weil niemand wusste, dass dort etwas zu finden war«, gab

Fleming zu bedenken. »Könnten Sie bitte Katherines Buch holen? Oder die Abschrift?«

Matilda eilte in ihr Zimmer und kam mit beidem zurück. Der Professor blätterte und las die Stelle vor: »›Vater ist ... einen Brief von ihm ... Wuchersumme. ... in der Kirche deponieren und an Anthony ... ganzes Vermögen ... Vater vertraut mir ... nicht vor der Wahrheit ... lebend herauskommen.‹ Cleland hat jemandem eine Wuchersumme bezahlt, damit dieser einen Brief an Anthony, möglicherweise seinen Sohn, in einer Kirche deponiert.«

Matilda tippte auf die Stelle. »Anthony war der Erbe. Daher wollte Cleland ihm einen Hinweis auf sein Schicksal hinterlassen. Er schrieb den Brief, in dem er auch das Versteck erklärte.«

Fleming nickte. »Das klingt überzeugend. Viele alte Kirchenbücher sind verbrannt, aber vielleicht finden wir irgendwo einen Eintrag zu Anthony Cleland.«

Dann kam Matilda noch ein anderer Gedanke. »Warum wurde das Grundstück verkauft, wenn es einen Erben gab? Wie konnte Gabriel Ancroft es erwerben, wenn es überlebende Angehörige gab?«

Fleming zuckte mit den Schultern. »Nach der Pest und dem Brand herrschte großes Chaos in der Stadt. Vielleicht hat Anthony den Brief nie erhalten, weil er im Ausland war, womöglich dort gestorben ist. Oder er wollte nichts mit dem Grundstück zu tun haben, das ihn an den Tod seiner Familie erinnerte. Es war eine Zeit, in der wissenschaftliches Denken auf alten Aberglauben traf. Wenige Jahrzehnte zuvor hatte es in England noch Hexenverbrennungen gegeben. Ich könnte mir durchaus vorstellen, dass viele Menschen nicht auf den Überresten eines Hauses bauen wollten, in dem eine ganze Familie ihr Leben gelassen hatte.«

»Gabriel Ancroft hingegen schon.«

»In der Tat. Das Grundstück war sicher preiswert. Wer sich nicht vor Geistern fürchtete, konnte ein gutes Geschäft machen. Dennoch scheint der Ort über die Jahrhunderte hinweg seinen dunklen Ruf bewahrt zu haben – denken Sie daran, was der Mandelverkäufer gesagt hat.«

Matilda schauderte, als seine Worte in ihr widerhallten.

Ich hab so ein Gefühl. Wenn ich dran vorbeikomm … wird mir kalt, sogar im Sommer … Man erzählt sich ja, dass es in London umgeht, und das ist einer dieser Orte – als würd ich durch einen Nebel gehen, der kalt ist und den man nicht sehen kann …

»Wir müssen herausfinden, wer Anthony war und was aus ihm geworden ist. Und der Brief – das dürfte noch schwieriger werden, wo doch so viele Kirchen abgebrannt sind«, sagte Matilda und fuhr gleich darauf fort: »Und wenn es nun die Kirche war, die neben dem Haus stand? St. Laurence Pountney? Aber deren Kirchenbücher dürften auch zerstört worden sein.«

Fleming hob abrupt die Hand. »Einen Moment. Miss Gray, das war eine ausgezeichnete Idee. St. Laurence Pountney wurde nach dem Großen Brand nicht wiederaufgebaut, und man legte die Gemeinde mit St. Mary Abchurch zusammen, deren Kirche ebenfalls abgebrannt war.«

Matilda seufzte, doch der Professor lächelte. »St. Mary Abchurch wurde ab 1681 von Sir Christopher Wren wiederaufgebaut, nur wenige Minuten vom Bahnhof Cannon Street entfernt. Falls Kirchenbücher aus St. Laurence Pountney überdauert haben, finden wir sie dort.«

Matilda erhob sich und goss ihnen beiden Portwein ein. Sie hielt Fleming ein Glas hin. »Wir sollten auf diesen Abend trinken. Ein Goldschatz, wertvolle Dokumente und vielleicht die Chance herauszufinden, wer Anthony war.«

Sie stießen miteinander an.

»›Mein Zimmer, das bunte Spiel des Holzes, wo die Sonne hinfällt.‹ Damit hat alles begonnen. Und sehen Sie, was daraus geworden ist. Welch ein Abenteuer.« Sie bemerkte, dass Flemings Augen auf ihr ruhten.

»Begeisterung steht Ihnen gut«, sagte er in warmem Tonfall. »Sie ist wie ein Elixier, nicht wahr?«

»Oh, ja. Leider geht sie bei Erwachsenen oft verloren.«

»Bei mir nicht«, sagte er leise und deutete auf die Truhe, das Gold und die Papiere. »So etwas reißt mich immer wieder mit. Wer abstumpft, lässt sein Herz vertrocknen.«

Sie trank von ihrem Wein, nur um etwas zu tun. »Damit sind wir fast am Ende angekommen.«

Er sah sie fragend an.

»Wir haben zwei Schätze gefunden. Falls – nein, *wenn* Laura heimkehrt, können wir ihr alles übergeben. Unser Auftrag ist beinahe erfüllt.«

»Ich höre ein Aber …«

»Aber wird sie dadurch glücklich?«, fragte Matilda zweifelnd. »Wir haben die Vergangenheit ergründet, aber was ist mit der Gegenwart? Sie ist noch immer mit Charles Easterbrook unterwegs und kann nicht bestimmen, wie sie leben möchte.«

Eine warme Hand schloss sich um ihre, eine andere nahm ihr behutsam das Glas ab und stellte es beiseite. »Denken Sie sich einen Weg von hundert Meilen. Achtzig sind geschafft. Der Weg war mühsam, Sie mussten Umwege nehmen. Blicken Sie zurück, bevor Sie an das denken, was noch kommt. Sie haben vorhin selbst gesagt, dass dies alles mit einem Satz begonnen hat. Und ihm haben Sie eine ganze Geschichte entlockt, eine längst vergangene Welt wiederauferstehen lassen. Sie werden nicht auf den letzten zwanzig Meilen scheitern.«

Die Bewegung war beinahe unbewusst. Matildas Gesicht näherte sich seinem. Sie wusste nicht, ob sie die Augen geschlossen hatte, jedenfalls sah sie nichts, spürte nur seine Lippen, die behutsam über ihre streiften. Dann wich einer zurück, wie bei einem elektrischen Schlag. Wer von ihnen es gewesen war, konnte sie nicht sagen.

Der Professor räusperte sich. Matilda schlug ihr Notizbuch auf und kritzelte drauflos, als wolle sie den Augenblick vergessen machen: *St. Mary Abchurch Kirchenbücher.*

Ihr Stift verharrte über der Seite.

»Es ist spät geworden«, sagte die inzwischen so vertraute Stimme. »Ich muss morgen früh aufstehen, ich habe außerhalb zu tun. Und Sie sollten sich von dem aufregenden Wochenende erholen.« Fleming räumte die Truhe ordentlich ein und klappte den Deckel zu.

»Matilda?«

Bei dem Wort blickte sie auf. Er schien die Frage in ihren Augen zu lesen und senkte kurz den Kopf, als wolle er eine Erinnerung vertreiben. »Begleiten Sie mich noch zur Tür?«

Sie stand auf und folgte ihm in den Flur, wo er nach Hut und Mantel griff. Schweigend schaute sie zu, wie er sich anzog und den Schal umlegte. Bevor er die Handschuhe überstreifte, nahm er ihre Hand, beugte sich darüber und berührte sie mit den Lippen. »Ich wünsche Ihnen eine gute Nacht. Auf bald.«

Sie blieb an der Tür stehen und sah ihm nach, bis seine Schritte im Nebel verklungen waren. Dann schloss sie die Tür, lehnte sich von innen dagegen und fragte sich, was gerade mit ihnen geschehen war.

26

Sie waren glücklich miteinander gewesen. Er hatte gerade sein Studium beendet, und das Geld war knapp, aber das hatte ihn und vor allem Margaret nicht gekümmert. Ihr Optimismus war so groß, dass er ihn bisweilen mitgerissen hatte. Als sie erfahren hatten, dass Margaret ein Kind erwartete, hatte ihre Freude die Sorge, dass nun drei Menschen von seinem Einkommen lebten mussten, einfach davongeschwemmt.

Stephen Fleming saß mit geschlossenen Augen im Abteil, während draußen die Winterlandschaft an ihm vorbeizog. Er hatte nichts davon vergessen. Nicht die Geburt, nicht das Glück der ersten Tage, nicht den Augenblick, in dem sie das Kind leblos in seinem Bettchen gefunden hatten. Der Arzt konnte nicht erklären, was den Tod verursacht hatte, es komme häufiger vor, und man dürfe sich keine Vorwürfe machen. Dann hatte er noch etwas von Gottes Ratschluss gemurmelt.

Sie waren beide völlig erschüttert gewesen, doch während er selbst die Trauer allmählich überwand, war Margaret immer tiefer darin versunken. Sie aß kaum noch, saß den ganzen Tag im abgedunkelten Zimmer, sprach nicht. Er hatte alles versucht, um sie abzulenken, war mit ihr ausgefahren, spazieren gegangen, hatte ihr vorgelesen, Angehörige und Freundinnen eingeladen – nichts davon hatte geholfen.

Dann kamen die Ärzte, eine schier endlose Reihe von Ärzten. Der eine verschrieb Diäten, der nächste Wasseranwendungen, der dritte einen Aufenthalt an der See. Alles vergeblich. Fleming hatte sich kaum noch aus dem Haus getraut, weil er fürchtete, Margaret könne sich etwas antun, während er in der Universität war. Nachdem Margaret erst das Hausmädchen und dann ihn selbst angegriffen hatte, brachte er sie ins Krankenhaus.

Er öffnete die Augen und sah aus dem Fenster. Selbst jetzt, nach all den Jahren, schmerzte die Erinnerung. Die friedliche Landschaft draußen schien ihn zu verspotten.

Im Krankenhaus konnte man nichts für Margaret tun. Ihre Erkrankung sei geistiger, nicht körperlicher Natur. Also hatte er einen Nervenarzt konsultiert, der endlich die richtigen Fragen stellte und daraus seine Schlüsse zog. Margaret fühle sich schuldig am Tod des Kindes und komme nicht darüber hinweg. Dies habe zu einer verzerrten Wahrnehmung der Wirklichkeit geführt, durch die sie selbst nahestehende Personen nicht erkannte und als Bedrohung empfand. Der Arzt empfahl einen Aufenthalt in einem Sanatorium. Fleming, der am Ende seiner Kräfte war, hatte zugestimmt.

Er zog es vor, vom Bahnhof aus zu Fuß zu gehen, damit er sich noch ein wenig auf den Besuch bei Margaret einstellen konnte. Die Fachwerkhäuser mit den rauchenden Schornsteinen waren mit Schnee bepudert, das ganze Dorf sah anheimelnd aus. Die Menschen eilten in die Läden, als müssten sie letzte Weihnachtsvorbereitungen treffen, dabei waren es noch zwei Wochen bis zum Fest. Durchs Fenster sah er, wie eine Mutter mit ihren Kindern am Tisch saß und bastelte, in einem anderen Zimmer hängte ein junges Mädchen eine Girlande an den Kamin. Nebenan hackte ein älterer Mann Holz und stützte sich auf seine Axt, um zu verschnaufen. Auf dem zugefrorenen Teich auf dem Dorfplatz liefen Kinder Schlittschuh. Eigentlich war die Fläche zu klein, doch sie hatten eine Ordnung gefunden, die es ihnen erlaubte, ihre Kreise zu ziehen.

Fleming hörte, wie die Kufen über das Eis schleiften. Ein Mädchen lachte, als ihre Freundin ausrutschte und auf dem Hinterteil landete, dann half sie ihr auf und zog sie mit sich.

Eigentlich hatte er erst nächste Woche herkommen wollen, doch er hatte es nicht länger ausgehalten. In Gedanken kehrte er immer wieder zu jenem Augenblick zurück, in dem Matildas Lippen seine berührt hatten. Schon bei ihrer ersten Begegnung hatte er es gespürt, als er sie berührte, während er ihre Verletzung versorgte. Bei ihr würde er all das finden, wonach er sich sehnte. Sie war mutig und unkonventionell, abenteuerlustig und unbekümmert und dann wieder unsicher und zögerlich, aber immer ein Mensch, den er lieben könnte. Den er längst schon liebte.

Seit Wochen schob er die Entscheidung vor sich her. Er hatte Matilda nie offen angelogen, hatte nie behauptet, ein freier Mann zu sein – aber war es nicht auch eine Lüge, wenn man einen Menschen so nah an sich heranließ und doch nicht eingestand, dass man gebunden war?

Seit gestern gab es kein Zurück. Fleming war die ganze Nacht ruhelos gewesen und hatte sich nach der Vorlesung sofort zum Bahnhof begeben. Er hatte eine Fahrkarte nach High Lavering gelöst und war in den Zug gestiegen, ohne sein Kommen anzumelden. Selbst die kleinste Verzögerung erschien ihm unerträglich.

Seine Schritte wurden langsamer, als die warmen ziegelroten Mauern hinter den kahlen Baumwipfeln auftauchten, die Schornsteine, die eiserne Wetterfahne. An diesem Tag kannte die Welt nur drei Farben – schwarz, weiß und dunkelrot. Er musste an Schneewittchen denken.

Das Tor war angelehnt, also befanden sich die Insassen alle im Haus. Sie durften unter Aufsicht im Garten spazieren gehen, dann war das Tor natürlich abgeschlossen. Doch angesichts des drohenden Schneefalls waren sie im Warmen geblieben.

Flemings Blick fiel auf die Kastanie, unter der Margaret oft saß. Ob es ihr dort besser gefiel als unter anderen Bäumen oder ob es ihr gleich war, wo sie sich aufhielt, wusste er nicht. Er wusste schon lange nicht mehr, was sie dachte oder was sie glücklich machte. Schwester Claire hatte ihm erzählt, sie verhalte sich ruhig, wenn sie dort säße, was sie als gutes Zeichen deutete. Er hatte ihr geglaubt, weil es ihn tröstete und die Situation so leichter zu ertragen war.

Fleming hatte sich im Laufe der Zeit mit seinem Leben arrangiert. Es war ihm gelungen, zufrieden und manchmal sogar glücklich zu sein. Die Arbeit erfüllte ihn, und abends vertiefte er sich in seine Forschungen, sodass ihm wenig Zeit zum Grübeln blieb. Er fuhr regelmäßig nach High Lavering, um Margaret zu besuchen und mit dem Arzt zu sprechen, von dem er die immer gleichen Antworten erhielt.

Sie sei gut aufgehoben, körperlich gesund, meist ruhig. Eine Prognose, ob und wann man sie entlassen könne, sei zurzeit leider nicht möglich, aber man werde ihn benachrichtigen, sobald sich ihr Zustand ändere. Man wende die modernsten Methoden an, um ihr Erleichterung zu verschaffen.

Fleming hatte lange mit sich gekämpft, sich mehrere Einrichtungen angesehen, die man ihm empfohlen hatte, und war entsetzt nach Hause zurückgekehrt. Überfüllte Gebäude, düstere Mauern, undefinierbare Pfützen auf den Fußböden, Insassen in schäbigen, geflickten Kitteln. Kein Ort für seine Frau, niemals. Stephen hatte Gerüchte über Anstalten gehört, in denen man mit Fesselungen, kalten Güssen und Bädern und noch weitaus schlimmeren Methoden arbeitete.

Es war schwierig, Geisteskranke aus guten Familien angemessen unterzubringen, und er hatte so lange herumgefragt, bis er von den sogenannten privaten Irrenhäusern erfuhr. Davon gab es knapp fünfzig, bessere und schlechtere, und er war erneut umhergereist, hatte mit den Betreibern gesprochen, sich nach ärztlicher Pflege erkundigt und sich die Räumlichkeiten zeigen lassen.

In High Lavering hatte er sofort etwas gespürt, eine Wärme und Freundlichkeit, die er nirgendwo sonst empfunden hatte. Das Haus gehörte einem Ehepaar namens Bathhurst, deren einzige Tochter seelisch krank gewesen und jung gestorben war. Die Kosten hier waren vergleichsweise gering, da das Ehepaar einfach Gutes tun wollte und nur Kost, Logis und Behandlung der Patienten berechnete, ohne auf Gewinn bedacht zu sein. Das Haus nahm nie mehr als acht Patienten auf.

»Mehr können wir nicht sicher unterbringen, und es würde auch zu eng«, hatte Mrs. Bathhurst ihm bei seinem ersten Besuch erklärt. »Das Anwesen befindet sich seit vielen Generationen im Familienbesitz. Wir geben nur die Kosten weiter, die durch die Pflege der Patienten entstehen.«

Ein diskreter Hinweis darauf, dass Mr. Bathhurst ein Gentleman war, der nicht für seinen Lebensunterhalt arbeitete. Stephen war ausnahmsweise froh über das Klassendenken, auch wenn es ihn, der stets arbeiten musste, um genügend Geld zur Verfügung zu haben, vom Dasein eines Gentleman ausschloss.

Er schaute an der Hauswand hoch, an der kahle Rosenranken emporwuchsen. Im Sommer war das ganze Gebäude in Blüten und betäubenden Duft getaucht. Dann fielen auch die unvermeidlichen Gitter an den Fenstern weniger auf. Er war froh, dass er diesen Ort für Margaret gefunden hatte, und doch bedrückte es ihn, wenn er durch die Tür trat und die Welt, wie er sie kannte, hinter sich ließ.

Er klingelte. Eine junge Frau öffnete ihm. Sie trug keine Schwesterntracht, sondern ein Kostüm mit weißer Bluse und dunkelblauer Krawatte, das ihn spontan an Matilda erinnerte.

»Guten Tag, Mr. Fleming. Wir haben Sie gar nicht erwartet.«

»Verzeihen Sie, Miss Welsh. Ich hoffe, ich komme nicht ungelegen. Ich möchte zu meiner Frau und, wenn möglich, auch zu Dr. Cranford.«

Sie ließ ihn eintreten und schloss rasch die Tür. »Dr. Cranford ist noch bis sechs Uhr im Haus. Vielleicht möchten Sie zuerst mit ihm sprechen und dann zu Ihrer Frau gehen?«

Fleming zögerte und nickte dann. Andersherum wäre es ihm lieber gewesen, doch er war unangemeldet gekommen, und Bedingungen zu stellen, wäre unhöflich. »Einverstanden.«

»Bitte warten Sie kurz, ich melde Sie an.«

Man hatte ein kleines Sprechzimmer für den Arzt eingerichtet, in dem dieser auch Angehörige empfing. Dr. Cranford war kein Spezialist für Nervenkrankheiten, hatte sich aber weitergebildet und zog im Notfall Kollegen aus anderen Anstalten hinzu.

Man hatte die Eingangshalle so gelassen, wie sie immer schon gewesen war: warm und freundlich, mit Polsterstühlen und einem Kamin, der mit weihnachtlichen Girlanden geschmückt war. Nichts hier erinnerte an Krankheit. Nichts bis auf den jungen Mann, der auf Fleming zuschlurfte und sich dabei hektisch über die Schulter sah. Seine Haare waren nicht mit Pomade frisiert und standen vom Kopf ab, als sei er gerade aus dem Bett aufgestanden.

»Ist er noch da?«

Fleming musste nicht lange überlegen und deutete zur Hintertür. »Er hat gerade kehrtgemacht und ist in den Garten gelaufen.«

Der junge Mann, der einen Schlafrock und darunter einen gestreiften Pyjama trug, riss die Augen auf. »Er ist nicht mehr da?«

»Nein, Mr. Obrock, Sie können beruhigt in Ihr Zimmer gehen.«

Der junge Mann atmete sichtlich erleichtert aus. »Danke, Sir, ich bin Ihnen sehr dankbar.« Dann verschwand er nickend in Richtung Treppe.

Philip Obrock litt seit drei Jahren unter der Vorstellung, verfolgt zu werden. Niemand hatte ihm entlocken können, wer der Verfolger war. Eine Pflegerin hatte Fleming erklärt, man könne Obrock helfen, indem man sage, der Verfolger sei in die Küche, den Garten, den Keller oder die Vorratskammer verschwunden. Das gäbe ihm das Gefühl, in seinem Wahn nicht allein zu sein.

Fleming hatte sich daran gehalten, seit er einmal erlebt hatte, wie eine ahnungslose Besucherin erwiderte, es sei doch niemand hinter ihm her. Der Anblick des kreischenden, wild um sich schlagenden Mannes, der von zwei Pflegern weggetragen wurde, hatte ihn lange verfolgt.

Er dachte an seine eigene Hilflosigkeit, wenn Margaret getobt und sich verletzt oder einfach reglos dagesessen und die Wand angestarrt hatte. Es war gut zu wissen, dass man hier sanft mit den Menschen umging und versuchte, sie vor sich selbst und der Grausamkeit der Außenwelt zu schützen.

»Mr. Fleming, Dr. Cranford erwartet Sie.«

Der Arzt war um die sechzig und trug einen gepflegten weißen Bart, der in zwei gewachste Spitzen auslief. Sein noch dichtes Haar fiel bis auf die Schultern, und die rosige Gesichtsfarbe zeugte von langen Spaziergängen an der frischen Luft. Er gab Stephen die Hand und bot ihm einen Platz an.

»Ich bin überrascht, Sie heute zu sehen, Mr. Fleming. Ist etwas vorgefallen?«

»Nein, eigentlich nicht …« Er zögerte, was der Arzt sofort bemerkte.

»Aber?«

Fleming betrachtete seine Hände, die auf den Knien ruhten, und suchte nach den richtigen Worten. »Ich möchte etwas mit Ihnen besprechen. Meine Frau lebt seit nunmehr vier Jahren hier. Ich bin den Bathhursts sehr dankbar, dass sie sie so freundlich aufgenommen haben und dass sie hier gut aufgehoben ist. Es ist schon zwei Jahre her, seit sie zuletzt versucht hat, sich das Leben zu nehmen. Sie verletzt sich nur noch selten.« Es war eine nüchterne Aufzählung, doch seine Stimme bebte. »Das ist insgesamt eine gute Entwicklung, nicht wahr?«

Der Arzt sah ihn seltsam an. »Gewiss, nur … Ich weiß nicht, worauf Sie hinauswollen, aber falls Sie mit dem Gedanken spielen, Ihre Frau von hier wegzuholen, rate ich davon ab. Ich kann verstehen, dass Sie Mrs. Fleming gern bei sich hätten. Die Fahrten hierher sind zeitaufwendig, die Kosten für die Unterbringung zwar moderat, aber dennoch eine Belastung.«

Fleming wollte widersprechen, doch Cranford hob die Hand. »Bitte. Sie hat sich hier eingewöhnt. Die ruhige Umgebung, die vertrauten Gesichter, das gesunde Essen, der Aufenthalt an der frischen Luft tun ihr gut. Und sie ist von Menschen umgeben, die sich mit Leiden wie dem ihren auskennen und den Patienten ihre ganze Zeit widmen können. Verstehen Sie mich nicht falsch, Mr. Fleming, aber Sie sind ein Mann mit einem anspruchsvollen Beruf und ohne medizinische Ausbildung. Eine Rückkehr wäre für Sie und Ihre Frau eine große Belastung und Mrs. Flemings Zustand gewiss nicht förderlich.«

Fleming atmete durch. Was er eigentlich sagen wollte, bereitete ihm mehr Mühe, als er gedacht hatte. Doch bevor er zu seinem Anliegen kam, musste er sich ganz sicher sein. »Glauben Sie, dass meine Frau *irgendwann* wieder ein normales Leben führen und unter Menschen gehen kann?«

Dr. Cranford sah ihn ernst an. »Mr. Fleming, der Zustand, den wir jetzt erreicht haben, ist das Äußerste, auf das wir hoffen können. Und zwar auf lange Sicht. Ihre Frau aus dieser Umgebung zu reißen wäre fatal.« Er beugte sich vor und verschränkte die Hände auf dem Tisch. »Sind Sie wirklich gekommen, um mich danach zu fragen?«

»Dr. Cranford, ich wollte Sie tatsächlich fragen, wie es um die Zukunft meiner Frau bestellt ist. Aber es lag nie in meiner Absicht, Margaret ohne Ihre Zustimmung oder gegen Ihren ärztlichen Rat nach Hause zu holen.«

Er atmete tief durch. Seit langer Zeit dachte er Tag und Nacht daran, hatte es erwogen und verworfen und sich letztlich doch dafür entschieden – aber die Worte auszusprechen, kostete ihn Überwindung. Er wusste, dass man ihn für herzlos und selbstsüchtig halten könnte, dass manche dies ganz sicher tun würden. Doch dann erinnerte er sich an den vergangenen Abend, spürte wieder Matildas Gesicht ganz nah an seinem. »Ich erwäge, mich scheiden zu lassen.«

Dr. Cranford hob eine Augenbraue.

»Ich werde mich selbstverständlich weiterhin um Margaret kümmern, sie besuchen und ihre Behandlung bezahlen.« Margarets Eltern hatten ihm vorgeworfen, er trage die Schuld am Zustand ihrer Tochter. Sie schämten sich für die Krankheit und hatten ihren Freunden und Bekannten nie davon erzählt.

Auch hatten sie es abgelehnt, sich an den Kosten für die Unterbringung zu beteiligen, dafür sei allein ihr Ehemann verantwortlich.

»Das kommt … überraschend.«

»Ich habe es lange und sorgfältig erwogen und mir die Entscheidung nicht leicht gemacht.«

Der Arzt räusperte sich. »Ich verstehe, dass es eine große Belastung für Sie ist. An solchen Leiden kann eine Familie zerbrechen, das habe ich oft genug erlebt. Mrs. Fleming kann sich glücklich schätzen, dass man sie nicht im Stich gelassen hat. Und es ist großzügig, dass Sie die Kosten weiterhin tragen wollen.«

Fleming behagte das Lob nicht. Er sah den Arzt offen an. »Dr. Cranford, ich möchte mich nicht besser machen, als ich bin. Ich werde mich weiterhin um Margaret kümmern, aber es hat einen Grund, weshalb ich diesen Schritt gerade jetzt erwäge. Ich habe jemanden kennengelernt.«

»Ah.«

Es war erstaunlich, wie viel Verständnis in einem einzigen Laut liegen konnte. Fleming zuckte hilflos mit den Schultern. »Margaret ist krank, aber für mich waren die letzten Jahre auch nicht ganz leicht. Ich lebe wie ein Witwer, bin aber nicht frei. Die Hoffnung, vielleicht noch einmal eine Frau zu finden, mit der ich …«

»Sie brauchen sich nicht zu rechtfertigen, Mr. Fleming«, unterbrach Dr. Cranford ihn rasch. »Sie haben sich sehr bemüht, müssen aber auch wieder an sich denken. Glauben Sie mir, wenn ich Ihnen Hoffnung auf eine baldige Besserung oder gar Genesung machen könnte, würde ich es tun. Ebenso wenig würde ich mich scheuen, Sie zu tadeln, wenn ich der Ansicht wäre, dass Sie Ihre Frau übereilt im Stich lassen. Doch

Sie handeln weder übereilt noch lassen Sie Margaret im Stich.«

Fleming senkte den Kopf. »Ich danke Ihnen, Dr. Cranford. Eigentlich wollte ich zuerst Margaret besuchen, doch nun bin ich froh, dass ich vorher mit Ihnen gesprochen habe.«

Der Arzt nickte. »Gehen Sie jetzt zu ihr.«

Claire, die Pflegerin, war sehr vertraut mit Margaret und außer dem Arzt die Einzige, die sie anfassen durfte. Daher ließ Fleming sich von ihr ins Zimmer führen. Anfangs hatte es ihn gestört, dass er und seine Frau nie miteinander allein sein konnten, doch er hatte bald erkannt, dass es so besser war. Margaret wirkte empfänglicher, wenn sie Claire in ihrer Nähe wusste, weinte seltener und sprach mehr.

Es war ein freundliches Zimmer, in dem einige Möbelstücke standen, die Fleming aus ihrer Londoner Wohnung mitgebracht hatte – ein Sekretär, ein geblümter Sessel am Fenster, von dem aus Margaret in den Garten blicken konnte, eine Frisierkommode. An den Wänden hingen Fotografien ihrer Eltern und Geschwister, ein Bild von Stephen und ihr, das sie als Verlobte zeigte.

Das Bett und der Kleiderschrank gehörten zum Haus, waren aber liebevoll ausgesucht. Nichts erinnerte an ein Krankenzimmer oder gar an eine Zelle.

»Margaret, Sie haben Besuch.«

Claire, eine junge rothaarige Frau, trat zu der Patientin, die in ihrem Sessel saß. »Schauen Sie.« Sie winkte Stephen heran.

Er nahm einen Hocker und setzte sich vor seine Frau, während Claire still ihren Posten neben der Tür bezog. Margaret Fleming folgte ihr mit den Augen, ohne Stephen zu beachten, ein wenig hilfesuchend, als fühlte sie sich bereits verlassen.

Fleming schaute sie an, während ihm Cranfords Worte durch den Kopf gingen. Er glaubte dem Arzt und verspürte dennoch den Drang, sich zu vergewissern. Wenn er sich falsch entschied, würde er es sich nie verzeihen. Er hatte nachts mitunter wachgelegen und sich ausgemalt, er wäre mit Matilda Gray verheiratet, doch die Wärme, die ihn dabei überkam, wich sofort einer bedrückenden Angst.

Was, wenn Margaret plötzlich gesund wurde und an seine Seite zurückkehren wollte – und feststellen musste, dass sie nicht mehr seine Frau war? Dass es eine neue Mrs. Fleming gab?

»Margaret«, sagte er leise, um sie nicht zu erschrecken, »wie geht es dir heute?«

Sie drehte den Kopf langsam zum Fenster, wobei ihre Augen ihn erneut streiften, ohne ihn wahrzunehmen. Er sah ihr Profil, die gerade Nase mit den blassen Sommersprossen, die schmalen Lippen, die weit aufgerissenen Augen, die kaum blinzelten. Sie schien etwas dort draußen zu sehen, das allen außer ihr verborgen blieb.

»Ich bin zu Fuß vom Bahnhof gekommen. Noch liegt kaum Schnee, aber es soll mehr werden, sodass wir vielleicht weiße Weihnachten haben. In London sind die Straßen schon geschmückt, es duftet nach Maronen und Zimt. Weißt du noch, wie wir den mit Maronen gefüllten Truthahn gegessen haben? Du hast gesagt, du hättest noch nie etwas Besseres geschmeckt, es sei wie ein Stück Himmel auf der Zunge.« Er versuchte, zu ihr durchzudringen, sie mit Erinnerungen zu locken. Manchmal gelang es ihm, und ganz selten sprach sie sogar mit ihm, doch heute blieb sie still.

»Margaret, im Dorf habe ich Kinder gesehen, die Schlittschuh liefen. Du hast mir erzählt, das hättest du früher auch getan, mit deiner Schwester.« Er streckte die Hand aus und berührte einen ihrer Finger, der ein wenig krummer war als die anderen. »Den hast du dir dabei gebrochen, es deinen Eltern aber erst am nächsten Tag erzählt, weil du Angst hattest, sie würden dir das Laufen verbieten.«

Er hörte, wie sie tief Atem holte, als wolle sie zum Sprechen ansetzen. Reglos verharrte er auf dem Hocker, die Hand über ihrem Finger.

»Claire, wo bist du? Ist es schon Zeit fürs Bad?«

Die Krankenschwester stand auf und kam herüber. Sie legte Margaret die Hand auf die Schulter, die diese sofort ergriff. »Es dauert noch ein wenig, Margaret. Heute Abend wird gebadet. Aber jetzt haben Sie Besuch, ist das nicht schön?«

Sie schaute Fleming entschuldigend an, der vom Hocker aufstand und einen Schritt zurücktrat. Er sah, wie sich Margarets Gesicht entspannte. Die zusammengepressten Lippen verzogen sich zu einem Lächeln, ihre Augen schlossen sich. Sie lehnte sich kaum merklich nach hinten, sodass ihr Kopf an der Hüfte der Schwester ruhte. »Und dann kann ich mein Kind sehen? Wenn ich gebadet habe?«

Er wandte sich ab und ging zur Tür. Dort drehte er sich noch einmal um und sah zu den beiden Frauen. Eine Szene wie aus einem Gemälde – umrahmt vom frostglitzernden Fenster strahlten sie eine Ruhe aus, die ihn auszuschließen schien.

Er nickte der Pflegerin zu und verließ leise das Zimmer.

27

Matilda hatte überraschend gut geschlafen und etwas geträumt, an das sie sich nur vage erinnerte, das sie aber lächelnd aufwachen ließ. Zum Glück konnte sie allein frühstücken, denn Mrs. Westlake, die spät nach Hause gekommen war, hätte sie prüfend angesehen und sofort gewusst, dass etwas geschehen war.

Als sie in Richmond aus dem Bahnhof trat, hatte es ein wenig zu schneien begonnen, und die Welt war mit einem hauchdünnen weißen Schleier überzogen. Vor der Schule tollten einige Mädchen umher und legten die Köpfe in den Nacken, um die kalten Flocken mit den Lippen zu schnappen. In den letzten Tagen vor Weihnachten ging alles leichter, auch der Unterricht. Eine gewisse Sorglosigkeit breitete sich aus, und die Klassenzimmer dufteten nach Bienenwachs und Zimt.

In der Mittagspause kam Anne Ormond-Blythe zu Matilda und fragte, ob sie einen Augenblick Zeit habe. Sie gingen in ihr Büro, wo Anne ihr ein hübsch verziertes Päckchen überreichte. »Das ist von meiner Mutter, mit ganz herzlichen Grüßen. Ich wollte es Ihnen nicht vor allen anderen geben, weil Sie die einzige Lehrerin sind, die eins bekommt.«

»Ich bin sehr gerührt und bedanke mich. Bitte richte deiner Mutter das aus. Soll ich …?« Matilda deutete fragend auf das Päckchen.

»Wenn Sie möchten. Dann kann ich meiner Mutter sagen, ob es Ihnen gefällt.«

Es war ein zarter, hellblauer Seidenschal mit filigraner

Häkelkante. Matilda ließ ihn durch die Hände gleiten, er floss wie Wasser zwischen ihren Fingern hindurch. »Er ist wunderschön! Bitte sag deiner Mutter, dass sie mir damit eine große Freude gemacht hat. Und ich werde niemandem ein Wort verraten.«

An der Tür drehte Anne sich noch einmal um. »Meinen Sie, Laura kommt im nächsten Jahr wieder? Sie ist schon so lange weg …« Sowie die Worte heraus waren, biss sich das Mädchen auf die Lippe.

Matilda schaute sie mitfühlend an. »Sie fehlt mir auch. Und ich hoffe sehr, dass wir bald von ihr hören.«

Als sich die Tür hinter Anne geschlossen hatte, strich Matilda nachdenklich über den Schal. Das neue Jahr … 1901 … was würde es bringen? Würde ihr Bruder endlich heimkehren? Und Laura?

Dann schob sie die ernsten Gedanken beiseite, legte den Schal in eine Schublade und begab sich in den Englischunterricht. Sie las mit den Mädchen *Jane Eyre*, wobei sie die Rolle der Frauen betonte. Das war nicht weiter schwer, da Jane Männern die Stirn bot und sich über das ungerechte Schicksal ihres Geschlechts empörte.

Dora war mit Vorlesen an der Reihe. »»Ich habe nicht die geringste Absicht, Ihnen einen Harem zu ersetzen‹, sagte ich, ›also betrachten Sie mich gefälligst nicht als Ersatz dafür. Wenn Sie an derartigen Dingen Gefallen finden, dann fort mit Ihnen, Sir, und zwar schleunigst, in die Basare von Stambul, und kaufen Sie sich dort mit einem Teil des Geldes, das Sie übrig haben und offenbar hier nicht zu Ihrer Zufriedenheit anlegen können, Sklavinnen, so viele Sie wollen.‹«

Dora war rot geworden und schaute nervös vom Buch zu ihrer Lehrerin.

»Was ist?«, fragte Matilda. »Das steht so bei Charlotte Brontë, nicht wahr?«

Das Mädchen nickte und sagte verlegen: »Meine Gouvernante hat es mir früher vorgelesen, aber anders.«

»Anders?« Matilda ahnte, worauf Dora hinauswollte.

»Ich glaube, sie hat Dinge weggelassen, die ihr unziemlich erschienen.«

Einige Schülerinnen nickten. Matilda musste sich beherrschen, um nicht zu seufzen.

»Gut, aber jetzt seid ihr älter und könnt das ganze Buch lesen. Bei mir wird nichts weggelassen.«

Anne meldete sich. »Ich mag es, dass Jane sich nichts gefallen lässt. Es gehört sich nicht für einen Gentleman, eine Frau wie sie mit einer Sklavin zu vergleichen. Und überhaupt ist es falsch, wenn Frauen als Sklavinnen gehalten werden.«

»Das stimmt«, meldete Mary sich zu Wort. »Am liebsten mag ich es, wenn Jane sagt, dass Frauen genau wie Männer fühlen, dass sie ihre Fähigkeiten nutzen wollen und stattdessen gezwungen werden, Pudding zu kochen und Strümpfe zu stricken.« Ihre Wangen hatten sich vor Eifer rot gefärbt.

Matilda spürte, wie sich die Stimmung im Raum veränderte. Nun, da sich zwei Mädchen getraut hatten, ihre Meinung zu sagen, wagten sich auch andere vor. Mitten im Gespräch bemerkte Matilda, dass die stille Rosie Burke, die gute Arbeiten schrieb, sich aber selten mündlich beteiligte, die Hand halb erhob und dann abrupt zurückzog.

»Rosie, du wolltest etwas sagen?«

Rosie schaute auf ihr Pult, holte sichtbar Luft und sagte: »Wir reden immer über Jane. Ich finde es aber auch nicht richtig, wenn jemand seine Ehefrau einsperrt wie Mr. Rochester in dem Roman, selbst wenn sie geisteskrank ist.«

Alle Köpfe drehten sich zu ihr. Matilda nickte, erfüllt von Stolz auf ihre Schülerin. »Das ist ein kluges Argument.«

Sofort riss Mary die Hand in die Höhe. »Aber diese Bertha war gefährlich ...«

Rosie erwiderte: »Ja, doch sie wurde mit einem Mann verheiratet, der sie nie geliebt hat, der sie nicht schätzte und nicht einmal kannte. Das sagt Rochester selbst. Seinem Vater ging es nur um das Vermögen, das sie mit in die Ehe brachte. Und Rochester holt sie aus ihrer Heimat in ein kaltes, fremdes Land und sperrt sie zehn Jahre lang auf dem Dachboden ein.« Als Rosie merkte, dass alle sie anschauten, wurde sie rot. »Ich ... meine ja nur.«

»Deine Meinung ist sehr interessant«, sagte Matilda. Sie bewegte sich auf gefährlichem Terrain, denn es war nach wie vor üblich, dass junge Frauen aus wirtschaftlichen oder gesellschaftlichen Gründen Männer heirateten, mit denen sie kaum etwas verband. Andererseits war Rosies Beitrag zu wertvoll, um ihn außer Acht zu lassen. »Ich könnte mir vorstellen, dass die Geisteskrankheit schon in ihr angelegt, vielleicht sogar angeboren war. Die Ehe mit Rochester, die nichts als ein Geschäft ist, bei dem die einen die ungewollte Tochter loswerden und der andere eine schöne und reiche Ehefrau erhält, lässt ihre Krankheit vielleicht erst richtig ausbrechen.« Dann kam ihr eine spontane Idee. »Hausaufgabe für übermorgen – Bertha Mason schreibt vor der Hochzeit einen Brief an eine Freundin.«

»Und was soll da drinstehen?«, fragte Dora verwirrt.

»Ein bisschen Fantasie, meine Damen«, erwiderte Matilda und schloss die Stunde.

Matilda ging beschwingt die King's Road entlang und kaufte unterwegs von einem Straßenverkäufer eine große Tüte gebrannte Mandeln. Mrs. Westlake würde sich darüber freuen. Die Englischstunde hatte ihr Elan verliehen, denn wenn eine Schülerin eine originelle Idee beitrug oder im Mathematikunterricht auf einen Lösungsweg verfiel, den niemand sonst eingeschlagen hatte, fühlte sie sich als Lehrerin bestätigt. Es war ihr erklärtes Ziel, die Mädchen zu selbstständigem Denken zu ermuntern und ihnen den Mut zu verleihen, eigene Wege zu gehen.

Sie fragte sich, ob die stille Rosie vielleicht in der eigenen Familie oder im Freundeskreis eine Frau kannte, die Ähnliches erlebt hatte. Sie wirkte sonst so in sich gekehrt, doch als es um Bertha Mason ging, war sie förmlich aufgeblüht. Matilda war gespannt auf ihre Hausaufgabe.

Als sie sich der Beaufort Street näherte, kehrte sie in Gedanken zum vergangenen Abend zurück. Der flüchtige Moment, in dem ihre Lippen die von Stephen Fleming berührt hatten, hatte sie den ganzen Tag begleitet.

Auf bald, hatte er gesagt.

Wie bald?, dachte sie ungeduldig.

Sally öffnete ihr die Haustür.

»Ist Mrs. Westlake da?« Sie hatten sich seit gestern nicht gesehen, und Matilda brannte darauf, ihr von dem Goldschatz aus dem Keller zu erzählen.

»In ihrem Arbeitszimmer, Miss. Das Abendessen ist gleich fertig.«

Sally hängte Hut und Mantel an die Garderobe und verschwand in der Küche, während Matilda an die Tür des Arbeitszimmers klopfte.

Als sie Mrs. Westlakes Blick begegnete, wusste sie, dass

etwas vorgefallen war. Sie schluckte. »Guten Abend. Stimmt etwas nicht?«

Die ältere Frau stand auf und schloss die Tür. Dann drückte sie Matilda in einen Sessel, blieb selbst aber stehen.

»Jetzt bekomme ich Angst«, versuchte Matilda zu scherzen. Dann kam ihr ein Gedanke, der sie sofort ernst werden ließ. »Ist etwas mit meinem Bruder? Ist ein Telegramm gekommen?«

»Nein, nein«, sagte Mrs. Westlake rasch und setzte sich dann doch. Sie rückte mit ihrem Stuhl so nah an Matildas, dass sich ihre Knie beinahe berührten. »Es geht nicht um Ihren Bruder.« Sie verstummte. Es war ungewohnt, dass sie nach Worten suchte; gewöhnlich war ihr Redefluss kaum zu bremsen.

»Sagen Sie mir bitte, was los ist«, flehte Matilda. Das Mitgefühl im Blick der anderen Frau verunsicherte sie.

»Wie Sie wissen, war ich gestern Abend bei einer Freundin eingeladen. Sie ist Malerin und mit einem Mathematikprofessor vom University College verheiratet. Wie stehen Sie zu Professor Fleming?«, fragte sie unvermittelt.

»Bitte nicht schon wieder.«

»Ich bin nicht blind, meine Liebe. Sie haben ihn gern, das können Sie nicht verbergen.«

»Was hat Professor Fleming mit Ihrer Freundin zu tun? Oh, natürlich, deren Ehemann und der Professor sind Kollegen.« Matilda lachte erleichtert. »Hat er von Professor Flemings unkonventionellen Vorlesungen erzählt und dem Museum, das er bei sich zu Hause unterhält?«

»Nein. Er hat von Professor Flemings Ehefrau erzählt.«

Mrs. Westlake schien ihre allzu unverblümte Entgegnung zu bereuen. Ihre Lippen zuckten, sie schluckte mühsam. Doch Matilda selbst blieb seltsam ungerührt.

»Er ist also verheiratet. Das hätte ich nicht gedacht.« Wie hätte sie es auch merken sollen? Männer trugen keinen Ehering, dachte sie zusammenhanglos.

Mrs. Westlake wollte ihr die Hand auf den Arm legen, zog sie aber zurück. »Möchten Sie einen Schnaps?«

Matilda schüttelte den Kopf. Sich zu betäuben wäre falsch. Sie wollte klar denken und alles verstehen, selbst wenn es wehtat. »Ich kann es logisch erklären, es hat nichts mit Gefühlen zu tun. Als wir uns kürzlich abends voneinander verabschiedeten, sagte der Professor, dass niemand ihn erwarte. Vermutlich war es falsch, daraus zu schließen, dass er allein lebt. Er hat nie behauptet, unverheiratet zu sein.«

Sie verdrängte die Erinnerung an den Moment im Wohnzimmer, gleich nebenan, erst gestern, in dem sie die Welt um sich vergessen hatten.

»Das glaube ich Ihnen.«

Matilda konnte den mitfühlenden Blick kaum noch ertragen. »Und was ist mit seiner Ehefrau?«

»Professor Fleming hat nicht gelogen, als er sagte, dass ihn niemand zu Hause erwarte. Er lebt nicht mit seiner Frau zusammen.«

Matilda hasste sich für den Funken Hoffnung, der flüchtig in ihr aufglomm und sofort erlosch.

»Sie ist krank. Nervenkrank, wie es heißt. Sie wohnt in einem Sanatorium auf dem Land, in einer der umliegenden Grafschaften. Man weiß nicht viel, da der Professor nicht über sie spricht.«

Matilda hob plötzlich den Kopf, worauf Mrs. Westlake verstummte. »Jetzt begreife ich, was der Sammler gemeint hat.«

»Der Sammler?«

»Als ich das letzte Mal bei Arkwright war, sagte er, Mr. Fleming verdiene an der Universität ›nicht genug, um das Leben zu bezahlen, das er führt.‹ Damals dachte ich, er wolle den Professor in meinen Augen herabsetzen, ihn als Verschwender hinstellen, der über seine Verhältnisse lebt. Vermutlich hat er jedoch das Sanatorium gemeint. So etwas kostet Geld. Mr. Fleming ist ein guter Mensch und würde seine Frau nicht in einer schäbigen Irrenanstalt unterbringen.«

Sie klammerte sich an die Logik, an nüchterne Erklärungen, weil sie nur so der Dunkelheit ausweichen konnte, die sie zu verschlingen drohte.

»Matilda, es wäre besser, den Kummer nicht zu unterdrücken. Gefühle in sich hineinzufressen, tut nicht gut. Das kann einen krank machen.« Mrs. Westlake klang ungewohnt ernst.

Matilda setzte sich aufrecht hin. »Sie brauchen sich keine Sorgen zu machen, ich fresse nichts in mich hinein. Ich habe mir das Leben, das ich führe, selbst aufgebaut. Mein Ziel war es immer, unabhängig zu sein. Warum sollte es mich krank oder unglücklich machen, wenn ein Mann, den ich schätze, verheiratet ist?«

Da war es wieder, das verfluchte Mitgefühl in den Augen der anderen Frau. Matilda wäre am liebsten aus dem Zimmer gerannt, doch Mrs. Westlake ermöglichte ihr einen würdigeren Abgang.

»Vielleicht möchten Sie sich frisch machen, bevor es Essen gibt.«

Noch nie war Matilda so rasch die Treppe hinaufgelaufen. Sie griff nach ihrer Tasche und nahm zwei Stufen auf einmal, nur darauf bedacht, die Tür hinter sich zu schließen und sich aufs Bett fallen zu lassen. Sie lag auf der Seite, die Knie angezogen, den Kopf eingerollt, als wollte sie möglichst wenig Platz einnehmen.

Wie lange war es her, dass sie beschwingt durch die King's Road gegangen war, in der Nase den Duft gebrannter Mandeln, Schneeflocken im Gesicht, und es kaum erwarten konnte, nach Hause zu kommen? Eine Viertelstunde? Zehn Minuten? Wie hatten zehn Minuten alles verändern können?

Matildas Augen brannten, und sie kämpfte nicht länger dagegen an. Hier, wo niemand sie sah oder hörte, konnte sie die eiserne Hülle der Vernunft, mit der sie sich umgeben hatte, abstreifen und sich ihrem Kummer überlassen.

Natürlich entsprach alles, was sie zu Mrs. Westlake gesagt hatte, der Wahrheit. Mr. Fleming hatte sie nie belogen, ihr nie etwas versprochen, das er nicht gehalten hatte. Er hatte ihr geholfen, sie amüsiert und ihr viel beigebracht, sie in die Vergangenheit geführt, als sei sie ein fremdes Land, gleich hinter der nächsten Ecke, das es zu entdecken galt. Er war höflich und witzig, hatte nie etwas für sich verlangt, ihr lediglich mit Rat und Tat zur Seite gestanden.

War es eine Lüge, wenn man etwas verschwieg, wonach man nie gefragt worden war? Wenn man etwas Persönliches, Schmerzhaftes nicht preisgab? Sie hatte angenommen, er sei unverheiratet, weil er nie das Gegenteil erwähnt hatte.

Wenn es etwas gab, das sie ihm vorwerfen konnte, war es jener kurze Augenblick, in dem sie einem innigen Kuss ganz nah gekommen waren. Und selbst das – sie versuchte, sich zu erinnern, was genau geschehen war. Einer von ihnen war zurückgewichen. War er es gewesen? Hatte er sich besonnen, bevor sie zu weit gingen?

Dann ließ sie das Grübeln sein und weinte einfach nur um das, was warm und gut gewesen war und sie durch diesen Tag begleitet hatte. Um das, was niemals sein würde. Und um die Freundschaft, die wohl zerbrochen war.

Sehr geehrter Professor Fleming,
ich danke Ihnen für alles, was Sie in den vergangenen Wochen für mich getan haben. Es war eine aufregende Reise, die ich nie vergessen werde. Sie haben mir die Augen geöffnet, und ich werde nie wieder blind durch diese Stadt laufen.

Den restlichen Weg muss ich jedoch allein gehen. Ich habe etwas erfahren, dessen ich mir nicht bewusst war und das es mir schwer, wenn nicht gar unmöglich macht, unsere Bekanntschaft fortzusetzen.

Im Augenblick sehe ich mich nicht in der Lage, Ihnen mit diesem Wissen gegenüberzutreten. Bitte glauben Sie mir, dass ich Ihnen nicht böse bin, sondern Sie ganz im Gegenteil immer als besonderen Freund in Erinnerung behalten werde.

Mit aufrichtigem Dank,
Matilda Gray

Sie wusste nicht, wie sie es geschafft hatte, die Tinte nicht zu verschmieren, doch dann steckte der Brief im Umschlag, der adressiert und säuberlich verschlossen dalag. Sie schob ihn in die Rocktasche, entschlossen, ihn noch an diesem Abend aufzugeben, und ging zum Essen hinunter.

28

Matilda war damit beschäftigt, die Weihnachtsfeier in der Schule vorzubereiten, und überlegte gleichzeitig, wie sie die Nachforschungen allein fortsetzen könnte. Sie würde in St. Mary Abchurch nach den alten Kirchenbüchern fragen. Die Aussicht, etwas zu finden, war allerdings gering. Das Feuer hatte verheerende Schäden angerichtet und eine verwüstete Stadt hinterlassen, doch sie musste es versuchen.

Die Eingangshalle und der Speisesaal waren bereits mit Tannenzweigen und Stechpalmen geschmückt, und als Matilda mit den Kolleginnen beim Mittagessen saß, dachte sie beklommen an die Feiertage. Im vergangenen Jahr hatte es sie nicht gestört, Weihnachten mit Mrs. Westlake zu verbringen. Harry war gerade erst nach Afrika aufgebrochen, und sie hatte noch gehofft, dass sein Einsatz nicht sehr lange dauern werde. Das war nun ein Jahr her, und sie hatte ihren Bruder seither nicht gesehen.

Sie hatte den Brief an den Professor nach dem Abendessen eingeworfen, weil sie ihn – es mochte Aberglaube sein – nicht über Nacht im Haus haben wollte. Als sie vor dem Briefkasten gestanden und den Umschlag langsam in den Schlitz geschoben hatte, war es, als verabschiede sie sich von den Abenteuern der ganzen letzten Wochen. Gewiss, John Clelands Truhe stand in ihrem Kleiderschrank, gleich neben dem Kasten seiner Tochter Katherine, doch ihr Interesse daran war deutlich kleiner geworden.

Später am Abend hatte sie versucht, sich mit Arbeit abzulenken, doch als ihr Blick auf *Jane Eyre* fiel, stieg bitteres Gelächter in ihr hoch. Sie erinnerte sich an die Unterrichtsstunde – Rosies Worte, für die Matilda sie gelobt hatte, klangen jetzt wie Hohn.

Ich finde es aber auch nicht richtig, wenn jemand seine Ehefrau einsperrt wie Mr. Rochester in dem Roman, selbst wenn sie geisteskrank ist.

Welch grausame Ironie – erst heute hatte sie mit ihrer Klasse über *Jane Eyre* und geisteskranke Ehefrauen gesprochen. Natürlich war Mr. Fleming nicht Rochester und seine Frau nicht Bertha Mason, Mrs. Fleming wurde nicht auf einem Dachboden gefangen gehalten, und niemand verhinderte in letzter Sekunde eine unrechtmäßige Hochzeit. Doch die Parallele war nicht zu übersehen – der Mann, der Matilda ans Herz gewachsen war, hatte bereits eine Ehefrau. Er lebte nicht mit ihr zusammen und war doch fest an sie gebunden.

Warum jetzt erst?, dachte sie. Warum hatte Mrs. Westlake ihre Freundin nicht früher treffen und Matilda warnen können? Dann hätte sie sich niemals Hoffnungen gemacht, wäre es nie zu dem Beinahe-Kuss gekommen. Das sagte ihr Verstand.

Doch ihr Herz war anderer Meinung. Sie wollte keine Sekunde missen, die sie mit Stephen Fleming verbracht hatte, nicht das italienische Essen, nicht das Rauschen des Fleet unter ihren Füßen, nicht den abenteuerlichen Ausflug in den Keller.

»… gemeinsam proben?«

Sie schrak zusammen. Miss Fellner saß ihr lächelnd gegenüber. »Sie waren gerade meilenweit fort, Miss Gray. Ich habe gefragt, ob wir die deutschen Weihnachtslieder gemeinsam mit den Mädchen proben wollen. Ich kann es auch allein übernehmen, falls Sie zu tun haben.«

Matilda zwang sich zurück an den Lehrerinnentisch, in den Speisesaal, in dem Geschirr und Besteck klirrten und Stimmen durcheinanderredeten und -kicherten. »Selbstverständlich können wir gemeinsam proben, Miss Fellner. Ich habe das meiste bereits erledigt. Anne wird zwei Geigensoli vortragen, und die Lieder bilden den Rahmen, wenn Sie einverstanden sind.«

»Gewiss. Morgen um halb fünf?«

Matilda nickte und nahm sich noch Kartoffeln. Wenn sie aß, konnte sie hoffentlich weiteren Gesprächen aus dem Weg gehen. Es war sonderbar, inmitten dieser Frauen zu sitzen, von denen keine ahnte, was sie in den vergangenen Wochen erlebt hatte. Die Vorstellung, dass sie zusammen mit einem Mann in das leer stehende Elternhaus einer Schülerin eingedrungen war, bewaffnet mit Laternen und Seilen und Werkzeug, ließ sie ihr Herzweh kurz vergessen. Sie fragte sich, ob sie dieses zweite Leben einfach aufgeben konnte oder schon süchtig danach war, London zu durchstreifen und einem Rätsel nachzuspüren.

Miss Fonteyn berichtete von einer Kunstausstellung, die sie fürs Ende des Schuljahrs plante.

»Eine wunderbare Idee«, sagte Matilda. »So haben die Mädchen genügend Zeit, sich darauf vorzubereiten. Gab es das schon einmal?«

»Nicht in dieser Form«, erwiderte Miss Fonteyn. »Ich werde es diesmal nicht auf Aquarelle und Bleistiftzeichnungen beschränken, es darf auch in Öl gearbeitet werden. Oder bildhauerisch. Und auch modern.«

Matilda bemerkte Miss Haddons argwöhnischen Blick und fragte sich, ob die Kunstlehrerin den Plan mit ihr abgesprochen hatte.

»Was verstehen Sie unter ›modern‹?«, fragte Miss Haddon prompt.

»Nun, Impressionismus, Symbolismus, neuere Richtungen in der bildenden Kunst«, erwiderte Miss Fonteyn ungerührt.

»Sofern die Schicklichkeit gewahrt bleibt. Bedenken Sie, dass die Familien der Mädchen, vielleicht auch die Öffentlichkeit, die Werke sehen werden«, sagte Miss Haddon.

»Selbstverständlich. Der kreative Ausdruck sollte sich der sittlichen Form unterwerfen.«

Matilda unterdrückte ein Grinsen. Sie hatte einige symbolistische Gemälde gesehen, deren sittliche Form durchaus zu wünschen übrig ließ. Und sie hielt nichts davon, den kreativen Ausdruck irgendwelchen Zwängen zu unterwerfen.

Der Nachmittag verging schneller als erwartet. Um fünf Uhr verließ Matilda das Schulgelände und ging rasch in Richtung Bahnhof. Es hatte erneut zu schneien begonnen, doch obwohl die grauen Steine unter glitzerndem Puderzucker zu versinken schienen, berührte sie ihr Zauber nicht.

Kurz vor dem Bahnhof löste sich eine Gestalt aus einem Hauseingang. »Miss Gray?«

Hitze schoss ihr ins Gesicht, und ihr Herz schlug so heftig, dass es beinahe wehtat. »Was tun Sie hier?«

Er stand da, den Kopf leicht gebeugt, und schaute sie unter der Hutkrempe an. Seine Wangen waren gerötet, er schien schon länger zu warten. »Ich haben Ihren Brief erhalten.«

Matilda sah sich um. »Wir können hier nicht stehen bleiben, wir versperren den Weg.«

»Darf ich Sie zur Bahn begleiten?«

Sie nickte, weil sie nichts zu sagen wusste.

Sie fanden zwei Sitzplätze nebeneinander, wofür Matilda dankbar war; so musste sie ihn wenigstens nicht ansehen.

»Fahren Sie nach Hause?«

»Nein. Zum Pfarrer von St. Mary Abchurch«, sagte sie knapp.

»Darf ich Sie begleiten?«

»Ich weiß nicht, ob das ratsam ist.« Das Abteil war voller Menschen, der denkbar ungeeignetste Ort für ein persönliches Gespräch. Oder der geeignetste, denn niemand rechnete damit, dass sich jemand hier vertraulich unterhalten würde. »In meinem Brief habe ich alles gesagt.«

»Wie haben Sie es erfahren?«, fragte er resigniert.

»Mrs. Westlake hat eine Bekannte, deren Mann an der Universität arbeitet. Irgendwie muss Ihr Name gefallen sein, worauf er … Ihre Frau erwähnte.« Sie schaute zum Fenster, in dem sich der Innenraum des Abteils spiegelte und damit auch Flemings Gesicht. Sie nahm flüchtig wahr, wie er die Lippen aufeinanderpresste und starr geradeaus blickte.

Der Professor sprach kein Wort mehr, bis sie in Cannon Street ausstiegen und in den kalten Abend traten. Ein Leierkastenmann mit einem Äffchen auf der Schulter, das eine Strickmütze und einen dicken Pullover trug, spielte *O Come All Ye Faithful,* und die Schneeflocken rieselten auf die Münzen in seiner Blechdose nieder.

»Kennen Sie den Weg?«, fragte Matilda.

Fleming nickte. Dann begann er unvermittelt zu sprechen, zuerst flüssig und gefasst, als hätte er sich die Worte zurechtgelegt. Er erzählte, wie er seine Frau Margaret kennengelernt hatte, wie sie sich auf das Kind gefreut und es kurz nach der Geburt verloren hatten.

Matilda achtete nicht auf ihre kalten Füße und den Schnee,

der ihr ins Gesicht wehte, sondern horchte nur auf seine Stimme.

Dann veränderte sich sein Tonfall. Aus einer traurigen Geschichte, wie sie leider allzu viele Eltern erlebten, wurde etwas anderes. Er berichtete, dass Margaret sich verändert hatte, wie sie immer tiefer in ihrer Trauer versunken war, wie er die Frau, die er geheiratet hatte, verlor, während sie an seiner Seite lebte.

»Ich stellte ein Mädchen namens Maisie ein, das die Wohnung sauber hielt, vor allem aber auf Margaret achtgab.« Er rang um Fassung. »Eines Tages kam ich von der Arbeit, und Maisies Auge war geschwollen. Sie wollte es mir zuerst nicht sagen, gestand dann aber, dass Margaret sie angegriffen hatte. Sie hatte Maisie für eine Einbrecherin gehalten, die ihr Kind stehlen wollte.« Fleming schwieg.

Matilda zerstörte den Augenblick der Stille nicht.

»Zwei Tage später ging sie auf mich los, stieß mich mit dem Kopf gegen einen Schrank, weil sie glaubte, ich sei ein Fremder und wolle ihr Kind holen.« Er schluckte hörbar. »Ich will mich nicht rechtfertigen. Ich hätte Ihnen längst die Wahrheit sagen müssen und habe es nicht getan. Aber eins sollen Sie wissen: Ich habe meine Frau geliebt und alles versucht, um ihr zu helfen. Die Entscheidung, sie in ein Sanatorium zu geben, habe ich mir nicht leicht gemacht.«

»Wie lange …?«

»Vier Jahre«, sagte er, das Gesicht abgewandt. »Manchmal erkennt sie mich. Dann fragt sie nach meiner Arbeit. Das sind die guten Tage. Die meisten sind nicht gut. Aber ich glaube, sie fühlt sich dort geborgen.«

Es war nicht so sehr das, was er sagte, als das, was er *nicht* sagte, was Matilda berührte. Sie hätte gern etwas erwidert, doch die richtigen Worte wollten nicht kommen.

Vielleicht war dies nicht der passende Augenblick, um darüber zu sprechen. Sie brauchte Zeit, um in Ruhe nachzudenken. Auch Fleming schien das Thema beenden zu wollen. Sie waren vor der rotbraunen Kirche mit dem spitzen Turm angekommen, und Fleming deutete darauf. »Wenn wir dort drinnen niemanden finden, gehen wir zum Pfarrhaus.«

Das schwache Licht im Innenraum ließ erahnen, wie schön die kleine Kirche war. Weiß gestrichene Wände, große Grabplatten im Boden, dunkelbraunes Gestühl und eine bemalte Kuppel mit vier ovalen Fenstern. Auf ihnen hatte sich Schnee angesammelt, und das Zwielicht verhinderte einen genauen Blick auf das Gemälde.

»Wieder einmal Sir Christopher Wren, dem wir so viel zu verdanken haben«, sagte der Professor mit einem Anflug seines alten Selbst.

Es war sehr still in der Kirche, und Matilda glaubte schon, sie sei leer, als sie ein Geräusch aus einer Ecke hinter der Kanzel hörte. Ein Licht flackerte auf, und sie ging hinüber, wobei sie sich an den Bänken entlangtastete. Hinter sich hörte sie die Schritte des Professors.

Der Pfarrer hatte eine altmodische Laterne neben sich stehen und ersetzte gerade die abgebrannten Kerzen in einem Leuchter.

»Guten Abend.« Obwohl Matilda leise gesprochen hatte, zuckte er zusammen und hob die Laterne.

»Guten Abend. Ich habe Sie gar nicht kommen hören, ich war in Gedanken. Was kann ich für Sie tun?«

Er hatte weiße Haare und ein freundliches, leicht gerötetes Gesicht mit tiefen Falten.

»Mein Name ist Matilda Gray, dies ist Professor Fleming. Wir forschen über die Geschichte Londons und haben eine

Frage zu Ihren Kirchenbüchern.« Sie hatte wie selbstverständlich die Leitung übernommen, und der Professor fügte sich wortlos.

Der Pfarrer deutete auf eine Bank, in der sie Platz nahmen, und beugte sich interessiert vor. »Bitte, wie kann ich Ihnen helfen?«

»Wir wissen, dass die Gemeinde St. Laurence Pountney nach dem Großen Brand mit Ihrer Gemeinde zusammengelegt wurde. Und nun würden wir gern erfahren, ob Kirchenbücher aus St. Laurence erhalten geblieben oder ob alle mit der Kirche verbrannt sind.«

Das Gesicht des Pfarrers leuchtete förmlich auf. »Wie schön, dass endlich jemand danach fragt! Wie durch ein Wunder sind Kirchenbücher aus St. Laurence erhalten geblieben, und diese Gemeinde bewahrt sie seither auf. Wir besitzen Nachweise über Taufen, Trauungen und Sterbefälle seit dem Jahr 1538.«

»Dürften wir sie einsehen?«

Der Pfarrer zögerte und nickte dann. »Eigentlich müsste sich der Küster um die Kerzen kümmern, aber er ist nach Kent gefahren, seine Mutter ist schwer krank. Kommen Sie.«

Matilda und der Professor folgten ihm aus der Kirche ins Pfarrhaus. Der Geistliche führte sie in einen Raum im Erdgeschoss, der ihm als Arbeitszimmer diente. In einer Ecke stand ein schwerer Schrank mit geschnitzten Türen. Bevor der Pfarrer sie öffnete, drehte er sich zu seinen Besuchern um.

»Für welche Zeit interessieren Sie sich? Es erspart uns viel Mühe, wenn wir nicht alles durchgehen müssen.«

Matilda und Fleming schauten einander an. »Denken wir großzügig«, sagte er. »Geburten und Trauungen ab 1625.«

»Todesfälle auch«, sagte sie.

Der Pfarrer öffnete die Schranktüren und fuhr mit dem Finger über die schweren Lederbände, die sorgfältig aufgereiht auf den Regalbrettern standen. Manche waren hellbraun, andere dunkler oder rötlich, alle Rücken mit goldenen Lettern beschriftet. Er trug drei Bände zu einem Tisch und legte sie ächzend ab. Dann schaute er prüfend von Matilda zu Fleming und nickte, als sei er zu einer Entscheidung gelangt.

»Schauen Sie sich die Bücher in Ruhe an. Ich kümmere mich um die Kerzen und komme dann wieder.«

»Danke für Ihr Vertrauen, Father …«

»Malton, James Malton«, sagte der Geistliche. »Ich wünsche Ihnen Erfolg bei Ihren Nachforschungen.«

Dann waren sie allein.

Matilda fühlte sich auf einmal unbehaglich. Flemings Worte von vorhin standen zwischen ihnen, und sie bemerkte, wie er sie beinahe schüchtern ansah.

»Lassen Sie uns beginnen«, sagte sie rasch. »Wer weiß, ob ich die Handschrift entziffern kann. Das fällt wohl eher in Ihr Fachgebiet.«

»Es ist Ihnen bisher gut gelungen.«

»Ich nehme die Geburten und Trauungen, Sie die Todesfälle.«

Er nickte und zog den schweren Band zu sich heran.

Eine Zeit lang hörte man nur das Rascheln von altem Papier, das behutsam umgeblättert wurde. Es war kalt im Raum. Wenn sie ausatmeten, wolkte der Atem vor ihren Mündern.

Matilda versuchte, nicht daran zu denken, was geschehen würde, wenn sie das Pfarrhaus verließen. Sie würde irgendetwas sagen müssen, doch noch fehlten ihr dafür die Worte.

Ihre Augen wanderten über die vergilbten Seiten, die mit den unterschiedlichsten Schriften bedeckt waren, Zeugen zahlreicher Hände, mal gut leserlich, dann wieder spinnenbeinig oder spitz und eng, sodass man sie kaum entziffern konnte.

Allmählich wurde Matilda ruhiger. Sie fuhr mit den Fingern die Spalten entlang, und die gleichförmige Bewegung ließ ihr Herz langsamer schlagen. Das Unbehagen wich, weil sie sich ganz auf ihre Suche konzentrierte.

»Hier!«

Sie blickte auf und sah, dass der Professor auf eine Seite deutete. »3. Juli 1645. Samuel Cleland. Verstorben.« Er sah Matilda fragend an. »Der Vater hieß John, also könnte es ein Sohn sein. Bei welchem Jahr sind Sie?«

»1640. Ich merke mir den Namen und das Datum.«

Kurz darauf wurde Matilda ebenfalls fündig. »25. Februar 1643. Eheschließung zwischen John Cleland und Elizabeth Wakefield, wohnhaft 9, Laurence Pountney Lane.« Sie blätterte weiter, bis sie die fragliche Geburt entdeckt hatte. »1. Juli 1645. Geburt und Taufe. Samuel Elias Cleland, Sohn von John und Elizabeth Cleland, wohnhaft 9, Laurence Pountney Lane … Er ist nur zwei Tage alt geworden«, sagte sie traurig.

Beflügelt durch den Erfolg suchten sie weiter. Am 24. August 1646 waren die Clelands Eltern eines weiteren Sohnes geworden, der auf den Namen Anthony Luke getauft wurde. Und am 6. Oktober 1649 folgte Katherine Elizabeth, am 23. April 1656 Lucy Anne. Danach gab es keine Taufeinträge mehr.

»Drei Kinder«, sagte Matilda nachdenklich. »Katherine erwähnt, ihre Schwester Lucy sei im Haus gestorben, von einem Bruder ist keine Rede. Also war der Brief des Vaters, für dessen Überbringung er eine Wuchersumme an die Wachen zahlen musste, an seinen Sohn Anthony gerichtet. Der Vater war Kaufmann, er handelte mit orientalischen Waren. Könnte es sein, dass Anthony für ihn im Ausland unterwegs war? Oder auf einem Schiff?«

Der Blick, mit dem der Professor sie bedachte, hätte ihr vor Kurzem noch das Herz gewärmt. »Ein guter Gedanke. Es würde erklären, weshalb er nicht mit im Haus war. Er könnte lange unterwegs gewesen sein, vielleicht sogar als Seemann. Und als er nach London zurückkehrte … Wann wurde das Grundstück doch gleich vermessen?«

»Am 14. Mai 1667.«

»Fast zwei Jahre nach dem Tod der Familie. Aber eine Seereise konnte durchaus mehrere Jahre dauern, vor allem, wenn es um Forschung oder die Erschließung neuer Schiffsrouten ging. Darwin war fast fünf Jahre mit der Beagle unterwegs.«

Matilda hob unvermittelt die Hand. »Einen Augenblick, bitte. Wir haben gesagt, dass Hooke die Familie Cleland gekannt haben muss, vermutlich mit ihr befreundet war. So haben wir uns das Bild in Katherines Medaillon erklärt.«

»Ja?« Fleming schaute sie fragend an.

»Dann muss er doch gewusst haben, dass es noch einen Sohn und Erben gab. Hätte er Gabriel Ancroft nicht darauf ansprechen müssen, als dieser das Grundstück kaufen wollte? Hooke hat es vermessen, Ancroft hat die Gebühr bezahlt, die beiden müssen sich begegnet sein.«

Fleming wiegte den Kopf. »Möglicherweise war nicht bekannt, ob Anthony Cleland noch am Leben war. Oder er ist tatsächlich zurückgekehrt und hat das Grundstück an Ancroft verkauft. Wir wissen nur, dass Ancroft die Vermessungsgebühr an Hooke entrichtet hat, aber nicht, wie er an das Grundstück gelangt ist.«

»Wir vermuten beide, dass Ancroft selbst die Clelands angezeigt hat, nicht wahr? Denken Sie an den Eintrag im Buch:

… ganzen Familie … Ancroft … so etwas tun? … kann mein Vater so irren … der andere verleumdet …

»Du sollst kein falsches Zeugnis ablegen«, zitierte Fleming die Worte der jungen Katherine. »Nehmen wir an, Ancroft und Cleland waren befreundet. In Wahrheit neidete Ancroft seinem Freund jedoch den Erfolg, vor allem das Opiummonopol bei den Apotheken. Also nutzt er die Gelegenheit, als die alte Beth stirbt. Er bezichtigt die Familie, einen Pestfall verheimlicht zu haben, und besticht die Sucherin. Die Familie Cleland wird im Haus eingeschlossen und stirbt. Im Jahr darauf brennt das Haus nieder. Niemand will das verrufene Grundstück kaufen, der Erbe ist nicht aufzufinden. Ancroft geht zu Hooke, der ihn als Freund der Clelands kennt, äußert Interesse am Grundstück und lässt es vermessen.«

Matilda nickte. »Das klingt überzeugend.« Sie deutete auf Flemings Buch. »Sind die Clelands darin verzeichnet?«

Er blätterte zu den Einträgen vom Sommer 1665 und deutete auf eine Spalte. »Da stehen sie. Ein Eintrag für alle, obwohl sie nicht gleichzeitig gestorben sind. Ich nehme an, an diesem Tag hat man das Haus offiziell wieder geöffnet.«

Auch Matilda las den Eintrag.

13. August 1665
John Cleland, Kaufmann
Elizabeth Cleland, geborene Wakefield
Katherine Elizabeth Cleland
Lucy Anne Cleland
Dorothy Bembridge
Lucas Arden
Gwyneth Boone
Ralph Boone

»Die Familie und die Dienstboten«, sagte sie bedrückt und verdrängte den Gedanken an das Grauen, das sich den Wachen geboten hatte, als sie die Türen nach vierzig Tagen geöffnet hatten.

In diesem Augenblick kehrte Pfarrer Malton zurück und schaute sie erwartungsvoll an. »Haben Sie etwas gefunden?«

»Ja. Noch einmal ganz herzlichen Dank, dass wir uns die Bücher anschauen durften«, sagte Fleming. »Eine Frage hätte ich allerdings noch – wissen Sie, ob sich bei den Kirchenbüchern aus St. Laurence Pountney ein Brief befunden hat? Es ist unwahrscheinlich, aber wir haben erfahren, dass ein Kaufmann aus der Gemeinde, der während der Pest starb, einen Brief für seinen Sohn hinterlassen hat. Er sollte in einer Kirche deponiert werden, das könnte St. Laurence gewesen sein.«

Mr. Malton kehrte bedauernd die Handflächen nach außen. »Tut mir leid, davon weiß ich nichts.«

Matilda und Fleming bedankten sich noch einmal, und der Pfarrer ließ es sich nicht nehmen, sie zur Tür zu begleiten. Die schmale Straße mit der rotbraunen Kirche sah aus wie ein weiß gepudertes Märchenland, und London wirkte, wie immer bei Schnee, seltsam still.

Sie kehrten langsam zur Cannon Street zurück. Das Gefühl der Verbundenheit, das bei der gemeinsamen Suche im Pfarrhaus erneut entstanden war, erlosch.

Kurz vor der Straßenecke blieb Matilda stehen. »Ich danke Ihnen, dass Sie so ehrlich mit mir waren. Und was Ihnen und Ihrer Frau widerfahren ist, tut mir unendlich leid. Aber ich kann nicht … ich muss mich jetzt verabschieden.« Sie brachte es nicht über sich, ihn anzusehen, streckte aber die Hand aus. »Ich danke Ihnen für alles, Mr. Fleming. Ohne Sie wäre ich nie so weit gekommen.«

Seine Stimme klang, als müsse er mühsam an sich halten. »Werden Sie mir schreiben, wie Lauras Geschichte weitergegangen ist?«

Sie schluckte und nickte. »Irgendwann. Wenn die Geschichte zu Ende ist. Oder neu beginnt.«

Er ergriff ihre ausgestreckte Hand und hielt sie länger als nötig. Dann trat er einen Schritt zurück, als wolle er ihr den Abschied leichter machen.

Matilda drehte sich nicht um, sah aber in Gedanken, wie er allein im Schneetreiben an der Ecke verharrte.

29

In den nächsten Tagen behandelte Mrs. Westlake sie wie eine Genesende, bis Matilda der Kragen platzte.

»Sie brauchen mich nicht anzufassen, als sei ich aus Porzellan«, brach es am Freitagmorgen aus ihr hervor. »Ich weiß, Sie meinen es gut, aber tun Sie bitte einfach, als sei nichts geschehen. Das macht es leichter.«

»Es ist aber etwas geschehen«, sagte Mrs. Westlake und klopfte ihr Ei mit einem kleinen Porzellanlöffel auf.

»Das ist richtig, aber es hilft mir nicht, wenn Sie so … rücksichtsvoll sind. Erzählen Sie mir lieber von Adela, von ihr habe ich lange nichts gehört.«

»Gut – es geht nach Wyoming.«

»Wyoming?«

»Im Anschluss an Granada. Der nächste Band. Endlose Ebenen. Der Yellowstone-Nationalpark als große Kulisse. Begegnungen mit Indianern. Wussten Sie, dass Wyoming als erstes Territorium der Vereinigten Staaten das Frauenwahlrecht eingeführt hat? Davon könnten wir hier einiges lernen.«

Matilda rührte in ihrer Teetasse. »Darf ich das im Unterricht verwenden? Haben Sie Bücher darüber?«, fragte sie interessiert.

»Selbstverständlich. Ich weiß noch nicht, wie es Adela dorthin verschlägt, aber auf jeden Fall muss sie sich erholen. Der Staat ist dünn besiedelt, da kann sie tagelang reiten, ohne jemandem zu begegnen. Die Geschichte in Granada hat sie schwer mitgenommen, und ihre Gefühle sind zutiefst verletzt.«

Matilda stellte die Tasse ab, nachdem sie getrunken hatte. »So wie ich Adela kenne, wird sie sich bald trösten. Mit einem neuen Abenteuer oder …«

»… einem neuen Mann, ganz genau. Einem ebenso gut aussehenden wie geheimnisvollen Indianer vom Stamme der Cheyenne. Und einem Abenteuer obendrein.«

»Mrs. Westlake, mich haben Sie schon überzeugt«, verkündete Matilda. »Ich kann es kaum erwarten.«

»Die ersten Kapitel können Sie heute Abend lesen. Ich bin gespannt, was Sie dazu sagen.«

Matilda war froh, dass die Arbeit sie wenigstens tagsüber von ihrem Kummer ablenkte. Denn sobald sie allein war, brach wieder das Gefühl der Leere über sie herein.

In den letzten Tagen war sie abends früh zu Bett gegangen, weil sie Mrs. Westlakes Mitgefühl nicht ertragen konnte. Ihre Recherchen hatte sie nicht fortgesetzt, weil sie nicht wusste, was sie mit ihrem Wissen anfangen sollte. Sie hatte nicht nur wegen Laura, sondern auch für sich geforscht, herausgefordert durch den Professor. Dieser Antrieb fehlte nun, auch wenn sie es sich nicht eingestehen mochte. Der Gedanke war so schmerzlich, dass sie ihn tief in sich vergrub.

Auf dem Weg zu ihrem Arbeitszimmer hörte sie eine helle Mädchenstimme hinter sich.

»Miss Gray, haben Sie einen Augenblick Zeit? Nur ganz kurz? Laura hat mir geschrieben.« Anne schwenkte eine Ansichtskarte. Sie wirkte beinahe übermütig – ihr Zopf hing schief über der Schulter, der Kragen war verrutscht.

Matilda blieb stehen und streckte unwillkürlich die Hand nach der Karte aus – eine kolorierte Ansicht des Kanals von Korinth, durch den sich ein großes Schiff zwängte, eingerahmt von hohen Mauern. Sie war vor fast zwei Wochen abgestempelt, und Matilda wunderte sich, dass sie so lange gebraucht hatte.

»Sie dürfen sie ruhig lesen.«

Liebe Anne,
ich hoffe, Du verzeihst mir, dass ich so lange nicht geschrieben habe.
Stell Dir vor, wir reisen bald heim. Wir haben viel gesehen und in-
teressante Bekanntschaften gemacht, aber mein Heimweh ist groß.
Ich hoffe sehr, dass Du mich besuchst.
Deine Freundin Laura

»Sie kommt nach Hause«, sagte Anne strahlend. »Ist das nicht wunderbar?«

»Oh, ja. Ich freue mich sehr«, sagte Matilda und zwang sich zu lächeln. »Ein vorgezogenes Weihnachtsgeschenk für dich.«

Anne zögerte, dann steckte sie die Karte in die Rocktasche. »Ich hole meine Geige und komme zur Probe. Ich wollte es Ihnen nur sagen, wenn niemand dabei ist.«

Matilda sah ihr nach, als sie davoneilte. Annes Freude spiegelte sich in ihren beschwingten Schritten. Doch der letzte Satz auf der Karte ließ nur eine Deutung zu: Laura Ancroft würde nach London zurückkehren, aber nicht als Schülerin. Ihre Zeit in Riverview war endgültig vorbei.

Als Matilda in Chelsea aus der Bahn stieg, fiel ihr Blick auf einen Zeitungsstand. *Nur wenige Tage nach Schlacht bei Nooitgedacht – Buren aus Magaliesberg vertrieben!*

Bei dem Gehöft Nooitgedacht hatte das Regiment, in dem ihr Bruder kämpfte, erst vor Kurzem eine vernichtende Niederlage erlitten. Nun hatte das Kriegsglück – sofern man es so nennen wollte – anscheinend gewechselt. Matilda musste schlucken, um gegen die Tränen anzukämpfen. Sie hatte so lange nichts von Harry gehört! Wann immer sie über Kämpfe in Südafrika las, fragte sie sich, ob er darin verwickelt, ob er erneut verletzt – oder sogar gefallen war, ohne dass sie es wusste.

Sie ging langsamer als sonst, fühlte sich müde und resigniert und hatte keinen Blick für die erleuchteten Straßen und Fenster. In den letzten Tagen hatte sie ständig gegen sich selbst gekämpft, um sich in der Schule nichts anmerken zu lassen und Mrs. Westlake auf Abstand zu halten. Sie wusste nicht, wie lange ihre Kraft noch reichte.

Matilda fror, und die Kälte kam nicht nur von außen, sie schien ihr tief in den Knochen zu stecken. Letzte Nacht war sie aus einem Traum aufgeschreckt, in dem Lippen sanft die ihren berührten. Ihr Herz hatte so heftig geschlagen, dass sie danach eine Stunde wach gelegen und sich ruhelos hin und her gewälzt hatte.

Als sie in die Beaufort Street bog, sah sie von Weitem, dass die Haustür geöffnet war und jemand auf der Schwelle wartete. Mrs. Westlake? Warum stand sie bei der Kälte in der offenen Tür?

Irrationale Angst erfasst sie, und sie lief los, rutschte über den Schnee, wäre beinahe hingefallen, konnte sich aber gerade noch an einem Laternenpfahl abstützen.

»Passen Sie auf!«, rief Mrs. Westlake. »Nicht dass Sie sich kurz vor dem Ziel die Knochen brechen!«

»Was ist passiert?«, keuchte Matilda, als sie ihr gegenüberstand. »Sie warten doch sonst nicht an der Tür …«

»Kommen Sie herein, meine Liebe. Wenn Sie wüssten, wie ich Adela heute auf einem ungesattelten Pferd durch die weiten Ebenen von Wyoming geschickt habe …«

»Das will ich jetzt nicht hören«, sagte Matilda heftiger als beabsichtigt. Die Gefühle, die sie tagelang unterdrückt hatte, brachen hervor. »Sagen Sie mir, was geschehen ist.«

»Ich bin entsetzt, wie du mit deiner Vermieterin sprichst. Mit einer so charmanten Dame.«

Um ein Haar hätte sie Mrs. Westlake beiseitegestoßen, doch die ältere Frau war bereits ausgewichen und gab den Blick frei auf einen Mann in Uniform, der sich auf einen Stock stützte. Erste Falten in dem jungen Gesicht, graue Fäden im braunen Haar, ein Hauch von Grau im Schnurrbart, doch das war egal, jetzt war alles egal …

Matilda stürzte sich so heftig auf ihren Bruder, dass er gegen den Türrahmen prallte. Captain Harry Gray ließ den Stock fallen und schlang die Arme um seine Schwester, als wolle er sie nie wieder loslassen.

Mrs. Westlake hatte angeboten, ihnen das Wohnzimmer zu überlassen, doch Harry wollte nichts davon hören. »Sie haben mich gastfreundlich empfangen, obwohl ich als Fremder vor Ihrer Tür stand. Und ich weiß, wie gut Sie zu meiner Schwester sind. Ich kann Sie unmöglich aus Ihrem eigenen Wohnzimmer vertreiben.«

»Ach«, sagte Mrs. Westlake gespielt schüchtern, »reden Sie nicht so daher. Ihre Schwester zahlt pünktlich die Miete. Dafür bekommt sie ein Dach über dem Kopf und warmes Essen.«

»Und Fürsorge«, warf Matilda ein, der ganz leicht ums Herz geworden war. »Anregende Unterhaltung. Literarische Exkursionen in die Mongolei.«

»Vergessen Sie nicht Granada. Und Wyoming.«

Harry hatte offensichtlich Schwierigkeiten, dem Gespräch

zu folgen, und die beiden Frauen lachten und schenkten ihm Tee nach.

Dann erhob sich Mrs. Westlake. »In einer halben Stunde gibt es Essen. Und ich habe noch zu tun. Sie sind herzlich eingeladen, Captain Gray. Ein Nein wird nicht akzeptiert.« Mit diesen Worten war sie verschwunden.

Matilda streckte die Hand nach seinem Bein aus. »Was ist passiert? Ich dachte, du wärst in Nooitgedacht dabei gewesen, die Zeitungen haben ständig darüber berichtet.«

Er schüttelte den Kopf. »Da war ich längst unterwegs.« Er deutete auf seine Verwundung. »Es war nur ein Scharmützel. Eigentlich eine oberflächliche Verletzung, aber dann kam eine Infektion dazu, sie mussten noch einmal operieren ...«

»Und jetzt?« Vermutlich war er nicht Tausende Meilen nur für einen Weihnachtsurlaub gereist.

Er zuckte mit den Schultern. »Irland.«

»Irland?«

»Die Ärzte waren nicht sicher, ob das Bein wieder ganz heilt. An einen Kampfeinsatz war nicht mehr zu denken. Unser 4. Bataillon wird in Irland stationiert, dort kann man mich gebrauchen, wie es scheint.«

Sie sah den Schmerz in seinem Gesicht und legte ihm die Hand auf das gesunde Bein. »Harry, du hast überlebt. Mit der Zeit und der nötigen Übung wird es sich bessern, heute ist medizinisch vieles möglich. Ich bin so froh, dass du zurückgekommen bist!«

Er gab sich einen Ruck und nahm ihre Hand. »Verzeih, meine Abenteuerlust schlägt immer wieder durch.« Dann wurde er ernst. »Aber es gibt tatsächlich Dinge, nach denen ich mich nicht zurücksehne, die ich nie wieder sehen muss.«

Matilda dachte an die Worte von Miss Hobhouse. *Aber sie*

sind auch keine Feinde, vor allem nicht, wenn es sich um schutzlose
Frauen und Kinder handelt, die Opfer dieses Krieges geworden
sind. Man hat ihre Häuser zerstört, ihre Felder verbrannt, sie von
ihrem Grund und Boden vertrieben.

Sie konnte nicht wissen, was Harry dort erlebt hatte, und würde auch nicht in ihn dringen. Wenn er ihr davon erzählen wollte, täte er es gewiss von sich aus. Heute war ein Tag der Freude, und die wollte sie sich nicht nehmen lassen.

»Ich höre mir alles an, was du zu erzählen hast. *Alles.*« Sie legte die Betonung auf das letzte Wort und sah, wie ein Lächeln über seine Züge huschte.

»Nun sag erst einmal, wie es dir ergangen ist. Was hast du erlebt, wie steht es in der Schule?«

Ich habe viel erlebt, dachte Matilda, zu viel, um es in Kürze wiederzugeben. Sie beschloss, ihm später in Ruhe von Laura und den Schätzen des alten Hauses zu erzählen.

»Bisweilen muss ich mich zügeln, weil meine Kolleginnen in manchem altmodischer sind als ich. Aber inzwischen weiß ich, wie ich mich an die Regeln halten und den Mädchen gleichzeitig vermitteln kann, was ich für wichtig halte.«

Harry grinste. »So warst du schon immer. Vornweg. Drei Körperlängen vor den anderen.«

Sie sah ihn verwundert an. »Wie meinst du das?«

»Na, wenn du früher mit unseren Cousinen oder den Nachbarsmädchen gespielt hast. Ich saß über meinen Hausaufgaben und hörte immer wieder Rufe wie ›Nicht so schnell, Matilda!‹ oder ›Bleib stehen und warte auf uns!‹. Einmal hast du Eliza von nebenan eröffnet, dass Kinder im Bauch der Mutter wachsen, und wolltest gerade erklären, wie sie dorthin gelangen, als Elizas Mutter hereinkam. Ich weiß noch, wie sie bebend vor Entrüstung bei uns im Wohnzimmer stand und

Mama von deinen unzüchtigen und unsittlichen Äußerungen berichtete.«

Matilda vergrub das Gesicht in den Händen. »Stimmt das wirklich?«

Harry nickte belustigt. »Du hattest ein altes Lehrbuch von Vater gefunden, das irgendwo hinten im Bücherschrank stand. Mama hatte es aus Sentimentalität aufbewahrt. Oder einfach vergessen. Und aus diesem Buch bezogst du deine Kenntnisse über die Entstehung menschlichen Lebens, die du natürlich weitergeben wolltest. Du warst schon damals die geborene Lehrerin.«

Matilda schaute ihn liebevoll an. »Und du hast immer zu mir gehalten.«

»Was sollte ich machen? Ich habe nur eine Schwester, und große Brüder müssen ihre Schwestern beschützen. So lautet das Gesetz.«

»Das Harry-Gray-Gesetz?«, fragte sie belustigt. Sie hatten einander lange nicht gesehen und sprachen doch so zwanglos miteinander, als setzten sie eine Unterhaltung fort, die sie erst gestern unterbrochen hatten. Matilda kannte nur zwei Männer, mit denen sie so reden konnte …

»Was ist los, Tilda?«

Sie zuckte zusammen und blickte auf. »Wieso, was meinst du?«

»Dein Gesicht. Du konntest nie vor mir verbergen, was du denkst. Und gerade hast du an etwas Trauriges gedacht. Ich bin wohlauf, also kann ich es nicht gewesen sein.«

Sie sah zur Tür, als wolle sie das Essen herbeiwünschen, doch Harry hatte sie durchschaut.

»Na schön, vielleicht später. Oder ein anderes Mal.« Er zögerte, schien nach den richtigen Worten zu suchen. Er war lange unter Soldaten gewesen, und den meisten Männern lag es ohnehin nicht, über das zu sprechen, was sie empfanden. »Du hast ausgesehen, als hättest du jemanden verloren.«

In dem Moment klopfte Sally und verkündete, das Essen sei serviert. Matilda bemerkte, dass ihr Häubchen perfekter saß als sonst. Sie zupfte auch an ihrer Schürze und knickste leicht, als Harry an ihr vorbeiging.

Erstaunlich, was ein Mann in einem Frauenhaushalt anrichten konnte. Nur gut, dass Mrs. Roberts, die Köchin, ihn nicht gesehen hatte, sonst wäre das Essen vermutlich versalzen.

Bei Tisch ließ Harry seinen ganzen Charme spielen, und es dauerte keine fünf Minuten, bis Mrs. Westlake ihm von Adela und ihren Abenteuern erzählte. Er lieferte intelligente Erklärungen zu Waffen und Kampftechniken und ließ das Gesicht seiner Gastgeberin heller strahlen als die Kerzen.

Matilda hörte belustigt zu, erleichtert, dass der heikle Augenblick vorüber war. Harry war vertrauenswürdig. Er durfte ruhig wissen, was sie in den vergangenen Monaten nach der Arbeit angestellt hatte. Doch über eine Liebesgeschichte, die keine war und niemals eine sein würde, wollte sie nicht sprechen.

»… ein faszinierendes Thema. Ich würde mich damit gern an den Experten Ihrer Schwester wenden.«

Matildas Kopf schoss in die Höhe.

»Den was?«, fragte Harry interessiert.

»Oh.« Mrs. Westlake schaute betreten auf ihre Suppe. »Verzeihung, ich …«

Matilda seufzte leise. Sie liebte Mrs. Westlake über alles, doch wenn es ihr an etwas mangelte, war es Diskretion. »Ein Bekannter. Er ist Historiker am University College.«

Sie sprach knapp und ohne Leidenschaft, bemerkte aber, wie sich die beiden ansahen. Ihre Blicke drückten Sorge und Bedauern aus. Wie es schien, herrschte zwischen ihrem Bruder und ihrer Vermieterin schon jetzt ein schweigendes Einverständnis.

Später brachte sie Harry zur Tür. »Wie lange kannst du bleiben?«

»Zwei Wochen«, sagte Harry. »Dann geht es nach Irland. Zwischendurch werde ich mich im Kriegsministerium melden müssen und die Familien einiger Kameraden aufsuchen. Aber man hat mir fürs Frühjahr erneut Urlaub versprochen.«

»Das wäre schön«, sagte sie leise.

Harry legte ihr sanft die Hand unters Kinn und hob ihren Kopf. »Wirst du mir sagen, was geschehen ist?«

Matilda wollte die Frage schon abtun, doch sein Blick war so offen und ernst, dass sie es nicht über sich brachte. »Seit dem Sommer ist viel passiert. Ich … ich werde es dir in Ruhe erzählen, es ist eine unglaubliche Geschichte.«

»Und dieser Professor spielt darin eine Rolle?«

»In gewisser Weise.« Sie schaute ihn flehend an. »Bitte nicht hier im Flur, Harry. Ich möchte es dir erzählen, wenn wir allein sind. Lass uns morgen Abend essen gehen.«

Er ergriff ihre Hände und drückte sie an seine Brust. Dann lehnte er die Stirn an ihre. »Gut. Dann führe ich dich richtig groß aus.«

Sie nickte. Er zog sie rasch an sich, setzte dann die Uniformmütze auf und trat hinaus in den kalten Winterabend. Matilda schaute ihm nach, bis das Klacken seines Stocks auf dem Pflaster verklungen war.

Als sie ins Wohnzimmer zurückkam, sagte Mrs. Westlake gar nichts. Matilda setzte sich und griff nach dem Portweinglas, das man ihr hingestellt hatte. Sie blickte ins Kaminfeuer, bis die Flammen vor ihren Augen tanzten. »Ich danke Ihnen.«

»Wofür? Dass ich wieder einmal den Mund nicht halten konnte?«, fragte Mrs. Westlake.

»Dass Sie meinen Bruder so freundlich empfangen haben.«

»Ich weiß, wie sehr Sie an ihm hängen. Es war eine wunderbare Überraschung, nicht wahr?«

»Ja.«

»Und Sie überlegen, ob Sie ihm überhaupt alles erzählen sollen. Weil er Ihr großer Bruder ist und Sie beschützen will. Weil er fürchtet, Sie könnten Ihre Stelle aufs Spiel setzen, wenn Sie abends durch London schleichen und Nachforschungen über eine Schülerin anstellen. Und weil er fürchtet, jemand könnte Ihnen das Herz brechen.«

»Ihr Scharfblick kann einem auch das Herz brechen«, erwiderte Matilda trocken.

»Ich habe keine Kinder, wie Sie wissen. Sie sind wie eine Tochter für mich geworden.« So emotional klang Mrs. Westlake selten. »Es tut mir weh zu sehen, wie Sie mit sich kämpfen. Und ich bedauere, dass ich Mr. Fleming erwähnt habe. Sie sollen nur eines wissen – wenn ich etwas für Sie tun kann, bin ich bereit. Ich kann zuhören, schweigen, einen Rat geben, Sie mit lustigen Geschichten ablenken, was immer nötig ist.«

Diesmal wischte Matilda die Tränen nicht fort, sondern trank ihr Glas aus und ergriff dann Mrs. Westlakes Hand. »Ich hätte nicht gedacht, dass dieser Tag so gut zu Ende gehen würde.«

30

Harry hatte sich nicht lumpen lassen, und Matilda war froh, dass sie sich gegen ihre Arbeitskleidung entschieden hatte. Im grauen Kostüm mit weißer Bluse hätte man sie in Lyons Restaurant im Trocadero vermutlich für die Garderobiere gehalten.

Schon das Foyer mit seinem Fliesenboden, den Ledersesseln und üppigen Topfpflanzen, dem Marmor an den Wänden und der breiten Treppe, die in den ersten Stock führte, war atemberaubend. In einer ovalen Glasvitrine wurden Köstlichkeiten aus der Patisserie dargeboten, wahre Kunstwerke aus Zucker, Schokolade und Biskuit. Jungen in Pagenuniform standen bereit, um den Gästen alle Wünsche von den Augen abzulesen. In den beiden Restaurants im Souterrain und Erdgeschoss speiste das elegante Publikum, während die Obergeschosse privaten Feiern vorbehalten waren. Obwohl das Etablissement erst vor vier Jahren eröffnet hatte, genoss es einen ausgezeichneten Ruf, und die Long Bar, die nur Herren vorbehalten war, galt als legendär.

Matilda dachte flüchtig an das italienische Restaurant in der Rosebery Avenue, in dem sie mit dem Professor gegessen hatte. Wie zwanglos und familiär es dort zugegangen war. Sie schob die Erinnerung rasch beiseite.

»Sie hatten reserviert, Sir?«, fragte ein Kellner, dessen Frack wie maßgeschneidert saß.

Harry nickte. »Für zwei Personen.«

»Wenn Sie mir bitte folgen wollen.«

Er führte sie in den Speisesaal. Die runden Tische waren strahlend weiß eingedeckt, das Silberbesteck war perfekt poliert, in einer Ecke spielte dezent ein kleines Orchester. Die Kellner bewegten sich mit tänzerischer Anmut zwischen den Tischen hindurch. Obwohl sich so viele Menschen im Raum befanden, war das Stimmengemurmel angenehm gedämpft, ein Klangteppich, der sanft mit der Orchestermusik verschmolz.

Matilda entschied sich für das kleinere Menü. Neun Gänge für eine halbe Guinea waren mehr, als sie ihrem Magen oder Harrys Portemonnaie zumuten wollte.

Nachdem sie Champagner bestellt hatten, beugte sie sich vor. »Ich bin so froh, dass du in London bist! Ich wäre mit dir auch in jedes andere Lokal gegangen. Für mich zählt nur, dass du lebst.«

Harry lächelte und zündete sich eine Zigarette an. »Ich weiß, aber ich wollte uns beiden etwas Besonderes bieten. Hier verkehren für gewöhnlich weder Lehrerinnen noch Captains der Northumberland Fusiliers. Aber das soll uns nicht kümmern. Heute feiern wir das Leben und lassen es uns gut gehen.«

Das Essen war ausgezeichnet, der Champagner versetzte Matilda in eine gelöste Stimmung. Harry erzählte Anekdoten von seinen Kameraden aus Südafrika und davon, welche exotischen Tiere er dort gesehen hatte. Was er berichtete, war unterhaltsam und doch seltsam unvollständig. Sie dachte an sein verletztes Bein und fragte sich, was er sonst noch erlebt haben mochte. Ihr fiel die Frau mit dem Pappschild ein, die sie damals auf dem Weg zur Arbeit gesehen hatte. *Frauen und Kinder befinden sich in größter Not. Bitte tragen Sie dazu bei, das Leid dieser Familien zu lindern. Nicht nur unsere eigenen Männer sind in Gefahr, auch die Familien des Gegners sind Opfer dieses Krieges.*

»Ich habe vor einiger Zeit Miss Emily Hobhouse erlebt«, platzte sie heraus.

Harry blickte verwundert auf. »Wer ist das?«

Matilda berichtete, was sie über die Frau wusste. »Sie ist Anfang des Monats nach Südafrika aufgebrochen, um sich selbst ein Bild zu machen.«

»Ein Bild wovon?«, fragte Harry in sonderbarem Ton.

»Nun, vom Elend der Bevölkerung. Ist es nicht so, dass die einfachen Menschen in einem Krieg besonders leiden? Frauen und Kinder sind ebenso Opfer von Kriegen wie die Soldaten, die in ihnen kämpfen.«

Als sie das Gesicht ihres Bruders sah, wurde ihr klar, dass sie das Falsche gesagt hatte. Oder dass er es falsch aufnahm, als Vorwurf an ihn, den Soldaten. Matilda spürte, wie ihre Kehle eng wurde. Das hatte sie nicht gewollt. Sie war so glücklich gewesen, ihn halbwegs gesund wiederzusehen, ihren großen Bruder zurückzuhaben, um den sie sich so gesorgt hatte. Nun aber wurde ihr klar, dass etwas zwischen sie getreten war – er war Soldat und hatte Dinge erlebt, die ihr fremd und unverständlich waren. Sie überlegte, ob sie sich entschuldigen sollte, doch etwas hielt sie davon ab – das Gefühl, nur eine Seite der Geschichte erzählt zu bekommen, da er ihr vielleicht doch nicht zutraute, die Wahrheit zu hören.

»Lass uns heute Abend nicht über den Krieg reden«, sagte Harry versöhnlich, obwohl seine Stimme ein wenig bemüht klang. »Wie war das eigentlich mit dem Professor, den deine Vermieterin erwähnt hat?«

Matilda ließ das Fischmesser fallen, mit dem sie gerade die Rotzunge zerteilen wollte. Ihr Herz schlug so heftig, dass sie kaum atmen konnte. Wollte Harry von einem Gespräch ablenken, das ihm unangenehm war? Er würde sie nicht absichtlich verletzen. Und doch musste er gemerkt haben, dass sie nicht über den Professor sprechen wollte.

Bevor sie weiteressen konnte, hatte Harry ihre Hand ergriffen.

»Etwas stimmt nicht mit dir, Tilda. Früher hättest du es genossen, hier mit mir zu sitzen, dich über andere Gäste lustig zu machen und köstlich zu speisen. Seit du gestern Abend zur Tür hereingekommen bist, weiß ich, dass etwas nicht in Ordnung ist. Verrätst du es mir?«

Sie seufzte. Wenn sie Harry die Geschichte erzählte, musste sie jedes Wort abwägen. Sie durfte sich nicht in Widersprüche verwickeln und keine Namen nennen. Unter Soldaten wurde offen geredet, zumal wenn sie getrunken hatten, und dann wäre Lauras Geheimnis nicht mehr sicher. Vor allem aber mochte sie eigentlich nicht über Stephen Fleming sprechen.

Andererseits konnte sie nicht schweigen, wenn sie ihren Bruder nicht noch mehr kränken wollte, und der Wunsch, sich ihm anzuvertrauen, wurde beinahe übermächtig. Um Zeit zu gewinnen, nahm sie die Serviette vom Schoß und erhob sich, worauf sofort ein Kellner hinter sie trat und den Stuhl zurückzog. »Wenn du mich einen Augenblick entschuldigen würdest …«

Harry blickte überrascht, lächelte dann aber. »Aber sicher. Ich sage, sie sollen mit dem nächsten Gang warten.«

Matilda bemühte sich, langsam und würdevoll zu gehen, damit es nicht aussah, als ergreife sie die Flucht.

Als sie den Speisesaal verlassen hatte, blieb sie kurz stehen und atmete durch. Ein Page näherte sich und wartete in höflicher Entfernung. »Kann ich Ihnen behilflich sein, Miss?«

»Die Waschräume, bitte.«

Doch sie hörte nicht mehr, was er sagte. Ein Wort war an ihr Ohr gedrungen und hatte sie elektrisiert.

»Ich habe reserviert. Einen Privatraum auf den Namen Easterbrook.«

»Im ersten Stock, Sir. Wenn Sie mir folgen wollen.«

Einige Gäste schickten sich an, die breite Treppe hinaufzugehen. Und in ihrer Mitte sah sie Laura Ancroft.

Matilda dachte nicht lange nach, sondern trat rasch aus dem Schatten zur Treppe hin.

»Laura?«, fragte sie, und die junge Frau drehte sich um.

Ihre Haut verriet, dass sie lange im Süden gewesen war. Nicht unschicklich gebräunt, aber mit einem zarten goldenen Hauch. Sie trug ein altrosa Abendkleid mit einer langen Schleppe und hatte die Haare aufgesteckt wie eine erwachsene Frau. Sie hielt sich sehr gerade und erinnerte kaum noch an das Schulmädchen, das Matilda vor einem halben Jahr seine Liebe gestanden hatte.

Matilda fragte sich flüchtig, ob es ein Fehler gewesen war, Laura anzusprechen. Sie befand sich in Begleitung zweier Herren, die ebenfalls stehen geblieben waren. Dann sah sie genauer hin und bemerkte die dunklen Schatten unter Lauras Augen. Und las darin all das, was sie ihr nicht hatte schreiben können.

»Miss Gray!« Laura raffte mit einer Hand den Rock und kam die Stufen herunter. Sie schüttelte Matilda fest die Hand. »Was für eine wunderbare Überraschung! Ich … ich wollte Ihnen so oft schreiben, aber …« Ihr Kopf wanderte kaum merklich in Richtung Treppe, und Matilda folgte der Bewegung mit den Augen.

Er hatte dunkelblondes, lockiges Haar, das sorgfältig frisiert war, und einen gepflegten Vollbart. Seine Kleidung war elegant, die Haltung lässig und doch würdevoll. Er sah genauso aus wie an jenem Tag im September, als Matilda ihm vor Miss Haddons Büro begegnet war.

Charles Easterbrook schaute verwundert zwischen ihr und Laura hin und her, während der andere Herr sich abgewandt und seine Taschenuhr gezückt hatte.

»Geht es dir gut, Laura? Ich habe oft an dich gedacht.« Sie überlegte rasch. »Über deine Karte habe ich mich sehr gefreut. Sie war interessant und hat mich lange beschäftigt.«

Lauras Gesicht verzog sich zu einem Lächeln. »Ja, es war eine besondere Karte.«

»Darf ich fragen, mit wem wir das Vergnügen haben?«

Charles Easterbrook war neben Laura getreten und hatte die Hand auf ihren Arm gelegt. »Würdest du uns bekanntmachen, Liebes?«

»Miss Gray, dies ist Mr. Charles Easterbrook, mein Vormund. Charles, meine Lehrerin, Miss Matilda Gray.«

Er verzog nur flüchtig die Lippen, doch Matilda war die Verachtung nicht entgangen, die sich einen Moment lang auf seinem ebenmäßigen Gesicht abzeichnete. Dann sagte er höflich: »Sehr erfreut, Miss Gray. Laura hat Ihren Unterricht lobend erwähnt. Ich muss sagen, die Schule hat ein ausgezeichnetes Fundament für ihre Bildung gelegt. Natürlich lässt sich alles noch vertiefen, und unsere Reise hat ihr gewiss Einblicke verschafft, die eine Schule nicht bieten kann, aber insgesamt bin ich zufrieden. Das werde ich Miss Haddon bei Gelegenheit persönlich sagen.«

»Sehr freundlich von Ihnen, Mr. Easterbrook.« Matilda hatte durchaus die Herablassung gehört, mit der das Lob gefärbt war.

»Ich hoffe, in der Schule geht es allen gut«, sagte Laura, die nervös von einem Fuß auf den anderen trat. »Ich habe Anne geschrieben, sie solle mich bald besuchen.«

»Das würde sie freuen, sie hat oft von dir gesprochen. Wir alle würden uns freuen, dich wiederzusehen.«

Mr. Easterbrook verstärkte den Griff um Lauras Arm, und Matilda glaubte zu sehen, wie das Mädchen zusammenzuckte. »Sie müssen uns leider entschuldigen. Wir haben Gäste zu einer kleinen Feier.« Er legte eine wirkungsvolle Pause ein. »Miss Ancroft und ich haben uns verlobt.«

Bevor Matilda sich eine unverfängliche Antwort zurechtlegen konnte, ertönte eine ungeduldige Männerstimme. »Charles, wir werden erwartet.«

Matilda blickte auf – in die Augen des Mannes, der vorhin auf die Uhr gesehen hatte. Er schien zu stutzen, schüttelte den Kopf und stapfte die Treppe hinauf.

Matilda gab Laura und Mr. Easterbrook die Hand und stammelte einen Glückwunsch. Dann blieb sie allein und wie betäubt am Fuß der Treppe stehen.

»Was ist passiert?«, fragte Harry, als sie in den Speisesaal zurückkehrte. Matilda konnte nicht sagen, wie lange sie weg gewesen war; es hätten fünf Minuten oder zwei Stunden sein können.

Sie zog ihren Stuhl zurück und ließ sich schwer darauffallen. Harry beugte sich vor und ergriff ihre Hand.

»Was ist passiert? Du siehst aus, als würdest du jeden Augenblick ohnmächtig. Oder als hättest du einen Geist gesehen.«

Er stand auf und sprach kurz mit dem Kellner, der verständnisvoll nickte und umgehend mit einem Glas Whisky zurückkehrte. Er stellte es vor Matilda hin und zog sich diskret zurück.

»Was soll das?«

»Trink es aus.« Da sprach nicht Harry, sondern Captain Gray.

Matilda umfasste das Glas mit beiden Händen und trank den Whisky in drei Schlucken. Er brannte in der Kehle und breitete sich dann warm in ihrem Magen aus. Anschließend presste sie die Serviette vor den Mund und atmete tief durch, ohne sich um die Blicke von den Nachbartischen zu kümmern.

»Es ist eine lange Geschichte.«

»Der Tisch gehört uns den ganzen Abend.«

Und so erzählte sie, nur gelegentlich unterbrochen vom Kellner, der ihnen die einzelnen Gänge servierte. Harry bestand darauf, dass sie aß, auch wenn ihr eigentlich nicht danach war. Sie erzählte von Beginn an und verschwieg nur, dass Laura sich in sie verliebt hatte und der Professor und sie einander fast geküsst hatten.

Als sie fertig war, bestellte Harry sich auch einen Whisky.

»Das ist die erstaunlichste Geschichte, die ich je gehört habe«, verkündete er. »Da reise ich nach Südafrika, kämpfe gegen die Buren, bekomme es mit wilden Tieren, Hitze und Malaria zu tun, und meine kleine Schwester erlebt daheim in London ein unfassbares Abenteuer.« Er stieß gegen ihr Glas. »Hut ab, Tilda!«

Und sie hatte geglaubt, Harry könne sie nicht mehr überraschen. »Du … findest es nicht anstößig?«

Er lachte und schob seinen Teller beiseite. »Keineswegs. Du warst wie gesagt schon immer anders als die meisten Mädchen.«

»Das Abenteuer wartet an der nächsten Straßenecke«, sagte sie leise.

Harry schaute sie verwundert an.

»Das hast du gesagt, um mich zu trösten, als du nach Südafrika musstest. Du hast wohl geglaubt, ich sei neidisch, weil du in ein exotisches Land reisen konntest, dabei hatte ich nur Angst, dich zu verlieren.«

Er hob ihr Kinn, sodass sie ihm ins Gesicht schaute. »Und was wirst du jetzt tun?« Er deutete mit dem Kopf nach oben, wo gerade Laura Ancrofts Verlobung gefeiert wurde.

Sie zuckte mit den Schultern. »Ich weiß es nicht. Sie wird nicht in die Schule zurückkehren, sondern Mrs. Easterbrook werden.« Es tat weh, die Worte auszusprechen. »Ich kann nur hoffen, dass der alte Mr. Easterbrook ein schlechtes Gedächtnis hat. Immerhin habe ich unter falschem Namen in seinem Büro gesessen.«

Harry tat ihre Bedenken mit einer Handbewegung ab. »Ach, da würde ich mir keine Sorgen machen. Sag einfach, du habest aus Diskretion einen falschen Namen genannt.«

Seine Sorglosigkeit tat gut, selbst wenn er Matildas Befürchtungen nicht ganz zerstreuen konnte.

Als das Dessert kam – Baiser mit frischen Früchten und Schlagsahne –, konnte sie die Begegnung an der Treppe einen Moment lang vergessen.

Doch nachdem sie den süßen Hauch von Nichts verspeist hatte, kehrte die Sorge zurück. Sie schob den leeren Teller beiseite und schaute Harry eindringlich an. »Laura sah nicht gut aus. Gewiss, sie war elegant zurechtgemacht und hatte eine gesunde Gesichtsfarbe, aber die Augen …«

»Tilda, du hast viel für sie getan. Aber solange sie dir nicht sagt, wie du ihr gegenwärtig helfen kannst – falls sie denn deine Hilfe benötigt –, quälst du dich nur mit diesen Überlegungen. Sie hat eine anstrengende Reise hinter sich, die Krankheit möglicherweise noch nicht ganz überstanden, ist aufgeregt wegen der Verlobung. Der Vormund hat sich anscheinend liebevoll um sie gekümmert.« Er nahm ihre Hand. »Weißt du was? Ich bringe dich jetzt nach Hause, und du überschläfst die ganze Angelegenheit.«

Da erkannte Matilda, dass Harry nicht begriff, wie ernst die Lage war. Vielleicht würde er es selbst dann nicht begreifen, wenn er die Wahrheit über Laura wüsste. Auf einmal fühlte sie sich allein, obwohl sie in einem dicht besetzten Restaurant saß. Es gab nur einen Menschen, der sie jetzt verstehen würde, doch der Gedanke an ihn war zu schmerzlich.

Nachdem Harry bezahlt hatte, standen sie auf und holten ihre Mäntel an der Garderobe. Am Ausgang hielt ihnen ein uniformierter Portier die Tür zur belebten Shaftesbury Avenue auf.

Einzelne Schneeflocken wehten durch die Luft, und eine Kakofonie aus Pferdehufen auf Pflaster, Drehorgelmusik und den Rufen der Zeitungsjungen, die die Abendausgaben anboten, drang auf sie ein. Harry wollte gerade nach einem Wagen winken, als hinter ihnen die Tür noch einmal aufgerissen wurde.

Ein Page sprang die Stufe vor dem Eingang herunter und blieb mit geröteten Wangen vor ihnen stehen. In der Hand hielt er ein silbernes Tablett, auf dem ein gefaltetes Blatt Papier lag.

»Verzeihung, sind Sie Miss Gray?«, stieß er hervor.

»Ja!«

»Dann soll ich Ihnen das geben, Miss.«

Sie nahm das Blatt. Harry kramte eine Münze aus der

Tasche und drückte sie dem Jungen, der in seiner Uniform zitterte, in die Hand.

»Danke, Sir, sehr großzügig.« Er verschwand so schnell, wie er gekommen war.

Kurz darauf saßen sie im Wagen, Matilda mit einer Decke über den Beinen. Die Pferde zogen mit einem Ruck an, und Harry wandte sich zu ihr.

»Eine Nachricht von deiner Schülerin?«

Sie zuckte mit den Schultern, weil sie sich keine falschen Hoffnungen machen wollte, und doch war es im Grunde die einzige Möglichkeit. »Ja. Ich lese sie zu Hause. Hier ist es zu dunkel.« Das stimmte, aber sie verspürte auch das Bedürfnis, sie allein zu lesen.

»Natürlich, Tilda.« Er nahm ihre Hand und sagte mit gesenktem Kopf: »Ich war lange fort. Du hast dein eigenes Leben geführt, und ich weiß, dass du mir nicht alles erzählt hast. Das musst du auch nicht. Vielleicht hätte ich dir ohnehin nicht helfen können – ich bin Soldat, kein Professor oder Detektiv. Aber wenn ich etwas tun kann oder dir Gefahr droht, dann komm zu mir. Bitte. Mehr verlange ich nicht.«

Ihre Augen brannten. »Oh, Harry, das mache ich, ganz sicher. Ich bin so froh, dass du wieder da bist!« Den Rest der Fahrt lehnte sie sich an seine Schulter.

Nachdem Harry sie zum Abschied auf die Stirn geküsst und gefragt hatte, ob alles wieder gut sei, schloss Matilda die Haustür auf. Hinter ihr verklangen die Hufschläge auf dem Pflaster.

Drinnen war es still und dunkel, nur eine kleine Wandlampe spendete Licht. Sie hängte Hut und Mantel auf und ging ins Wohnzimmer, wo sie das Gas anzündete. Die Glut im Kamin glomm noch, ein letzter Hauch von Wärme hing im

Zimmer. Matilda setzte sich in einen Sessel und entfaltete die Nachricht.

Das Blatt trug den Briefkopf des Restaurants und war mit wenigen, eilig gekritzelten Bleistiftzeilen bedeckt.

Miss Gray,
bitte helfen Sie mir. Die Easterbrooks zwingen mich. Es muss etwas geben. Suchen Sie danach.
In großer Not,
Ihre Laura Ancroft

Das Blatt fiel Matilda in den Schoß. Endlich hatte sie die Bestätigung, dass ihre Mühe nicht umsonst gewesen, dass sie keinem Hirngespinst nachgelaufen, dass ihre Sorge um Laura berechtigt gewesen war. Sie sah wieder Easterbrooks Hand, die sich fest um Lauras Arm schloss, und den Triumph in seinen Augen, als er die Verlobung ankündigte.

Matilda stand auf und ging umher, warf noch einen Blick auf das Blatt. Gewöhnlich hatte Laura eine klare, gut lesbare Schrift, doch die Buchstaben waren hastig hingeworfen. Hatte sie sich heimlich aus dem Zimmer gestohlen? Oder gesagt, sie müsse den Waschraum aufsuchen? War sie zu einem Pagen geeilt und hatte sich Papier und Stift geben lassen, getrieben von der Angst, entdeckt zu werden?

Matilda stellte sich vor, wie Laura mit den Easterbrooks nach oben in den Privatraum gegangen war, wie die eleganten Gäste mit Champagner auf die Verlobten angestoßen hatten, wie sie gelächelt und Hände geschüttelt und von ihrer Reise berichtet hatte, während sie fieberhaft überlegte, wie sie Matilda, die gleich unter ihr im Restaurant saß, um Hilfe bitten sollte.

Matilda spürte, wie eine ungeheure Kraft sie durchdrang. Vergessen waren die verstörenden Momente mit Harry, die Fremdheit, die sie bisweilen empfunden hatte. Denn alles, was sie in den vergangenen Monaten geleistet hatte, war offenbar nur ein Vorspiel gewesen.

Es muss etwas geben. Bitte suchen Sie danach.

Etwas, das sie gegen die Easterbrooks verwenden konnte, um einer unerwünschten Ehe zu entgehen? Etwas, das erklärte, welche Rolle Lauras Schatz bei alldem spielte?

Die Suche ging weiter. Wonach sie suchte, wusste sie nicht. Wen sie dabei um Hilfe bitten würde, hingegen schon.

31

Am Montagmorgen stand Matilda mit einer Tüte Mince Pies, die sie in ihrer Lieblingsbäckerei gekauft hatte, vor dem Sekretariat. Sie wartete geduldig, während Miss Fellner, wie durch die Tür deutlich zu hören war, Miss Chambers ausführlich von ihrer bevorstehenden Reise in die Heimat erzählte, wo sie die Feiertage mit ihrer Familie verbringen wollte. Es fielen Worte wie »Tannenduft« und »Lebkuchen«, und Miss Fellner trat schließlich mit leuchtenden Augen aus der Tür.

»Guten Morgen, Miss Gray. Ich hoffe, Sie mussten nicht zu lange warten. Leider habe ich mich ein wenig festgeredet.«

»Das macht doch nichts.«

Miss Fellner schaute sich flüchtig um, hielt ihr eine kleine Tüte hin und sagte: »Aachener Printen, die besten. Meine Mutter hat sie mir geschickt. Es sind nur noch zwei übrig. Nehmen Sie.«

Gerührt griff Matilda in die Tüte und nahm sich eine. Sie biss sofort hinein. Weich, saftig, mit Kandis, der zwischen den Zähnen knirschte.

Als sie ins Sekretariat trat, wischte Miss Chambers sich gerade den Mund mit einem Taschentuch ab und wurde ein bisschen rot. Sie kaute, schluckte und sagte: »Guten Morgen, Miss Gray.«

»Die Printen sind köstlich«, sagte Matilda und lachte, als sie das verlegene Gesicht der Sekretärin sah. »Deutsche Spezialitäten sind nicht zu verachten. Allerdings hoffe ich, dass

Sie auch englische Süßigkeiten mögen.« Sie stellte die Tüte auf den Tisch. »Ganz frisch.«

»Miss Gray, Sie verwöhnen mich.« Dann trat ein schlaues Grinsen in ihr Gesicht. »Was kann ich heute für Sie tun?«

»Ich sehe, wir verstehen uns. Könnten Sie bitte nachsehen, ob wir die Privatadresse des Vormunds von Laura Ancroft in den Akten haben? Ich möchte ihr eine Weihnachtskarte schreiben und finde es unpassend, sie an die Kanzlei zu senden.«

»Haben Sie denn von ihr gehört?«, fragte Miss Chambers, während sie sich an ihrem Aktenschrank zu schaffen machte.

Was konnte es schaden, wenn sie die Wahrheit sagte? »Ja, sie ist wieder in England. Ich bin ihr gestern zufällig begegnet, daher die Idee mit der Karte.«

»Ich hoffe, sie hat sich gut erholt.« Miss Chambers bückte sich ächzend und zog eine Aktenmappe aus dem Schrank. Sie legte sie auf den Tisch, schlug sie auf und drehte sie so, dass Matilda die Visitenkarte sehen konnte.

CHARLES EASTERBROOK

Rechtsanwalt

55 Bedford Square
London WC

Matilda notierte die Adresse, überrascht, dass die Anwälte im intellektuellen Bloomsbury wohnten, nicht weit vom University College. Dann schob sie Miss Chambers die Mappe wieder hin. »Danke. Sie haben wieder einmal etwas bei mir gut. Und es bleibt bitte unter uns.«

»Gewiss.« Die Sekretärin schaute glücklich auf die Mince Pies. »Sie haben mir doch auch etwas Gutes getan.«

Matilda verfluchte die Jahreszeit. Sie war bis zur neuen Station Tottenham Court Road gefahren, die dem Bedford Square am nächsten, aber immer noch einen Fußmarsch entfernt lag. Warum konnte sie nicht im Sommer für ihre Nachforschungen unterwegs sein, wenn es abends hell und angenehm warm war? Andererseits, dachte sie, während sie sich gegen den kalten Wind stemmte, bot die Dunkelheit auch Vorteile, wenn man sein Tun verbergen wollte.

Sie bog nach rechts in die Great Russell Street, die zum Britischen Museum führte, und dann nach links in die Caroline Street, die sich am Ende zum Bedford Square hin öffnete. Straßenlaternen säumten die ovale Grünfläche in der Mitte des Platzes und den Gehweg, sodass die ebenmäßigen georgianischen Fassaden gut zu erkennen waren. Die Häuser wirkten altehrwürdig, eine ruhige Insel inmitten der Londoner Geschäftigkeit.

Matilda hatte noch keinen Plan, sie wollte zunächst nur einen Blick auf das Haus werfen, in dem Charles Easterbrook wohnte, und dann weitersehen. Sie überquerte den Platz und hörte, wie sich die Baumkronen knarrend im Wind wiegten; dann und wann segelte eine einzelne Schneeflocke herab. Viele Fenster waren hell erleuchtet, doch draußen waren kaum Menschen unterwegs. Matilda zog den Mantel enger und versuchte die Hausnummern zu erkennen. Da war die Nr. 55.

Graubraune Ziegel, schwarze Tür mit Lünette darüber, weiß gerahmte Fenster, dezente Eleganz. Im ersten Stock und im Erdgeschoss brannte Licht, ein Schatten bewegte sich hinter dem Fenster und verschwand.

Laura lebte jetzt hier und nicht in ihrem Elternhaus, das unbewohnt und einsam in Pountney Hill stand. Was konnte für eine junge Frau vernünftiger und angemessener sein, als bei ihrem Vormund und künftigen Ehemann zu wohnen? Und sogar im selben Haus wie der künftige Schwiegervater, damit der Anstand gewahrt blieb? Und doch fühlte Laura sich gefangen, den beiden Männern ausgeliefert.

Matilda ging auf und ab und schaute immer wieder am Haus empor. Sie hätte sich einen Plan zurechtlegen sollen, bevor sie herkam. Was hatte sie sich nur dabei gedacht – dass sie wie Adela Mornington an der Hauswand hochklettern und Laura durch ein Fenster retten würde? Oder an der Tür klingeln und tun, als wollte sie das Mädchen besuchen, um sich heimlich mit ihr davonzustehlen?

Andererseits – wenn Easterbrook auf eine Hochzeit drängte, blieb keine Zeit für Nachforschungen in Kirchenbüchern oder das mühsame Entziffern alter Dokumente. Sie musste Laura retten, die nicht heiraten wollte, schon gar nicht einen Mann, den sie zu fürchten schien.

Es muss etwas geben. Suchen Sie danach.

In der Nähe schlug eine Kirchenglocke. Bis zum nächsten Viertelstundenschlag würde sie noch bleiben. Wenn bis dahin nichts geschehen und ihr keine Idee gekommen war, würde sie nach Hause fahren und morgen neu beginnen.

Matilda lief auf und ab, um sich ein bisschen zu wärmen, schaute aber immer wieder zu dem Haus und den erleuchteten Fenstern.

Der Schnee fiel jetzt dichter, der Wind hatte aufgefrischt. Ihre Füße waren fast taub. Wenn sie zu Hause nicht gleich badete, würde sie eine Erkältung oder Schlimmeres riskieren.

Die Glocke schlug. Zögernd schaute sie noch einmal zum Haus, bevor sie sich umwandte und in Richtung Untergrundbahn gehen wollte.

»Kann ich Ihnen helfen, Miss?«

Ein älterer Mann, der einen Karren zog, war stehen geblieben und tippte sich an die Mütze, unter der er einen Schal um den Kopf gewickelt hatte. Im Karren lagen ein Rechen, eine Harke, ein Besen und andere Utensilien, er musste der Parkwächter sein. Er deutete mit einem dicken Fausthandschuh auf Matilda.

»Hab Sie vorhin schon gesehen, Miss. Ganz schön kalt, um hier draußen zu stehen.«

Sie hatte nichts zu verlieren. »Kennen Sie die Easterbrooks?«

Der alte Mann grinste und entblößte ein lückenhaftes Gebiss. »Kalter Abend heute. Werd mir gleich was Warmes genehmigen. Aber der Whisky ist heutzutage ganz schön teuer.«

Matilda verstand die Anspielung und holte eine Münze aus der Tasche. Der Mann steckte sie rasch ein und trat näher, wobei sie seinen schalen Atem roch.

»Die kenne ich, Vater und Sohn. Die Familie wohnt schon lange hier. Mein alter Herr kannte auch den Großvater und dessen Frau, die wilde Mary Cleland, Gott hab sie selig. Das war vielleicht ein Original, pflegte mein alter Herr zu sagen, hat bei Wind und Wetter morgens ...«

»Was haben Sie gesagt? Wie hieß die Großmutter?«, unterbrach ihn Matilda atemlos.

»Mary Cleland. Sie hat einen Easterbrook geheiratet, den ersten Rechtsanwalt in der Familie. Ist mit ihm ins Haus der Familie gezogen. Wenn sie morgens ausging, trug sie nur ...« Er wollte weitererzählen, doch Matilda drückte ihm noch eine Münze in die Hand und eilte davon.

Bedford Row lag ein gutes Stück entfernt, doch Matilda war so aufgeregt, dass sie ihre tauben Füße kaum noch spürte. Sie hatte sich den Stadtplan eingeprägt und daher keine Mühe, die richtige Straße zu finden. Sie war nur einmal hier gewesen, doch alles kam ihr vertraut vor, und während sie über das nasse, rutschige Pflaster eilte, erinnerte sie sich an etwas, das Fleming ihr einmal erzählt hatte.

Vor vierhundert Jahren stand hier das Dorf Holborn, umgeben von Ackerland, das vor Zeiten einem Kloster gehört hatte. Später erwarb ein reicher Kaufmann ein gewaltiges Stück davon und schenkte es einer wohltätigen Stiftung, die er in seiner Heimatstadt Bedford gegründet hatte. Noch heute finden Sie den Namen Bedford auf alten Grenzsteinen, die an den Häusern angebracht sind. Wohin wir auch gehen, die Geschichte lässt uns niemals los.

Dann stand sie vor dem Haus, keuchend und verschwitzt. Verschwunden war die Kälte. Das Kleid klebte ihr am Rücken, die Haare unter der Mütze waren feucht, der Griff der Ledertasche schnitt in ihre Hand. Sie schaute zu den Fenstern im ersten Stock. Erleuchtet. Matilda atmete tief durch und betätigte die Klingel.

Sie hatten sich nur knapp eine Woche nicht gesehen, doch er hatte sich verändert. Sein Gesicht wirkte schmaler, die Falten um die Augen tiefer. Er trug einen Hausrock über Hemd und Hose und wich überrascht einen Schritt zurück, als er sie vor der Tür entdeckte.

»Matilda – Miss Gray – was ist passiert? Sie sind ja völlig durchnässt. Kommen Sie herein.« Er hielt ihr die Tür auf.

Sie folgte ihm ins Wohnzimmer, wo ein Sessel vor dem Kamin stand. Daneben auf dem Boden ein aufgeschlagenes Buch, als habe er es rasch hingelegt, als sie klingelte.

»Ich hole ein Handtuch und etwas Warmes zu trinken. Tee mit Rum?«

Bevor sie antworten konnte, war der Professor verschwunden. Matilda zog den nassen Mantel aus und sah sich nach einem Stuhl um, über den sie ihn hängen konnte. Sie überlegte kurz, ob sie auch die Stiefel ausziehen konnte, und knöpfte sie entschlossen auf. Sie hatte sie gerade vor den Kamin gestellt, als er zurückkam.

Er reichte ihr ein Handtuch und rückte den Stuhl, über dem ihr Mantel hing, näher ans Feuer. Als sie sich abgetrocknet hatte, nahm er das Handtuch entgegen, reichte ihr stattdessen den Teebecher und wies auf den Sessel.

»Setzen Sie sich! Der Tee ist heiß und stark.« Dann warf er einen Blick auf ihre Füße. »Augenblick.«

Er verschwand erneut aus dem Zimmer und kam mit einem Paar Wollsocken zurück, das er Matilda ein wenig verlegen hinhielt. »Sie sind sauber.«

Lächelnd beugte sie sich vor und zog die Socken über, bevor sie die Füße zum Kamin ausstreckte.

Der Professor zog einen zweiten Sessel heran, ließ sich darauf nieder und schaute sie eindringlich an. »Und jetzt wüsste ich gern, was Sie an diesem nasskalten Abend herführt.«

Matilda nippte vorsichtig an dem Getränk, das mehr nach Rum als nach Tee roch. Es schmeckte süß und war so heiß, das es gerade noch erträglich war. »Laura Ancroft ist zurück. Ich habe sie vorgestern Abend im Trocadero getroffen, wo sie ihre Verlobung mit Charles Easterbrook gefeiert hat.«

»Wie Sie befürchtet hatten«, sagte Fleming.

»Ja. Aber das ist nicht alles.« Sie berichtete von der Nachricht, die ihr der Page überbracht hatte, und wie sie sich gleich nach der Schule zum Bedford Square begeben hatte. Der Professor hatte sich im Sessel zurückgelehnt und hörte zunächst ruhig zu, hob dann aber ruckartig den Kopf.

»Charles Easterbrooks Großmutter war eine Cleland?«

»Ja. Die Easterbrooks sind die Nachfahren der Familie, die in Laurence Pountney Hill gestorben ist.«

»Weil ein Ancroft sie verleumdet hatte.« Fleming war aufgesprungen und stand mit dem Rücken zum Kamin. Matilda sah, wie seine Augen blitzten. Er zitierte aus dem Gedächtnis. »Jemand wolle uns übel. Mutter war aufgebracht ... wer es war. Du sollst kein falsches Zeugnis ... weiß, was ich sage ... ganzen Familie ... Ancroft ... so etwas tun? ... kann mein Vater so irren ... der andere verleumdet.«

Matilda nickte. »Gabriel Ancroft hat seinen Freund John Cleland verraten. Katherine schreibt sehr empört, woraus ich schließe, dass Ancroft nicht nur ein geschäftlicher Konkurrent, sondern ein Freund oder guter Bekannter war, was den Verrat besonders verwerflich macht. Jedenfalls erwarb Ancroft wenige Jahre später günstig das Grundstück und errichtete ein neues Haus darauf.«

»Und er hat vor allem das Opiummonopol übernommen«, warf der Professor ein. »Das war bestimmt sein eigentliches Motiv. Es gab nicht viele Opiumhändler in London, und John Cleland war durch sein Monopol wohlhabend geworden. Ancroft hat ihn und seine Familie vernichtet, seine Nachfolge als Lieferant der Apotheker angetreten und ein Haus auf den Trümmern des Cleland-Anwesens errichtet. Gründlicher kann man einen Konkurrenten nicht vernichten.«

Matilda überlegte. »Aber warum hat Anthony nichts dagegen unternommen? Immerhin hat sein Vater ihm den Brief hinterlassen und darin offenbart, was man der Familie angetan hatte. Und dass sich sein Vermögen in der alten Friedhofsmauer befand. Warum hat sich nie jemand darum gekümmert? Den Schatz gesucht? Die Ancrofts offiziell beschuldigt?«

Fleming zuckte mit den Schultern. »Wir wissen immer noch nicht, was aus Anthony Cleland geworden ist. Selbst wenn er nach London zurückgekehrt ist, konnte er nicht viel unternehmen. Wo seine Familie gelebt hatte, stand ein neues Haus, in dem ein angesehener Kaufmann wohnte. Anthony hatte nichts als das Wort seines Vaters, um zu beweisen, dass man die Familie verraten hatte – falls er überhaupt in den Besitz des Briefes gelangt ist. Vermutlich hatte Gabriel Ancroft eine Sucherin bestochen, damit sie das Haus als pestbefallen meldete. Warum hätte sie zugeben sollen, dass sie sich auf einen Handel eingelassen hatte? Damit hätte sie sich nur geschadet. Und selbst wenn sie es gestanden hätte – die meisten Sucherinnen waren alt, arm und trunksüchtig. Was hätte ihr Wort gegen Ancrofts gegolten?«

»Hm, ja, das ist richtig.«

»Aber Sie sind nicht zufrieden.« Fleming sah Matilda prüfend an.

Nun zuckte *sie* mit den Schultern. »Wir haben das Rätsel gelöst. Easterbrook ist der Nachfahre der Opfer und Laura die Nachfahrin des Täters, Gut und Böse haben sich überkreuzt. Man könnte behaupten, es sei eine Art ausgleichende Gerechtigkeit, wenn sie heiraten und er in den Genuss des Vermögens kommt, das ihm von Rechts wegen zusteht.«

Der Professor lehnte mit verschränkten Armen am Kamin und schüttelte kaum merklich den Kopf.

Sie seufzte. »Sie haben recht. Ich bin nicht zufrieden, und wir sind noch nicht fertig.«

»Das hängt ganz von Ihnen ab. Wenn Sie Miss Ancroft helfen wollen, dürfen Sie sich damit nicht zufriedengeben. Sie fürchtet sich vor Easterbrook.«

Aber wie passte das alles zusammen? Matilda erhob sich

und machte ein paar Schritte auf und ab. »Es kann kein Zufall sein, dass sie die Anwälte der Ancrofts sind und die Vormundschaft für Laura übernommen haben.«

Der Professor nickte. »Angenommen, die Easterbrooks wären zufällig in den Besitz des Briefes an Anthony gelangt und hätten dann alles von langer Hand geplant. Sich mit der Familie bekannt machen, eine geschäftliche Beziehung anknüpfen, dann eine Freundschaft und die Ehe mit der Tochter, weil es ebenso unhöflich wie verdächtig wäre, einfach den Keller umzugraben ...«

Matilda lachte. »Vergessen Sie nicht, die Easterbrooks wissen höchstens, was in Anthonys Brief steht. Sie kennen nur eine Hälfte der Geschichte. Darum hat Charles Easterbrook in der Schule angefragt, ob sich noch etwas von Laura dort befinde.«

»Allmählich fügt sich alles zusammen.«

Matilda blieb abrupt stehen. »Nein, nein, nein!« Sie sprach so heftig, dass Fleming sie verwundert ansah. »Nicht alles fügt sich zusammen. Wir nehmen an, dass Easterbrook Laura heiraten und damit in den Besitz eines Vermögens gelangen wollte, das ihm seiner Ansicht nach ohnehin zustand. Aber ich glaube, es steckt mehr dahinter. Sie hätten sehen sollen, wie besitzergreifend er ihren Arm gehalten hat, als ich sie im Trocadero traf. Und wie schnell er unser Gespräch beendete. Als wollte er nicht, dass Laura und ich uns unterhalten.« Sie schwieg einen Moment, ehe sie fortfuhr: »Nehmen wir einmal an, die Ancrofts wären nicht gestorben. Und Laura hätte ihren Eltern gesagt, sie wolle Easterbrook nicht heiraten. Wir leben im Jahr 1900, fortschrittliche Eltern hätten ihre Tochter gewiss nicht zu einer Ehe gezwungen. Aber Easterbrook will Laura um jeden Preis zur Frau. Wie weit würde er dafür gehen?«

Sie wandte langsam den Kopf. Flemings Augen spiegelten ihren Schrecken. »Sie meinen …?«

»Ich weiß, es ist ungeheuerlich.« Und dann erinnerte sie sich wieder. »›Zum Glück war er an jenem Wochenende nicht bei ihnen auf dem Land, sonst wäre Laura ganz allein zurückgeblieben.‹ Das hat die Mutter einer Schülerin neulich gesagt.«

Plötzlich war es still im Raum. Sie schauten einander an und schwiegen. Es war zu früh, um den Verdacht laut auszusprechen.

Matilda räusperte sich, kehrte zum Sessel zurück und trank den Tee aus. Ihr war endgültig warm geworden, und sie spürte ein träges Kribbeln in den Händen. »Ich werde mir morgen Nachmittag freinehmen, wenn die Easterbrooks in der Kanzlei sind, und am Bedford Square vorsprechen. Ein Besuch der ehemaligen Lehrerin, die zur Verlobung gratulieren möchte, wirkt sicher sittsam und unverfänglich. Vielleicht finden Laura und ich gemeinsam die Antworten, die uns noch fehlen.« Matilda sah Fleming hoffnungsvoll an.

»Das ist eine ausgezeichnete Idee, Miss Gray. Ich wünsche Ihnen viel Erfolg. Es wäre schön, wenn Sie mich auf dem Laufenden hielten … Und seien Sie vorsichtig. Bitte.« Die letzten Worte klangen beinahe schüchtern.

»Sie haben mein Wort. Aber jetzt möchte ich nach Hause fahren.« Sie zog die Stiefel an und ließ sich von ihm in den Mantel helfen, der halbwegs getrocknet war. Im Flur zog er ebenfalls einen Mantel über.

»Ich warte auf der Straße, bis Sie eine Droschke gefunden haben. Bei diesem Wetter sollten Sie nicht bis zur Untergrundbahn laufen.«

Doch die Bedford Row lag verlassen da. Sie gingen in

Richtung High Holborn. Die Flocken waren in Schneeregen übergegangen, und Matilda warf einen verstohlenen Blick zur Seite. Der Professor trug weder Hut noch Schal oder Handschuhe. Auf einmal wurde sie sich der Stille bewusst, die zwischen ihnen entstanden war.

»Ich danke Ihnen«, sagte sie schließlich.

»Für Tee und Kaminfeuer?«, fragte er leichthin. »Das war selbstverständlich.«

»Nein«, erwiderte sie zögernd. »Weil Sie mir zugehört haben. Weil Sie mir glauben.«

Er lachte. »Wie könnte ich Ihnen nicht glauben? Ich bin mit Ihnen in ein fremdes Haus eingedrungen und habe im Keller einen Schatz gefunden.«

Matilda biss sich auf die Lippe, als er ihr erneut mit einem Scherz auswich. Offenbar wollte er nicht über persönliche Dinge sprechen. Lag es daran, dass sie ihn zurückgewiesen hatte? War dies überhaupt das richtige Wort? Er hatte ihr verschwiegen, dass er verheiratet war, ihr war gar nichts anderes übrig geblieben, als die Verbindung abzubrechen …

»Ich habe Ihnen auch zu danken.«

Sie schaute ihn verwundert an. »Wofür?«

Er blickte starr geradeaus. »Ich hatte nicht erwartet, dass Sie mich um Hilfe bitten würden. Besser gesagt, ich hatte nicht damit gerechnet, Sie wiederzusehen.« Seine Stimme klang beherrscht, doch darunter schwang Leidenschaft mit.

»Ich habe Ihnen sehr viel zu verdanken. Das vergesse ich nicht.«

Sie liefen schweigend weiter, doch die Stille war jetzt angenehmer, als habe ein Regen die Luft gereinigt. Sie mussten bis zur Ecke High Holborn gehen, wo sie vor dem prächtigen First Avenue Hotel eine Droschke fanden.

Sie blieben stehen, und der Professor reichte Matilda die Hand. »Es war schön, Sie zu sehen. Sagen Sie Bescheid, falls Sie meine Hilfe brauchen.«

Matilda nickte. »Versprochen. Und wenn ich morgen etwas herausfinde, erfahren Sie es.«

Er half ihr beim Einsteigen und nannte dem Kutscher die Adresse, bevor er ihm das Fahrgeld zusteckte. Matilda tat, als hätte sie es nicht gesehen, und hob noch einmal grüßend die Hand, bevor die Droschke losrollte.

32

Miss Haddon nickte verständnisvoll, als Matilda sie am folgenden Morgen um einen freien Nachmittag bat. Sie wolle sich mit ihrem Bruder treffen, der auf Fronturlaub nach London gekommen sei.

»Aber natürlich, Miss Gray. Wenn es um unsere Soldaten geht, versteht sich das von selbst. Ich wünsche Ihnen einen angenehmen Nachmittag.«

Matilda fühlte sich nicht wohl in ihrer Haut, als sie Hut und Mantel holte und das Schulgebäude verließ. Nicht wegen der Notlüge – sie war oft länger geblieben, hatte alle Proben beaufsichtigt, war immer eingesprungen, wenn eine Kollegin ausfiel –, sondern weil sie Harry als Vorwand benutzte. Sie tröstete sich mit dem Gedanken, dass er nicht nach Südafrika zurückkehren, sondern ins nahe gelegene Irland versetzt würde. Von nun an würden sie einander öfter sehen, vielleicht konnte sie ihn sogar besuchen.

Um diese Tageszeit war es in der Bahn ziemlich leer, und sie bereitete sich in Ruhe auf die Begegnung mit Laura vor. Sie musste damit rechnen, dass ihnen wenig Zeit blieb, und legte sich die Fragen sorgfältig zurecht.

Während Matilda dasaß und zum Fenster schaute, das nur ihr eigenes Spiegelbild zurückwarf, stahl sich ein Gedanke herbei, den sie zu verdrängen suchte. Aber er war hartnäckig. Verstohlen und heimlich bohrte er sich in ihren Kopf, als lehnte sie an einem Kissen, in dem noch eine Nadel steckte.

Sie spürte wieder ihre kalten Füße, den nassen Mantel, der

schwer an ihrem Körper hing, wie sie durch die dunklen Straßen eilte, ausrutschte, sich fing und weiterhastete, bis sie zu den erleuchteten Fenstern in der Bedford Row emporsah. Sie hörte das knisternde Feuer, schmeckte den Rum im Tee, vernahm die Stimme, nach der sie sich gesehnt hatte ...

Sie schluckte, als könne sie so die Traurigkeit verdrängen. Ja, sie hatte sich nach Stephen Fleming gesehnt und keine Sekunde gezögert, bevor sie zu ihm gelaufen war. Als er ihr die Tür öffnete, war es, als wäre sie heimgekehrt. Er hatte ihr geholfen, wie er es immer getan hatte, freundlich, selbstlos und ohne eine Spur von Misstrauen.

In der ganzen Zeit, die sie am Kamin gesessen hatte oder aufgeregt im Zimmer umhergelaufen war, hatte sie nicht einen Moment lang an seine Frau gedacht.

Matilda spürte, wie sie rot wurde, und drückte die Handrücken an die Wangen, um sie abzukühlen. Sie musste sich zusammennehmen und an ihre Aufgabe denken. Sie musste Laura helfen, das war wichtiger als ihre eigenen Gefühle.

Matilda war froh, als sie endlich aussteigen und sich durch das Gewimmel in der Tottenham Court Road drängen konnte, wo der Schnee von unzähligen Rädern, Sohlen und Pferdehufen zu grauem Matsch zermahlen war. Sie sah flüchtig auf die Uhr, die sie an einer Kette um den Hals trug. Halb drei. Eine günstige Zeit.

Sie erreichte den Bedford Square und ging langsamer. Blieb gegenüber vom Haus stehen. Noch brannte kein Licht, an den Fenstern waren keine Silhouetten oder Schatten zu sehen.

Matilda holte tief Luft, überquerte die Straße und betätigte den Türklopfer. Drinnen erklangen leichte Schritte, dann öffnete ein junges Hausmädchen in schwarzem Kleid, weißer Schürze und weißem Häubchen die Tür.

»Guten Tag. Sie wünschen?«

»Ich möchte Miss Ancroft meine Aufwartung machen.« Es war keine Bitte, sondern eine selbstbewusste Erklärung.

Das Mädchen zögerte kurz. »Miss Ancroft empfängt keinen Besuch.«

Matilda ließ sich nicht beirren. »Sag ihr, dass Miss Gray sie sehen möchte. Ich bin mir sicher, sie wird mich empfangen.«

Das Mädchen biss sich auf die Lippe und erwiderte dann betont förmlich: »Ich habe Anweisung von den Herrschaften, niemanden vorzulassen.« Sie wollte die Tür schließen, worauf Matilda instinktiv die Hand ausstreckte, nicht gewillt, so knapp vor dem Ziel zu scheitern.

»Dann möchte ich ihr wenigstens eine Nachricht hinterlassen. Darf ich kurz eintreten?« Sie zeigte auf ihre Tasche, in der sie Schreibzeug bei sich trug.

Das Mädchen ließ sie herein, blieb aber neben ihr stehen wie ein Wachhund. Matilda überlegte noch fieberhaft, was sie schreiben sollte, als leichte Schritte auf der Treppe erklangen. Sie blickte hoch und sah sich Laura gegenüber. Sie trug ein goldgelbes Kleid, das gut zu ihren Haaren passte.

Die junge Frau schaute von ihr zu dem Hausmädchen und sagte im Befehlston: »Mary, warum hast du meinen Besuch nicht gemeldet? Bitte kommen Sie mit in den Salon, Miss Gray.« Und an Mary gewandt: »Wir wollen keinesfalls gestört werden. Wenn ich Tee möchte, läute ich.«

Als sich die Tür hinter ihnen geschlossen hatte, standen die beiden Frauen einander reglos gegenüber. Doch schon im nächsten Augenblick warf sich Laura in Matildas Arme. Diese hielt ihre ehemalige Schülerin einfach fest und strich ihr beruhigend über den Rücken, bis Laura sich von ihr löste und einen Schritt zurücktrat. Dann bot sie Matilda leicht verlegen einen Sessel an und setzte sich ihr gegenüber.

»Wann kommen die Herren nach Hause?«

»Charles kommt gegen sechs. Sein Vater geht noch in den Klub.«

»Wir müssen die Zeit nutzen«, sagte Matilda nachdrücklich. »Wir erzählen uns, was wichtig ist, und entscheiden dann, wie wir vorgehen.«

Laura nickte.

»Können wir dem Mädchen vertrauen?«

»Ja. Mary hat Angst vor Charles, sie wird nicht verraten, dass sie Sie hereingelassen hat.«

»Dann fang bitte an. Ich bin sehr gespannt. Auf diesen Augenblick habe ich lange gewartet.«

Laura lächelte erleichtert. Und dann erzählte sie.

»Ich habe mich in Charles' Gegenwart nie richtig wohlgefühlt. Er war immer freundlich zu mir und hat gut für mich gesorgt, nachdem meine Eltern gestorben waren, aber … ich habe ihm nicht getraut.« Sie zuckte mit den Schultern. »Näher kann ich es nicht beschreiben. Im vergangenen Winter veränderte sich etwas. Charles wurde herrischer. Er deutete an, dass ich Riverview demnächst verlassen würde. Und dann wollte er nicht, dass ich die Sommerferien bei Anne verbringe. Ich kam mir wie gefangen vor, wusste aber nicht, mit wem ich darüber sprechen sollte. Niemand hätte mich ernst genommen. Ich bekam immer gesagt, er sei so gut zu mir, ich müsse ihm dankbar sein.« Sie schluckte. »Also verbrachte ich die ersten Ferienwochen hier im Haus. Dann wurde ich krank. Es begann mit einer harmlosen Sommererkältung. Aber der Husten wurde nicht besser, die Ärzte waren besorgt. Ich wollte unbedingt zurück in die Schule, doch Charles sagte, wir müssten verreisen, ans Mittelmeer, das sei meiner Gesundheit und meiner Bildung zuträglich. Er hatte schon alles geplant, die Fahrkarten gekauft, Hotelzimmer gebucht, eine neue Garderobe für mich bestellt, ohne mir etwas davon zu sagen. Ich sei zu schwach gewesen, er habe mich nicht unnötig aufregen wollen.« Sie suchte nach Worten. »Es war … bizarr. Er hatte über Nacht mein Leben in die Hand genommen, für mich entschieden, für mich gesprochen, ohne mich ein einziges Mal zu fragen. Er gab sich besorgt um meine Gesundheit, und die Leute haben ihm geglaubt.« Sie lächelte bitter. »Sie haben Charles gesehen. Er ist charmant, verbindlich, gut aussehend. Er kümmert sich aufopferungsvoll um sein Mündel, bleibt monatelang der Kanzlei fern und reist durch halb Europa. Er hat getan, als ginge es nur um mich.« Sie zuckte mit den Schultern. »Was auch stimmte. Wenn auch nicht so, wie er es die Welt glauben machen wollte.«

Laura holte tief Luft. »Er gab sich große Mühe, zeigte mir die schönsten Städte Italiens und wunderbare Kunstschätze, führte mich in die besten Restaurants, stellte mich Freunden und Bekannten vor, die dort lebten oder arbeiteten. Ich hatte mir immer schon gewünscht, durch Europa zu reisen. Und doch kam ich mir vor, als wäre ich eingesperrt. An einem Morgen trafen wir uns in Rom mit einem befreundeten Paar zum Frühstück. Dabei erwähnte ich, ich wolle nach unserer Rückkehr meinen Schulabschluss machen. Ich erzählte, wie gut es mir in Riverview gefalle, von den Anregungen, die Ihr Unterricht mir bot, wie viel mir das Lernen bedeutete … Danach durfte ich eine Woche das Hotel nicht verlassen. Ich sei zu geschwächt, das Wetter zu heiß, die Luft zu drückend. Charles ging allein fort und ließ mich entschuldigen. Meine Gesundheit sei noch immer angeschlagen, daher könne ich keine gesellschaftlichen Verpflichtungen wahrnehmen. Das Muster wiederholte sich. Sobald ich mich von der Rolle löste, die er für mich vorgesehen hatte – das junge unerfahrene Mädchen, von zarter Gesundheit, umsorgt von seinem Vormund –, gab es Hausarrest. Da wurde mir endgültig klar, dass ich gefangen war.

Da niemand wusste, wo ich war, erhielt ich keine Briefe. Aber ich konnte auch niemandem schreiben, ohne dass er es bemerkte. In Neapel wohnten wir in einem Hotel, in dem ein junges Zimmermädchen arbeitete. Valentina war in meinem Alter und sehr hübsch.« Laura lächelte bei der Erinnerung. »Wir haben uns ein paarmal unterhalten, wenn ich allein im Zimmer saß, weil Charles wieder ohne mich ausgegangen war. Ich habe ihr ein bisschen Englisch beigebracht. Irgendwann habe ich mich getraut und gefragt, ob sie eine Postkarte für mich abschicken könne. Gegen Bezahlung. Sie schaute mich seltsam an und sagte: ›Nicht Geld, *signorina*. Nur so mir geben. *Signor* nicht gut.‹ Sie hatte verstanden, was mit mir geschah, ohne dass ich ein einziges Wort darüber verloren hatte.

Valentina besorgte mir eine Briefmarke, und ich schrieb die Karte an Sie. Ich weiß noch, wie ich dabei gezittert habe. Ich wagte nicht, etwas Verfängliches zu schreiben, falls sie Charles doch in die Hände fallen sollte. Da kam mir die Idee mit der Briefmarke. Ich war so nervös und musste eine Lupe über die Karte halten, damit meine Schrift trotz allem lesbar war.« Sie hielt inne und wischte sich über die Augen. »Ich habe gehofft, dass Sie es verstehen. Aber der Pfeil war so klein. Der Satz so rätselhaft. Es war meine einzige Hoffnung, und alles hing von diesem Stückchen Pappe ab.«

Matilda ergriff Lauras Hand. »Das hast du gut gemacht. Und ich habe alles verstanden, auch wenn es ein bisschen gedauert hat. Aber erzähle weiter.«

»Das werde ich Valentina nicht vergessen. Ich habe be-schlossen, ihr etwas als Dank zu schicken, wenn ich … wenn ich wieder über mein Leben verfügen kann.« Matilda hörte die verzweifelte Hoffnung, die in Lauras Worten mitschwang.

»Kurz darauf sind wir nach Griechenland gereist. Davon hatte ich immer geträumt, aber ich wollte mit jemandem dort-hin, der mich ganz und gar versteht, mit dem ich all das teilen kann, frei und ohne Angst. Athen, Olympia, Delphi, Thessa-loniki … Wir waren in Epidauros, wo man Asklepios huldigte, dem Gott der Heilkunst. Auf Kreta im Palast von Knossos.« Dann fügte sie sehnsüchtig hinzu: »Nach Lesbos sind wir nicht gefahren. Ich wollte nicht mit *ihm* dorthin.«

»Auch die Karte selbst war eine Botschaft«, sagte Matilda unvermittelt. »Mit dem Bild der Sappho. Sie war eine War-nung an mich. Ich sollte nicht alles glauben, was ich über dich und deinen Vormund hören würde. Strebte er da schon die Verlobung an?«

Laura lächelte. »Sie haben die Anspielung also verstanden. Ja, Charles hatte es schon bald nach unserer Ankunft in Italien angesprochen. Er stellte es geschickt an, machte mir kleine Geschenke, besuchte mit mir Sehenswürdigkeiten, von denen er hoffte, dass sie mir gefallen würden. Er machte mir im Bei-sein anderer Komplimente und betonte, wie gut wir uns ver-stünden und wie ernst er seine Pflichten nähme. Aber es gab dennoch Grenzen, die ich nicht ungestraft überschreiten durfte.«

»Zuckerbrot und Peitsche«, murmelte Matilda.

»So könnte man es nennen. In Griechenland veränderte sich etwas, er wurde vertraulicher. Legte beim Spaziergang den Arm um meine Schulter statt die Hand auf meinen Unterarm. Es war, als hätte ein neues Kapitel begonnen.«

»Den anwesenden Damen entging nicht, dass Mr. Easterbrook der reizenden Miss Ancroft jeden Wunsch von den Augen ablas und sie nur äußerst ungern allein ließ, als sich die Herren zu Port und Zigarren zurückzogen««, zitierte Matilda.

»Wie bitte?«

»Das stammt aus einer englischen Zeitung. Dora hat mir den Artikel gezeigt. Ihre Mutter hatte ihn ausgeschnitten und ihr geschickt.«

Laura sah zu Boden. »Das war ihm gewiss sehr recht. Wenn etwas in der Zeitung steht, ist es wahr.«

Matilda strich ihr beruhigend über den Arm. »Es hat nichts zu bedeuten. Was geschah als Nächstes?«

Laura zuckte mit den Schultern. »Bald hielten uns die Menschen, denen wir begegneten, für verlobt, da er so vertraut mit mir umging. Ende November hat Charles dann um meine Hand angehalten. Nun ja, es war nicht so romantisch, wie es sich anhört. Er hat mir erklärt, eine Heirat sei für uns beide vorteilhaft, da wir einander kennen und vertrauen. Meine allzu früh verstorbenen Eltern hätten die Verbindung sicher gutgeheißen.«

»Das klingt sehr nüchtern.«

Laura grinste schief. »Es war nicht das, was man in Romanen liest. Und schon gar nicht, was ich mir für mein Leben erhoffe. Dann begann er, mir die Ehe in den schönsten Farben auszumalen – dass wir reisen würden, nach Spanien und Deutschland, vielleicht sogar nach Russland, was immer ich mir wünschte. Das hat mich überrascht, weil … nun ja, die Kanzlei hat einen guten Ruf, aber Charles ist kein wirklich reicher Mann.«

»Und wenn er nun eine reiche Frau heiratete?«

Laura sah sie verwundert an. »Ich bin nicht reich. Ich erbe

das Haus und eine Geldsumme, wenn ich einundzwanzig bin, aber kein Vermögen.«

Matilda lehnte sich zurück und schaute sie triumphierend an. »Und wenn ich dir sagte, dass im Keller deines Hauses ein Schatz verborgen liegt? Jahrhundertealte Goldmünzen von immensem Wert?«

Laura sprang auf. »Wie bitte?«

»Ich muss mich korrigieren, er *lag* dort verborgen. Der Schatz befindet sich in meiner Obhut. Ein Bekannter und ich sind heimlich in den Keller eingestiegen und haben ihn entdeckt. Er war seit fast zweihundertfünfzig Jahren dort versteckt. Niemand hat nach ihm gesucht, weil niemand wusste, dass es ihn gibt. Niemand außer deinem Vormund. Das glaube ich zumindest.«

Laura lief aufgeregt auf und ab und blieb dann vor Matilda stehen. »Hat es etwas mit dem Kasten zu tun? Sie haben ihn gefunden, nicht wahr? Sie haben gesagt, Sie hätten die Botschaft auf der Karte verstanden, die Nachricht unter der Briefmarke …«

Matilda drückte das Mädchen wieder in den Sessel und sah auf die Uhr. »Wie wäre es mit Tee? Und dann erzähle ich dir meine Seite der Geschichte.«

Laura hörte atemlos zu, wollte gelegentlich etwas sagen, zügelte sich aber. Sie trank ihren Tee, ohne die Augen von Matilda zu wenden.

Als Matilda zu Ende gesprochen hatte, atmete Laura tief durch. »Das ist die unglaublichste Geschichte, die ich je gehört habe.« Sie drückte beide Hände vor den Mund und schloss die Augen, als müsse sie erst begreifen, was sie da erfahren hatte.

»Mein Vorfahr hat also den Tod von Charles' Vorfahren verschuldet?«

Matilda wiegte den Kopf. »Wir konnten nicht das ganze Buch entziffern, aber es sieht danach aus. Natürlich kann man heute niemanden mehr dafür belangen.«

Laura sagte unbeirrt: »Es bedeutet, dass meine Vorfahren ihr Vermögen unrechtmäßig erworben haben, durch ein Privileg, das eigentlich John Cleland innehatte. Außerdem haben sie das Grundstück billig gekauft und das Haus darauf gebaut, das heute mir gehört. Und der Schatz, den Sie und der Professor im Keller gefunden haben, steht eigentlich den Easterbrooks zu.« Sie schaute zur Tür, als erwarte sie, ihren Vormund dort zu sehen.

Die Situation war heikel, dachte Matilda. Wenn Laura sich schuldig fühlte, würde sie sich womöglich doch in die Hände der Easterbrooks begeben. Also sagte sie rasch: »Ich bin mir sicher, dass dies nicht die ganze Geschichte ist. Darum möchte ich dir einige Fragen stellen, solange noch Zeit bleibt.«

Die junge Frau nickte, wirkte aber verunsichert.

»Wann hast du den Holzkasten gefunden?«

»Kurz bevor meine Eltern starben. Ich war oft allein, wenn sie mit ihren Freunden aufs Land fuhren. Natürlich hatte ich ein Kindermädchen und später eine Gouvernante, aber ich wusste, wie ich mich davonstehlen konnte. Ich stellte mir vor, ich würde in früherer Zeit leben, und ging auf Abenteuersuche. Ich schlich vom Keller bis auf den Dachboden, kein Raum war vor mir sicher. Der Keller war mir am liebsten. An den Wochenenden, wenn niemand im Geschäft war, konnte ich mich endlos dort aufhalten.« Sie lächelte. »Sie sagen, dass manche Mauern noch aus der Römerzeit stammen. Das habe ich nicht gewusst, aber ich habe dort unten immer etwas gespürt … etwas Altes, Geheimnisvolles. Vielleicht war es auch die Nähe zum Friedhof. Mein Vater hat mir erzählt, dass unser Garten auf einem Friedhof angelegt ist. Mutter hat mit ihm geschimpft, er solle mir keine Angst einjagen. Aber ich hatte keine Angst. Ich fand es aufregend.« Sie blickte auf, als erinnere sie sich wieder an Matildas Frage. »Eines Tages bemerkte ich einen lockeren Stein, ziemlich weit oben in der Wand. Ich musste auf eine Kiste klettern, um ihn zu erreichen. Ich habe daran gerüttelt und hielt ihn plötzlich in der Hand. In dem Hohlraum stand der Kasten. Sie können sich nicht vorstellen, wie sehr mein Herz geklopft hat.«

Ungefähr so wie meins, als ich ihn in deinem Zimmer gefunden habe, dachte Matilda.

»Du hast einmal zu deiner Freundin Anne gesagt, das Haus sei auf einem schwarzen Fundament gegründet. Hast du das Buch aus dem Kasten gelesen?«

Laura zuckte mit den Schultern. »Ich habe es versucht. Das meiste konnte ich nicht entziffern. Aber das, was ich lesen konnte, hat mir Angst gemacht. Ich habe das Buch wieder in den Kasten gelegt und nie mehr herausgenommen.« Sie wurde rot. »Es … es war, als hätte er mir Unglück gebracht. Ich habe meinen Eltern verheimlicht, dass ich ihn gefunden hatte, und kurz darauf …« Sie verstummte.

»Warum hast du den Kasten mit in die Schule genommen und nicht im Haus gelassen?«, fragte Matilda sanft.

Laura zögerte. »Ich hielt es für sicherer.«

Matilda beugte sich vor. »Sicherer?«

Die junge Frau presste die Lippen aufeinander und nickte.

»Laura, wenn ich dir helfen soll, muss ich die Wahrheit kennen.«

Sie räusperte sich. »Charles hat mich danach gefragt. Es

war etwa ein Jahr, nachdem meine Eltern gestorben waren. Er hat mich in der Schule besucht und in eine Konditorei ausgeführt. Ich durfte Kuchen essen, so viel ich wollte. Und dann hat er angefangen, mir Fragen zu stellen. Ob ich Dinge sammle, alte oder schöne Gegenstände, wie viele Mädchen es tun. Ich verstand zuerst nicht, worauf er hinauswollte. Dann fragte er, ob meine Familie oder ich jemals etwas im Haus gefunden hätten, das wertvoll oder ungewöhnlich erschien. Es sei ein altes Haus, in dem vor mir schon viele Menschen gelebt hätten. Da könne so etwas doch vorkommen. Er interessiere sich für alte Dinge.«

Matilda hatte sich nicht in Easterbrook getäuscht. »Und dann?«

»Ich habe gesagt, ich hätte Schmuck von meiner Mutter geerbt. Und einen schönen Spitzenschal, der meiner Großmutter gehört hatte. Einen Füllfederhalter von meinem Vater. Ich habe absichtlich Dinge aufgezählt, von denen er als Testamentsvollstrecker wusste, und ihn dabei beobachtet. Er wurde ungeduldig, hätte mich am liebsten unterbrochen. Als ich das nächste Mal im Haus war, habe ich den Kasten eingepackt und in der Schule versteckt, ohne dass es jemand merkte.«

»Während ihr auf Reisen wart, hat Mr. Easterbrook an Miss Haddon geschrieben und sich erkundigt, ob noch persönliche Gegenstände von dir in der Schule seien.«

Laura sah sie mit großen Augen an. »Sie meinen, er hat geahnt, dass ich dort etwas versteckt hatte?«

Matilda nickte. »Ich vermute, er hatte längst im Haus gesucht. Als dein Vormund hatte er die Schlüssel und konnte dort jederzeit ein und aus gehen, ohne Verdacht zu erregen. Da sich das, was er suchte, weder dort noch im Nachlass deiner Eltern fand, konnte es eigentlich nur bei dir sein, mit anderen Worten, in der Schule. Nur war ihm der Weg versperrt. Ein erwachsener Mann, der in einer Mädchenschule umherläuft und Zimmer durchsucht – undenkbar. Also hat er sich einen Plan zurechtgelegt: Er würde abwarten, bis du alt genug für eine Ehe bist, und dich dann aus der Schule nehmen. Entweder würde er dich dazu bringen, ihm zu verraten, wo der Kasten ist, oder aber die Schule bitten, dass man ihn sucht und ihm aushändigt. Er hatte nichts zu verlieren. Er ist dein Vormund und musste nur auf eine günstige Gelegenheit warten.«

Laura hielt es nicht länger im Sessel. »Aber Sie sind ihm zuvorgekommen!«, rief sie triumphierend.

»Das bin ich, dank deiner Geistesgegenwart.«

»Es ist unglaublich. Zwei Schätze in einem Haus …« Dann hielt sie inne, ein Schatten legte sich über ihre Züge.

»Was ist los?«

Sie zuckte mit den Schultern. »Es klingt alles sehr plausibel, aber … war Charles wirklich nur auf das Vermögen aus, von dem er dachte, dass es ihm zusteht? Dann hätte er mit mir darüber sprechen, mich danach fragen, mir die ganze Geschichte erzählen können. Er hätte sich nicht mit mir verloben müssen.« Sie zögerte. »Ich habe nicht einmal das Gefühl, das er mich sonderlich gern hat. Irgendetwas passt nicht zueinander. Warum ist er unser Anwalt geworden? Und woher hat er von alldem gewusst?«

Matilda wappnete sich innerlich und atmete tief durch. »Du fragst dich, ob es wirklich Zufall war, dass der Nachfahr jener Familie, die durch die Schuld deines Vorfahren starb, mit deinen Eltern befreundet war und heute dein Vormund und Verlobter ist?« Lauras Gesicht verriet ihr, dass sie richtig lag. »Es ist kein Zufall.«

»Wie meinen Sie das?«

»Dass die Easterbrooks von der Geschichte gewusst und absichtlich die Nähe zu deinen Eltern gesucht haben.«

Laura nickte langsam.

»Haben deine Eltern je erwähnt, wie sie die Easterbrooks kennengelernt haben?«

»Sie verkehrten bei uns, solange ich denken kann. Mutter sagte einmal, Charles' Vater sei Mitglied im selben Klub wie mein verstorbener Großvater. Dort hätten sie sich angefreundet. Irgendwann sei Charles' Vater unser Familienanwalt geworden.« Laura zögerte und sagte nachdenklich: »Und dann starben meine Eltern.«

Matilda wusste, dass sie sich auf dünnem Eis bewegte. Einen falschen Verdacht zu wecken wäre unverzeihlich. Andererseits hatte Laura längst gemerkt, dass von Charles Easterbrook Gefahr ausging.

Als das Mädchen schließlich fortfuhr, klang es, als spreche sie mit sich selbst, als versuche sie, sich zu erklären, was geschehen war. »Meine Eltern haben mich fortschrittlich erzogen. Sie hätten mich nie gezwungen, einen Mann zu heiraten, den ich nicht heiraten möchte. Auch nicht, wenn es sich um einen Freund der Familie handelte.«

Sie blickte auf, doch Matilda nickte nur.

»Dann waren sie nicht mehr da. Charles wurde mein Vormund. Ich habe kein eigenes Geld, keinen Schulabschluss, kann nicht allein leben, bevor ich einundzwanzig bin. Und alle sind entzückt, weil Charles mich liebevoll umsorgt.« Sie lachte bitter auf. »Es ist ihm gelungen, mich gänzlich von sich abhängig zu machen. Die Heirat ist nur der letzte Schritt. Ich wage nicht es auszusprechen, Miss Gray, aber Sie denken das Gleiche wie ich, nicht wahr?«

Matilda nickte. »Ein schwerwiegender Verdacht. Und wir

können nichts beweisen. Das Haus war tatsächlich alt und brandgefährdet. Die Untersuchung hat keine Hinweise auf eine Brandstiftung erbracht.« Sie behielt das Mädchen im Auge – immerhin sprachen sie über den Tod ihrer Eltern, die Möglichkeit, dass sie einem Verbrechen zum Opfer gefallen waren –, doch Laura wirkte ruhig und gefasst. Und sagte etwas Unerwartetes.

»Ich glaube, ich habe einen Hinweis. Es ist lange her, und ich habe nie wieder daran gedacht, weil es mich traurig macht. Aber jetzt ist die Zeit gekommen, mich zu erinnern.« Sie legte die Handflächen aneinander und drückte die Fingerspitzen an den Mund. Dann schloss sie die Augen und konzentrierte sich.

»Eigentlich wollte Charles damals schon am Donnerstag mit meinen Eltern aufs Land fahren. Die übrigen Gäste sollten am Samstagmorgen dazukommen. Das weiß ich, weil sich meine Eltern beim Essen darüber unterhalten haben – das muss am Mittwoch gewesen sein. Dann kam ein Telegramm von Charles. Ich weiß noch, wie mein Vater gelacht hat. ›Jetzt hat er sich von John doch noch einen Termin aufschwatzen lassen, für morgen um drei. Als wenn eine Testamentseröffnung nicht bis Montag warten könnte, tot ist tot.‹ Mutter hat ihn getadelt, wenn auch nicht ganz ernst, sie konnte ihm nie lange böse sein. ›George, sei nicht so pietätlos vor dem Kind.‹ Ich weiß noch, dass ich nicht genau wusste, was pietätlos bedeutet.« Sie lächelte traurig. »Meine Eltern sind wie geplant am Donnerstag nach Cranbrook gefahren. Und in der Nacht von Donnerstag auf Freitag brannte das Haus nieder.« Sie beugte sich vor. »Verstehen Sie, Miss Gray? Die Testamentseröffnung war womöglich nur ein Vorwand.«

Matilda widersprach ihr ungern, da die Schlussfolgerung

so überzeugend war, doch sie durften sich keinen Fehler erlauben. »Laura, auch das ist kein Beweis, sondern eine Vermutung. Damit würden wir vor keinem Gericht der Welt bestehen. Mehr noch, die Polizei würde uns nicht ernst nehmen, wenn wir nach all den Jahren damit ankämen.«

»Soll das heißen, wir können nichts tun?«, fragte Laura mit bebender Stimme. Und dann schien ein Damm in ihr zu brechen, der monatelang standgehalten hatte und nun, da sie endlich frei sprechen konnte, unter dem Druck der Gefühle barst. Sie begann zu schluchzen. Als Matilda sich neben sie setzen wollte, hob sie die Hand.

»Lassen Sie mich ausreden, Miss Gray. Soll das heißen, ich muss heiraten – was ich nie wollte –, und zwar einen Mann, den ich nicht liebe und der womöglich meine Eltern getötet hat? Der langsam ein Netz um mich gewoben hat, aus dem ich nicht entkommen kann? Ich wollte immer nur leben, wie ich es will, wollte lernen, studieren, einen Beruf ergreifen, vielleicht einer Frau begegnen, die ich lieben kann. Diese Hoffnungen haben mir geholfen, den Tod meiner Eltern zu verkraften, nach vorn zu blicken, mich auf mein Leben zu freuen. Dann bin ich Ihnen begegnet. Das hat mir viel bedeutet, auch wenn Sie mir erklärt haben, dass ich nie mehr als Ihre Schülerin sein werde. Sie waren gütig und verständnisvoll. Sie haben viel für mich getan – und nie mehr als in den letzten Monaten. Und das soll alles umsonst gewesen sein? Ich ... will nicht mehr eingesperrt sein!«

Dann senkte sie den Kopf, als sei alles gesagt.

»Oh, Laura.« Matilda stand auf, setzte sich auf die Sessellehne und zog das Mädchen behutsam an sich. »Ich bin so froh, dass du mir endlich alles erzählen konntest. Wir werden einen Weg finden, aber ...«

Laura löste sich von ihr und schaute sie entschlossen an. »*Ich* werde einen Weg finden. Jetzt bin ich an der Reihe.«

»Du darfst nicht unbedacht handeln, das könnte gefährlich sein.«

»Sie und Ihr Professor können nichts ausrichten, Miss Gray. Ich aber lebe mit Charles unter einem Dach. Sowie ich etwas erfahre, telegrafiere ich Ihnen. Mary wird das für mich übernehmen.« Laura hob das Kinn, um zu zeigen, dass ihre Entscheidung gefallen war.

»Aber du musst mir versprechen, nicht leichtsinnig zu sein«, sagte Matilda. Sie sah auf die Uhr und stand auf. Es wäre riskant, noch länger zu bleiben. »Soll ich deine Schätze für dich aufbewahren, bis …«

Laura nickte. »Sie haben sie schon so lange für mich gehütet. Ich weiß, sie sind in guten Händen.« Sie erhob sich ebenfalls und gab Matilda die Hand. »Ich hoffe, Sie wissen, wie unendlich dankbar ich Ihnen bin. Vielleicht kann ich mich eines Tages revanchieren.«

Matilda drückte die junge Frau flüchtig an sich. »Gib acht auf dich.« Sie war schon an der Tür, als sie sich noch einmal umdrehte. Sie nahm ihr Notizbuch aus der Tasche, schrieb etwas hinein und reichte Laura das herausgerissene Blatt. »Meine Adresse und die des Professors. Und noch etwas.« Die Idee war ihr gerade gekommen. »Hast du eine Fotografie von Mr. Easterbrook?«

Laura sah sie überrascht an. »Ja, er hat mir ein Bild von sich geschenkt, in einem kleinen silbernen Rahmen. Er fand es wohl romantisch.« Ihre Stimme klang spöttisch. »Ich hole es Ihnen.«

Matilda hörte, wie Laura mit leichten Schritten die Treppe hinauflief. Sie holte den kleinen Rahmen erst aus der Rocktasche, als sie wieder im Salon war. »Ich hoffe, er merkt es nicht.«

»Du bekommst es so schnell wie möglich zurück.«

Im Flur umarmte Laura sie flüchtig und wurde ein bisschen rot. »Auf bald. Viel Erfolg, was auch immer Sie vorhaben.«

»Den wünsche ich dir auch.«

Matilda verließ rasch das Haus und überquerte die Straße. Als sie den Bedford Square fast hinter sich gelassen hatte, drehte sie sich noch einmal um und sah beklommen, wie Charles Easterbrook aus einer Droschke stieg.

33

»Es kommt selten vor, dass Damen vor meiner Haustür warten«, sagte Stephen Fleming leichthin, wurde aber wieder ernst, als sei ihm eingefallen, dass noch immer etwas zwischen ihnen stand. »Ich hoffe, Sie sind nicht allzu durchgefroren.«

»Nicht so schlimm wie gestern«, sagte sie mit einem knappen Lächeln. »Ich hoffe, ich komme nicht ungelegen.«

Er zögerte. »Eigentlich bin ich heute Abend verabredet, aber …«

Sie strich nervös ihren Mantel glatt. »Gut, dann ein anderes Mal. Ich möchte Sie nicht stören.« Sie wollte an ihm vorbeigehen, doch er vertrat ihr den Weg.

»Miss Gray, ich sehe Ihnen an, dass es wichtig ist. Sie können ja kaum an sich halten. Mein Kollege wird schon merken, dass ich verhindert bin.«

Sie wollte etwas entgegnen, doch er hatte bereits die Haustür aufgeschlossen und sie sanft in den Flur geschoben.

»Ich habe eine Fotografie«, stieß sie hervor, nachdem sie ihren hastigen Bericht beendet hatte, und hielt Fleming den Rahmen hin. »Ich muss es wenigstens versuchen, vielleicht erinnert sich doch jemand. Wenn Easterbrook an jenem Abend dort war, muss er den Zug genommen haben. Er besitzt keine eigene Kutsche, und eine zu mieten wäre zu auffällig gewesen. Cranbrook ist ziemlich klein, da bemerkt man Fremde, die mit der Bahn ankommen. Aber genau das hätte er sicher vermeiden wollen … Hm.« Sie schaute Fleming ratlos an.

Er zog noch einmal nachdenklich an seiner Pfeife, legte sie beiseite und ging in den Flur. Matilda hörte, wie er eine Schublade öffnete und darin herumwühlte. Dann kam er mit einem zerfledderten Buch zurück und hielt es ihr hin.

»Ein Fahrplan?«

Er nickte. »Schauen wir doch mal, welches die nächsten Stationen vor und hinter Cranbrook sind.«

Matilda begriff und begann zu blättern. »Natürlich. Er könnte eine Haltestelle vorher oder nachher ausgestiegen und zu Fuß gegangen sein.«

»Eben. Sie haben gesagt, er sei öfter bei den Ancrofts zu Gast gewesen. Er musste damit rechnen, dass man ihn auf dem Bahnhof von Cranbrook erkennen würde.«

Sie blickte auf. »Und wenn das alles nur ein Hirngespinst ist?«

»Nichts von dem, was Sie mir in den vergangenen Monaten erzählt haben, war ein Hirngespinst. Warum plötzlich diese Zweifel?«

»Sie verstehen es, einem Mut zu machen«, sagte Matilda leise.

»Besser als mir selbst«, erwiderte er mit einem Hauch von Bitterkeit.

Sie schwieg und blätterte, bis sie die richtige Verbindung gefunden hatte. »Cranbrook liegt an einer Nebenstrecke. Sie beginnt in Paddock Wood und endet in Hawkhurst, es sind nur wenige Stationen: Goudhurst, Cranbrook, Hawkhurst. Haben Sie eine Landkarte von Kent?«

Der Professor nickte und öffnete einen Schrank, in dem aufgestapelte Landkarten lagen. Er suchte eine heraus und breitete sie auf dem Tisch aus. Eine amtliche Vermessungskarte, in der jede noch so kleine Ortschaft eingezeichnet war.

Er tippte mit dem Finger auf Cranbrook. Matilda beugte sich neben ihm über die Karte.

»Hawkhurst liegt etwa viereinhalb Meilen von Cranbrook entfernt. Ein gesunder Erwachsener schafft das in eineinhalb Stunden.«

»Gut, dann fahren wir.«

Matilda sah ihn überrascht an. »Jetzt?«

»Es ist erst sechs Uhr. Wollen Sie es wissen oder nicht?«

Sie nickte rasch. »Wir fahren.«

Matilda sah wiederholt auf die Uhr und wünschte, der Zug würde schneller fahren. Die Vororte zogen an ihnen vorbei, die erleuchteten Fenster wie Sterne vor den schwarzen Fassaden. Das gleichförmige Rattern in Zügen schläferte sie gewöhnlich ein, doch heute war sie viel zu aufgeregt, um auch nur eine Sekunde die Augen zu schließen.

Was würde Harry sagen, wenn er sie so sehen könnte? An einem Winterabend, unterwegs mit einem verheirateten Mann, für den sie mehr empfand, als gut für sie war, entschlossen, auf entlegenen Bahnhöfen im High Weald nach einem Fremden zu fragen, der vor fünf Jahren vielleicht dort aus dem Zug gestiegen war. Ein verrücktes Unterfangen, wenn man es nüchtern betrachtete.

Doch sie betrachtete es nicht nüchtern. Sie dachte an Lauras verzweifelte Augen, an die Angst, die sie zu verbergen suchte und die dennoch in jedem ihrer Worte mitschwang. *Ich will nicht mehr eingesperrt sein.*

Sie musste diese Ehe verhindern und Laura vor den Easterbrooks schützen, selbst wenn es sie … Sie zuckte zusammen, führte die Gedanken nicht zu Ende.

»Was ist, Miss Gray?«, fragte Fleming besorgt.

»Ach, ich dachte nur …« Sie verstummte.

Er beugte sich vor, ohne ihre Hand zu berühren, sah sie einfach nur an. »Bereuen Sie dieses Unterfangen?«

Sie schüttelte den Kopf. »Ganz und gar nicht. Mir kam nur der Gedanke, dass ich mir womöglich eine neue Stelle suchen muss, wie immer die ganze Geschichte ausgehen mag. Die Schule wird nicht dulden, dass eine Lehrerin sich über die Anweisungen ihrer Direktorin hinwegsetzt und auf eigene Faust ermittelt. Und dann auch noch abends und in Begleitung eines fremden Mannes.«

Er schaute zum Fenster. »Das würde ich zutiefst bedauern.«

»Es ist nicht Ihre Schuld. Ich habe Sie um Hilfe gebeten und werde Ihnen ewig dankbar sein. Aber ich handle gegen die ausdrückliche Anweisung der Schulleiterin, so etwas wird nicht gern gesehen.«

»Und wenn wir Erfolg haben?«

»Wir *müssen* Erfolg haben, sonst verliert Laura ihre Freiheit und ich meine Stelle.« Sie lachte verlegen. »Das klingt wie aus einem Adela-Mornington-Roman. Aber ich fürchte, es ist die Wahrheit.«

Er lehnte sich zurück und verschränkte die Arme. »Dann werden wir eben Erfolg haben.«

In Paddock Wood stiegen sie in den menschenleeren Zug nach Hawkhurst. Die Nebenstrecke sei kaum befahren, wie ihnen der Schaffner mitteilte, die Gegend idyllisch, aber abgelegen. Man habe vor einiger Zeit eine direkte Verbindung nach London angeboten und mangels Nachfrage wieder eingestellt.

»Einen Augenblick, bitte. Kennen Sie diesen Herrn?« Sie

zeigte dem Schaffner das Porträt in dem silbernen Rahmen. Er betrachtete es und schüttelte den Kopf.

»Nein, Miss. Sollte ich ihn kennen?«

»Er ist ein alter Freund von uns, der früher oft hier unterwegs gewesen ist. Er sagt immer, die Strecke sei so verlassen, dass ihn der Schaffner mit Handschlag begrüße.«

»Bedaure, ich fahre erst seit letztem Jahr auf dieser Strecke, Miss.« Der Mann tippte sich an die Mütze und ging weiter.

Als er außer Hörweite war, sah Fleming sie an und brach in Gelächter aus. »Sie sind wirklich mit allen Wassern gewaschen.«

Matilda zuckte mit den Schultern. »Not macht erfinderisch.«

»Den Trick können wir in Hawkhurst noch einmal anwenden.«

Dann saßen sie wieder schweigend da. Der Zug hätte sich ebenso gut auf einem fernen Planeten befinden können, so undurchdringlich war die Finsternis dort draußen. Außer dem Rattern und dem gelegentlichen Pfeifen der Lok war nichts zu hören.

Matilda stellte sich vor, wie Easterbrook, getrieben vom überwältigenden Verlangen, sich das Vermögen zu sichern, das ihm in seinen Augen zustand, denselben Weg genommen hatte. Im Kopf schon einen Plan, wie er sich zu Fuß dem Cottage nähern würde, bei Nacht, wenn seine Freunde schliefen und nicht ahnten, dass ihnen das alte Haus mit seinem Strohdach zum Verhängnis werden würde ...

»Nächster Halt – Goudhurst!«, rief der Schaffner.

Sie blieben sitzen, da sie die Suche an der Endstation beginnen wollten.

In Hawkhurst stiegen außer ihnen nur zwei Männer aus, die eine schwere Kiste schleppten. Ein einzelner, schlecht beleuchteter Bahnsteig, ein kleines Gebäude mit Vordach, das wenig Schutz vor der Witterung bot. Sie schauten sich um. Fleming deutete auf die Tür des Bahnhofsgebäudes. »Kommen Sie. Hier möchte ich nicht länger als unbedingt nötig bleiben.«

Sie betraten einen kleinen Warteraum, in dem ein Ofen bullerte. Matilda hielt die Hände darüber, drehte sich aber sofort um, als die Tür hinter ihnen aufging. Ein alter Mann in Bahnwärteruniform steckte den Kopf herein und sah sie überrascht an. Sein weißer Schnurrbart war vom Tabak gelb gefärbt, im Aschenbecher auf dem Tisch glomm eine Pfeife.

»Was kann ich so spät am Abend für Sie tun?«

Er schlurfte näher und hängte die Mütze an einen Wandhaken.

Matilda holte wieder das Bild hervor und lächelte entschuldigend. »Wir haben nur eine Frage. Mein Cousin Charlie hat mit mir gewettet, dass ihn alle Stationsvorsteher auf der Hawkhurst-Strecke kennen. Er behauptet, es sei die verlassenste Bahnstrecke Englands.«

Der Stationsvorsteher grinste und griff nach seiner Pfeife. »Es soll noch verlassenere Strecken geben, aber hier unten im Süden kenne ich keine.« Er zuckte mit den Schultern. »In meinem Alter ist das ganz angenehm. Weniger Arbeit für die alten Knochen.«

Matilda hielt ihm die Fotografie hin. »Das ist mein Cousin Charlie. Ich würde die Wette gern gewinnen, aber dazu brauche ich Ihre Hilfe. Bis vor einigen Jahren ist er regelmäßig hier gefahren.«

Der Mann schaute sich die Fotografie an und runzelte die

Stirn. »Hm, ich weiß nicht.« Er zupfte nachdenklich an seinem Schnurrbart. »Wobei – irgendwas an dem Gesicht … ich meine …«

Matilda wagte kaum zu atmen. Fleming ließ den Stationsvorsteher nicht aus den Augen.

Dann schlug sich dieser vor die Stirn. »Der Mann, der sich in Luft auflöste.«

»Wie bitte?«

Er lachte. »Nur ein Scherz zwischen meinem ehemaligen Gehilfen Tom und mir. Sie können sich vorstellen, dass es auffällt, wenn Fremde hier aussteigen. Leute wie Sie, die nicht in unsere Gegend gehören. Dieser Mann ist mal hier ausgestiegen. Ich hab ihn gefragt, ob er kein Gepäck hat oder ob ich einen Wagen rufen soll, aber er hat gesagt, er braucht nichts. War ziemlich schroff. Also sag ich zu Tom, wenn der zurückkommt, sag ich ihm ein paar passende Worte.« Er legte eine dramatische Pause ein. »Ich warte bis heute. Tom ist mittlerweile tot.«

»Wann war das?«, fragte Matilda atemlos. »Es könnte durchaus einige Jahre her sein.«

»Ist es auch, ist es auch«, sagte der Stationsvorsteher. »Tom ist 98 gestorben, also war es noch davor. Moment, jetzt fällt es mir ein. Das war vor der Nacht, in der das schlimme Unglück in Cranbrook passiert ist. Der Brand. Ein Ehepaar aus London ist gestorben. Furchtbare Geschichte.«

»Oh, das ist ja schrecklich«, sagte Fleming betroffen. »Welch eine Tragödie für Ihre Gegend.«

Der alte Mann nickte. »Sie kennen das doch. Wenn was Schlimmes passiert ist und jemand fragt Sie Jahre später, können Sie sich genau erinnern, was Sie an dem Tag gemacht haben. Ich weiß, dass meine Millie zu Mittag Lammkoteletts gebraten hatte. Und dass Tom das Herbstlaub gefegt hat. Und abends stieg dieser Mann aus, den wir nicht kannten. Ihr Cousin Charlie, wie Sie sagen. Fragen Sie ihn mal, wo er abgeblieben ist. Und dass es nicht schadet, wenn man freundlich zu einem Stationsvorsteher ist. Mitten in der Nacht bin ich aufgewacht und ans Fenster gegangen. Es roch nach Rauch. Dann sah ich die Flammen bei Cranbrook. Sind nur wenige Meilen. Eine schwarze Nacht, hab ich zu meiner Millie gesagt, eine ganz schwarze Nacht.«

Sie nahmen den letzten Zug nach Paddock Wood. Als sie im Abteil saßen, schauten sie einander triumphierend an.

»Sie hätten niemals an sich zweifeln dürfen.«

»Er war hier.« Matilda konnte es kaum fassen. »Er war tatsächlich hier! Und ich möchte wetten, dass er nach der Tat bis Goudhurst gelaufen ist und dort den Zug genommen hat. Er hat darauf vertraut, dass ihn niemand erkennt, weil er sonst immer in Cranbrook ein- und ausgestiegen ist.«

»Und sein Plan wäre aufgegangen, wenn Sie nicht die richtigen Fragen gestellt hätten«, sagte Fleming anerkennend. »So viele Jahre später.«

Plötzlich wurde Matilda kalt. Schwarze Punkte tanzten vor ihren Augen, und sie spürte, wie eine warme Hand nach ihr griff und sie sanft in den Sitz drückte.

»Miss Gray …«

Die Stimme kam von weit her.

»Miss Gray, Matilda, was ist?«

Dann spürte sie etwas Hartes an den Lippen, roch scharfen Alkohol. »Trinken Sie.«

Als der Brandy warm durch ihre Kehle rann, kehrte das Gefühl in ihren tauben Körper zurück. Fleming saß neben ihr, eine alte silberne Taschenflasche in der Hand.

»Noch einen Schluck?«

Sie schüttelte den Kopf. »Nein danke. Es geht schon.«

»Was war los?« Er war ihr auf einmal sehr nah.

»Was Sie gesagt haben ... dass ich die richtigen Fragen ge-stellt habe – Laura ist in großer Gefahr«, sagte sie drängend. »Begreifen Sie nicht? Sie will mit Easterbrook reden, ihm Fra-gen stellen. Dann weiß er, dass man ihm auf der Spur ist. Der Mann hat zwei Morde begangen, und Laura ist ihm aus-geliefert.«

34

Sie kamen gegen Mitternacht in London Bridge an. Matilda konnte kaum noch die Augen offen halten, als der Zug mit einem Ruck hielt. Der Professor half ihr vom Sitz hoch, worauf sie verlegen nach ihrer Tasche griff. »Danke, es geht schon.«

Sie zitterte, als sie auf dem Bahnsteig standen.

»Ich bringe Sie nach Hause. Heute können wir nichts mehr ausrichten«, sagte Fleming und bot ihr seinen Arm an.

Matilda zögerte. Sie verspürte den Drang, etwas zu unternehmen, zur Polizei zu gehen, Alarm zu schlagen, alles in Bewegung zu setzen, um Laura aus diesem Haus zu holen. Doch sie wusste, dass ihre Theorie für Außenstehende sonderbar und wenig glaubhaft klingen würde. Sie besaßen noch immer keine schlüssigen Beweise.

»Sie dürfen jetzt nicht aufgeben, Matilda.« Seine Stimme klang warm an ihrem Ohr. Und er nannte sie wieder beim Vornamen. »Sie sind müde und durchgefroren. Morgen überlegen wir, wie wir Laura dort herausholen.«

Wie gut er sie inzwischen kannte. Wie eng er an ihrer Seite blieb, als sie aus der Tür auf die Straße traten. Die Straßenlaternen spiegelten sich verschwommen im feuchten Pflaster, und er winkte nach einer Droschke.

»Beaufort Street.«

Matilda lehnte sich in die Polster und schloss die Augen. Ihr Kopf war leer, alle Gedanken schienen verschwunden, aufgelöst in Kälte und Erschöpfung. Ihr Weg war beinahe zu

Ende. Sie hatten so viel erreicht, und doch blieben immer noch Zweifel.

Sie schlief ein und merkte nicht mehr, wie ihr Kopf nach links sank, an Flemings Schulter.

Plötzlich hielt die Droschke. Der Kutscher fluchte und knallte mit der Peitsche, bevor er das Gefährt an einem Hindernis vorbeilenkte.

Matildas zuckte zusammen, spürte raue Wolle an der linken Wange. Dann wurde ihr klar, dass es Flemings Mantel war. Sie schluckte und setzte sich aufrecht hin. »Verzeihung, ich war eingenickt.«

Er schaute geradeaus. »Kein Grund, sich zu entschuldigen.« Seine Stimme klang beherrscht.

»Es … es ist mir unangenehm. Weil ich …« Sie verstummte verlegen.

»Weil Sie ausdrücklich erklärt haben, dass Sie keine Freundschaft mit einem verheirateten Mann wünschen – der seine Scheidung in die Wege leiten wollte, nachdem er erkannt hatte, wie viel Sie ihm bedeuten – und Sie sich dennoch an seine Schulter gelehnt haben?«

Matilda rutschte in die entgegengesetzte Ecke und schaute ihn im Dämmerlicht an. »Sie können ganz schön bissig sein.«

Er lachte leise. »Ich nenne es ehrlich.«

»Ist es denn wahr?«

»Dass ich ehrlich bin?«

»Nein, das andere, was Sie gesagt haben. Über die Scheidung.«

Eine Stimme warnte sie, dass dies nicht der richtige Augenblick sei. Aber ohne Antwort konnte sie sich nicht von ihm verabschieden.

»Gleich nach dem Abend, an dem wir uns beinahe geküsst hätten, bin ich nach High Lavering gefahren. Ich habe Margaret besucht und mit ihrem Arzt gesprochen. Er hat mir noch einmal bestätigt, dass mit einer Besserung nicht mehr zu rechnen sei. Sie lebt in ihrer eigenen Welt, aus der sie vermutlich nie wieder herausfinden wird. Der Arzt zeigte sich verständnisvoll, als ich ihm meine Absicht mitteilte. Nicht alle werden so verständnisvoll sein, wenn sie von der Scheidung erfahren … aber das nehme ich in Kauf.« Er hielt inne. »Das heißt, ich würde es in Kauf nehmen, wenn die Aussicht bestünde …«

Stille.

Matilda sah aus dem Fenster. Sie fuhren schon auf der King's Road, es war nicht mehr weit bis nach Hause. Sie überlegte fieberhaft, was sie sagen sollte, was richtig wäre, was sie nicht am nächsten Tag oder in der nächsten Woche bereuen würde. Er nahm ihr die Entscheidung ab.

»Lassen Sie uns Laura helfen, und wenn alles vorbei ist, gehen wir noch einmal italienisch essen. Einverstanden?«

Als die Droschke vor dem Haus hielt, sprang Fleming heraus und half Matilda beim Aussteigen. Er gab dem Kutscher ein Zeichen, er solle warten, und wollte Matilda gerade zur Haustür begleiten, als diese aufgerissen wurde. Auf der Schwelle standen Mrs. Westlake und Captain Harry Gray.

»Was ist los?«, stieß Matilda hervor, als sie die besorgten Mienen der beiden sah. Dann drehte sie sich zu Fleming um, der sie fragend ansah.

»Soll ich …?«

»Bitte.«

Er kehrte zur Droschke zurück und bezahlte, worauf sich

der Kutscher an die Mütze tippte und davonfuhr, eingewickelt wie eine Mumie auf seinem Bock.

»Rein mit euch«, kommandierte Mrs. Westlake, »wir können nicht mitten in der Nacht auf der Straße stehen.« Sie schloss die Tür und schob alle drei ins Wohnzimmer.

Harry und Fleming machten sich in knappem Ton miteinander bekannt, wobei sie einander argwöhnisch musterten.

»Was ist passiert?«, fragte Matilda ungeduldig.

Mrs. Westlake holte ein Blatt aus der Rocktasche und reichte es Matilda. »Ich hätte es nicht lesen sollen, aber ich wusste nicht, wo Sie waren. Und es sah dringend aus. Es tut mir leid, Matilda, aber nach allem, was ich weiß, hielt ich es für ratsam, Ihren Bruder zu verständigen. Er wartet schon seit Stunden hier mit mir.«

Ein Telegramm.

Abgeschickt um zehn vor sieben abends.

BRAUCHE HILFE STOPP ER WILL MICH WEG-BRINGEN STOPP HABE IHN NACH ELTERN GEFRAGT STOPP DRINGEND STOPP LAURA

Matilda reichte Fleming wortlos das Telegramm.

»Verdammt!«

»Was hat das zu bedeuten, Tilda?«, fragte Harry. »Wir hatten keine Ahnung, wo du bist. Ich habe in der Schule nachgefragt. Man sagte mir, du hättest dir den Nachmittag freigenommen, um dich mit mir zu treffen.«

Matilda biss sich auf die Lippe und sah zu Boden. Die Begegnung mit Laura, die lange Bahnfahrt mit Fleming, seine Worte in der Kutsche, dass sie in der Schule als Lügnerin dastehen würde und Harry sich hintergangen fühlte und dann noch Lauras Telegramm …

»Setzen Sie sich.« Eine warme Stimme an ihrem Ohr, eine

Hand, die sie energisch in den nächstbesten Sessel drückte. »Sir, Ihre Schwester hat heute in wenigen Stunden Großes geleistet. Sie muss erst einmal zu Atem kommen.«

Matilda hörte nur verschwommen, wie Harry antwortete. Dann Mrs. Westlakes Stimme: »Ist das Mädchen in Gefahr? Sollen wir die Polizei rufen?«

Matilda hob rasch den Kopf und holte tief Luft, um den Nebel vor ihren Augen zu vertreiben. »Nein! Wir müssen zum Bedford Square, bevor er Laura wegbringt. Zur Polizei können wir immer noch gehen, aber wenn wir bis morgen warten, könnte es zu spät sein.« Sie sah ihren Bruder an. »Harry, das ist kein Abenteuerspiel mehr. Wir vermuten« – sie schaute zu Fleming, der neben ihrem Sessel stehen geblieben war – »dass Lauras Vormund ihre Eltern getötet hat. Und nun, da Laura ihm unangenehme Fragen gestellt hat, fühlt er sich in die Enge getrieben. Aber er ahnt nicht, dass wir Bescheid wissen. Das müssen wir nutzen, um ihn zu überraschen.«

Fleming schaute Harry an. »Matilda hat recht. Kommen Sie, ich erkläre es Ihnen.« Er nickte den Frauen zu und schob Harry in den Hausflur.

Mrs. Westlake goss Matilda Wasser aus einer Karaffe ein. »Trinken Sie das, meine Liebe. Ich hole Ihnen ein Stück Kuchen, und dann sehen Sie zu, dass Sie das Mädchen retten.« An der Zimmertür drehte sie sich um und machte eine abrupte Kopfbewegung in Richtung Flur. »Und wenn alles vorbei ist, kümmern Sie sich um ihn. Und, nein, damit meine ich nicht Ihren Bruder.«

Mit diesen Worten verschwand sie aus dem Zimmer.

Kurz darauf stand Matilda mit Stephen Fleming und Harry an der King's Road, um eine Droschke abzupassen. Sie mussten einige Minuten warten, die Straßen lagen verlassen da. Harrys Feindseligkeit hatte sich gelegt, wenngleich er immer noch misstrauisch von ihr zu Fleming blickte.

Dann endlich kam eine Droschke, und sie rollten durch die winterlichen Straßen in Richtung Bedford Square. Matildas Herz schlug so heftig, dass sie es kaum aushalten konnte. Es war, als müsste es platzen vor Anspannung und Sorge.

»Ich klopfe. Ihr wartet neben der Tür, damit man euch nicht sieht.«

Harry räusperte sich. »Leider habe ich meine Waffe nicht dabei.«

Matilda sah ihn entgeistert an, doch Fleming erwiderte ungerührt: »Das ist bedauerlich, Captain, aber unsere Fäuste sollten in diesem Fall ausreichen.«

Bei diesen Worten überlief sie ein wohliger Schauer. Es tat gut, nicht allein zu sein. Zu dritt würden sie es schaffen.

Als die Droschke vor dem Haus hielt, zahlte Harry und half ihr beim Aussteigen. Sie schauten einander an und nickten stumm, bevor Matilda klopfte.

Das Haus war dunkel, nur in einem Erdgeschossfenster brannte noch Licht. Von drinnen näherten sich schwere Schritte, ein Mann.

»Wer ist da?«

»Matilda Gray. Miss Ancroft hat mich um Hilfe gebeten.«

Das Schweigen dauerte so lange, dass sie fürchtete, er werde sie nicht einlassen. Dann öffnete sich die Tür. Vor ihr stand Charles Easterbrook, der einen bestickten Hausmantel über Hemd und Weste trug. Er lächelte spöttisch.

»Die allgegenwärtige Miss Gray. Ihr Interesse an mir scheint groß zu sein, Sie haben sogar meinen Vater in der Kanzlei aufgesucht. Aber nein, das waren ja nicht Sie, sondern Miss Jones. Was wollen Sie nun schon wieder?«

In diesem Augenblick traten Fleming und Harry aus dem Schatten.

»Was soll das? Ich lasse mich nicht mitten in der Nacht in meinem eigenen Haus bedrängen. Wenn Sie nicht gehen, rufe ich die Polizei.«

»Captain Harold Gray, Northumberland Fusiliers, Sir. Meine Schwester hat einen Hilferuf aus diesem Haus erhalten. Wir möchten Ihnen Gelegenheit geben, dies zu erklären. Wir können uns aber auch an die Polizei wenden.«

Easterbrook zögerte und trat beiseite, um sie einzulassen. »Es kann sich nur um ein Missverständnis handeln, das schnell aufgeklärt ist.«

Im Flur standen Koffer, daneben stapelten sich mehrere Hutschachteln. Wie gut, dass sie nicht bis zum Morgen gewartet hatten, dachte Matilda.

Easterbrook führte sie in dasselbe Zimmer, in dem sie am Nachmittag mit Laura gesessen hatte.

Matilda übernahm wieder die Führung.

»Laura hat mir ein Telegramm geschickt, in dem sie mich um Hilfe bittet. Sie fürchtet sich vor Ihnen.«

Easterbrook schüttelte bedauernd den Kopf. »Ich hatte gehofft, die Reise hätte ihr gutgetan. Laura ist empfindsam, ihre Nerven sind angegriffen. Sie hat eine lebhafte Fantasie, die sie bisweilen mitreißt. Aber das legt sich hoffentlich, wenn sie älter und reifer wird. Und die Ehe mit einem älteren Mann wird dazu beitragen, sie innerlich zu festigen.«

Matilda konnte nicht begreifen, dass ihre Kolleginnen, allesamt gebildete Frauen, sich von ihm hatten täuschen lassen. War es nur die attraktive Erscheinung gewesen? Oder weil er es so gut verstand, sich zu verstellen, seine herablassende, spöttische Art hinter Weltgewandtheit zu verbergen?

»Eine Ehe mit Ihnen wäre das Schlimmste, was Laura passieren kann«, sagte sie unverblümt. »Sie vertraut Ihnen nicht. Sie möchte nicht heiraten. Sie möchte die Schule beenden und selbst entscheiden, welchen Weg sie danach einschlägt. Vor allem aber« – sie hob die Stimme – »weiß Laura, dass Sie nur an ihrem Vermögen interessiert sind. Sie kennt die Familiengeschichte der Ancrofts und der Clelands, die heute Easterbrook heißen. Sie weiß, welches Vermächtnis das alte Haus birgt.«

Die Stille im Raum war greifbar. Matilda schaute von einem Mann zum anderen. Überraschung bei Harry, Bewunderung bei Stephen, Ungläubigkeit bei Easterbrook.

»Nun, Mr. Easterbrook? Sind Sie überrascht, dass wir wissen, was während der Pest des Jahres 1665 mit den Clelands geschah? Zugegeben, es war ein Stück Arbeit, aber Professor Fleming hat mir sehr dabei geholfen. Er ist ein Fachmann für die Geschichte Londons und hat sich mit mir in den Ancroft-Keller gewagt. Was wir dort alles gefunden haben …«

Sie legte eine dramatische Pause ein. Die Aufmerksamkeit der Männer versetzte sie förmlich in einen Rausch und verlieh ihr ungeahnte Selbstsicherheit.

»Römische Mauern, die von großer archäologischer Bedeutung sind …«

»Die interessieren mich nicht«, fiel er ihr barsch ins Wort. »Was sonst haben Sie dort gefunden?«

Matilda antwortete mit einer Gegenfrage. »Zeigen Sie mir den Brief?«

»Welchen Brief?«

»Den Brief, den John Cleland an seinen Sohn Anthony geschrieben hat, kurz bevor er, eingesperrt in seinem eigenen Haus, gestorben ist. Damals, im Sommer 1665.«

Es war ein Schuss ins Blaue.

Doch sein Gesicht verriet, dass sie getroffen hatte.

»Er braucht ihn nicht zu holen.«

Vier Köpfe wandten sich zur Tür. Dort stand Laura, blass, aber aufrecht, in der Hand ein gefaltetes Blatt Papier. Sie wollte es Matilda geben, aber Easterbrook sprang auf und vertrat ihr den Weg. Er griff nach ihrer Hand, umschloss so fest ihr Handgelenk, dass Laura aufschrie.

Harry war sofort bei ihm und packte ihn von hinten. »Lassen Sie das Mädchen los!«

Easterbrook schoss herum. »Sie hat meinen persönlichen Besitz durchsucht, in meinem eigenen Haus!«

»Setzen Sie sich«, sagte Stephen Fleming mit schneidender Stimme, worauf Harry den Anwalt in seinen Sessel stieß.

Laura reichte Matilda das Blatt, das sie in der Hand hielt. »Ich hatte das Telegramm geschickt, wusste aber nicht, ob Sie es rechtzeitig erhalten würden. Das Warten hat mich fast wahnsinnig gemacht.« Sie deutete hinter sich in den Flur. »Sie sehen, alles ist gepackt, man will mich erneut von hier wegbringen. Charles war unten. Also habe ich sein Zimmer durchsucht. Es war meine einzige Chance.«

Matilda betrachtete das gefaltete Papier, auf dem von außen in einer altertümlichen Schrift *Für meinen Sohn Anthony Cleland* stand. Es hafteten noch Reste von Siegelwachs daran. Sie faltete es ehrfürchtig auseinander. Der Brief war sehr alt, die Tinte stark verblasst, die Schrift kaum zu entziffern. »Stephen, würden Sie es uns vorlesen?«

Er nahm das Blatt entgegen, betrachtete es eingehend und las dann:

Mein lieber Sohn,

wenn Du diese Zeilen erhältst, sind wir nicht mehr am Leben. Ein unbarmherziges Schicksal verhindert unser Wiedersehen, doch in den Stunden der Not sind unsere Gedanken bei Dir.

Ein grausamer Mensch hat uns verleumdet, behauptet, wir hätten einen Pesttod verheimlicht. Diese Lüge stürzte uns ins Unglück, denn man hat das Haus geschlossen und alle, die darin waren, eingesperrt. Krankheit und Hunger zehren an uns, alle Hoffnung ist dahin.

Ich ahne, dass es Ancroft war. Er begegnete mir mit Neid, auch wenn er es verstand, ihn unter Höflichkeit und Nächstenliebe zu verbergen. Er ist der Einzige, dem unsere Vernichtung nutzen würde.

Die Welt, dem Wahn verfallen, glaubt demjenigen, der Ängste schürt. Ich frage mich, wo Gott in diesen Tagen ist, auch wenn ich mich bemühe, meinen Glauben zu bewahren. Denn nur er gibt mir die Hoffnung, dass wir einander in einem anderen Leben wiedersehen.

Mein lieber Sohn, dies hier ist mein Vermächtnis. Was ich an Vermögen besitze außer diesem Haus, befindet sich an einem sicheren Ort. Doch dies sind ungewisse Zeiten, und ich weiß nicht, ob dieser Brief sicher zu Dir gelangt. Da ich vermeiden möchte, dass Dein Erbe in unbefugte Hände fällt, womöglich noch in jene, die uns ins Verderben führten, höre dies:

Deine liebe Schwester Katie wird alles, was ihr teuer ist, im Haus verbergen, zusammen mit unserer Geschichte. Darin wirst du den Schlüssel zu deinem Vermächtnis finden.

Verzeih, dass ich nicht offener zu Dir spreche, aber dies ist nicht möglich.

Möge der Herr dich segnen und Dir beistehen. Hadere nicht mit
Deinem Schicksal, gehe Deinen Weg.
Dein Dich liebender Vater,
John Cleland«

Die Stille war vollkommen. Eine Stimme hatte über die Jahrhunderte weg zu ihnen gesprochen, und niemand konnte sich ihrer Kraft entziehen.

»… Mohn liegt … Gold«, sagte Matilda schließlich. »Das stand unter Katies Bericht. Und über dem Mohn haben wir das Gold gefunden.«

Matilda spürte, wie Laura sich neben ihr anspannte, und legte ihr die Hand auf den Arm. »Woher haben Sie den Brief, Mr. Easterbrook? Seit wann befindet er sich im Besitz Ihrer Familie?«

Er sprang auf, doch Fleming hielt das Blatt außer Reichweite. »Antworten Sie Miss Gray.«

Mit einer knappen Kopfbewegung trat der Anwalt an den Kamin und lehnte sich mit dem Rücken dagegen. »Mein Vater beschäftigt sich mit Ahnenforschung. Mich hat das nie interessiert. Bis er auf diesen Brief stieß.«

»Wo hat Ihr Vater ihn gefunden?«

»In den Kirchenbüchern von St. Mary Abchurch. Er hat die Geschichte der Clelands nachverfolgt und erfahren, dass sie früher in der Gemeinde von St. Laurence Pountney lebten. Sie wurde nach dem Großen Brand mit St. Mary Abchurch zusammengelegt. Und dort hat der Brief die Jahrhunderte überdauert. Er ist nie zu Anthony gelangt. Er hat nie erfahren, was man seiner Familie angetan hatte.« In diesem Augenblick veränderte sich sein Gesicht, verzerrte sich vor Hass. »Sie kommen in mein Haus, Miss Gray, spielen sich als Retterin auf, die in alten Büchern herumgestöbert hat und auf ein Geheimnis gestoßen ist. Eine entsetzliche Geschichte, die Ihnen Unterhaltung bietet, eine Schulmamsell, die Abwechslung im grauen Alltag sucht. Was wissen Sie denn schon vom Leben?«

Matilda ließ sich nicht beirren. »Was hat Ihr Vater mit dem Brief gemacht?«

»Er fand ihn kurios. Dann wurde er neugierig und begann nachzuforschen, was aus den Ancrofts geworden war. So lernte er Lauras Großvater kennen.«

»Hatte Ihr Vater je die Absicht, den Besitz seiner Familie zurückzufordern?«

»Natürlich nicht.« Easterbrook schaute sie verächtlich an. »Als Jurist wusste er, dass es ein aussichtsloses Unterfangen war. Er konnte nicht beweisen, dass Gabriel Ancroft die Clelands verleumdet hatte, und selbst wenn … es ist so lange her.«

Matilda hielt seinem Blick stand. »Sie aber sahen das anders, nicht wahr? Sie wollten zurückholen, was man Ihrer Familie genommen hatte, und der Weg führte über Laura.« Sie hielt inne. »Sie sagen, Ihr Vater wusste, dass er auf dem Rechtsweg nichts ausrichten konnte. Warum wurde er dann Anwalt der Familie, die seine Vorfahren ins Unglück gestürzt hatte? Das ergibt keinen Sinn. Außer natürlich –«

»– er suchte die Nähe zur Familie, weil er hoffte, doch irgendeinen Weg zu finden«, sagte Laura plötzlich. Alle Augen wandten sich zu ihr. »Dein Vater wurde der Familienanwalt, und du hast die Aufgabe von ihm übernommen. Wie Miss Gray schon sagte, es gab nur einen Weg, und der führte über mich. Du bist mein Vormund geworden. Du kannst, solange ich nicht volljährig bin, über mein Vermögen verfügen. Und mehr noch, du kannst über mein Leben bestimmen. Du bist monatelang mit mir durch Europa gereist, obwohl ich lieber zur Schule gehen wollte. Du hast mich in Gesellschaft vorgezeigt und Lob geerntet, weil du dich so liebevoll um mich gekümmert hast. Doch sobald ich etwas tat oder sagte, das nicht deine Zustimmung fand, hast du mich eingesperrt. Mich bestraft.«

Easterbrooks Lachen verzerrte sein ganzes Gesicht. »Du bist klüger, als ich dachte. Und klüger noch als deine Miss Gray. Ja, ich habe dich eingesperrt. Denn das hat man den Clelands angetan, schlimmer und grausamer, als ich dich je einsperren könnte. Dein Leben in einem komfortablen Käfig gegen ihr elendes Verrecken im eigenen Haus? Du kannst dich kaum beschweren, meine Liebe. So zuwider kann dir ein Leben an meiner Seite doch wohl nicht sein.«

In diesem Augenblick begriff Matilda, dass Geld für Easterbrook nie der wichtigste Antrieb gewesen war. Was mit Neugier auf die Familiengeschichte und der Hoffnung auf ein Vermögen begonnen hatte, war zu einer Besessenheit geworden. Einer Besessenheit, für die er das Leben eines jungen Mädchens geopfert hätte. »Ich habe nie geglaubt, dass Laura aus freien Stücken die Schule aufgeben und sich mit Ihnen verloben würde. Sie hat mir eine Botschaft geschickt. Während Sie mit ihr durch Italien und Griechenland gereist sind, haben Mr. Fleming und ich die Teile des Rätsels zusammengefügt. Sie hatte Angst vor Ihnen, und diese Angst hat sie gerettet.«

Easterbrook machte einen Schritt auf sie zu.

Harry wollte dazwischengehen, doch Matilda hob die Hand. »Keine Sorge, Mr. Easterbrook wird einer Dame nichts zuleide tun.«

»Nein, aber dieses Schmierentheater beenden. Laura, du gehst in dein Zimmer. Ich muss mir das nicht länger anhören.

Miss Gray, meine Herren, Sie verlassen sofort mein Haus, sonst rufe ich die Polizei.«

Fleming und Harry Gray verständigten sich mit einem Blick und positionierten sich vor der Zimmertür.

Easterbrook lief rot an. »Das ist unerhört!«

Matilda sah ihn gelassen an. »Ich bin noch nicht fertig. Sie wurden Lauras Vormund, nachdem ihre Eltern gestorben waren. Ein tragisches Unglück – ein altes Haus, das in Brand geriet und sofort lichterloh in Flammen stand.«

»In der Tat, ein tragisches Unglück. Und ich habe es auf mich genommen, Laura beizustehen«, warf Easterbrook ein.

»Sie wussten alles: dass das Haus alt und brandgefährdet war, dass Laura außer ihren Eltern keine engen Verwandten in England hatte, dass die Ancrofts an jenem Wochenende nach Cranbrook fahren würden. Eigentlich sollten Sie das Ehepaar begleiten, nur kam diese dumme Testamentseröffnung dazwischen.«

Ein leichtes Zucken um den Mund, ein überraschtes Blinzeln. Da wusste Matilda, dass sie gewonnen hatte.

»Nicht ungewöhnlich, wäre da nicht die Tatsache, dass Sie an jenem Abend doch nach Kent gefahren sind, nur wenige Stunden nach den Ancrofts. Sie haben den letzten Zug genommen, sind aber nicht in Cranbrook ausgestiegen, sondern an der nächsten und letzten Station, in Hawkhurst. Der Stationsvorsteher erinnert sich daran. Er weiß auch, dass Sie nicht von dort zurückgefahren sind. Er kann sich deshalb so genau erinnern, weil die ganze Gegend unter Schock stand. Zwei Menschen, keine Einheimischen, aber gern gesehene Besucher, waren in eben jener Nacht bei einem Brand gestorben. Sie, Mr. Easterbrook, waren dort. Und haben wohl am darauffolgenden Morgen den ersten Zug von Goudhurst aus genommen.«

Matilda schaute besorgt zu Laura. Sie hätte sie gern auf die Enthüllung vorbereitet. Zu ihrer Erleichterung war das Mädchen zwar blass, aber gefasst.

»Es würde mich interessieren, was Ihr Vater dazu sagt. Weiß er Bescheid? Haben Sie die grausame Tat gemeinsam mit ihm geplant? Oder ahnt er es, verdrängt das Wissen aber, weil er nicht den Glauben an seinen Sohn verlieren will? Ich finde, wir sollten ihn dazubitten.«

Easterbrook stürzte auf sie zu, die Faust erhoben. Matilda konnte später nicht mehr sagen, wer zuerst an ihre Seite gesprungen war, Harry oder Fleming. Laura schrie auf, ein Sessel kippte um, dann fiel ein Körper schwer zu Boden. Sekunden später kniete Fleming auf Easterbrooks Rücken, während Harry seinen Kopf zu Boden drückte.

Die Tür wurde aufgerissen. John Easterbrook stand auf der Schwelle und hielt mit einer Hand den Hausrock zusammen.

»Was ist hier los?«

Hinter ihm tauchte Mary, das Hausmädchen, auf, traute sich aber nicht ins Zimmer.

»Die Polizei, sofort!«, befahl Harry im Kasernenhofton. So hatte Matilda ihren Bruder noch nie erlebt. »Ihr Sohn hat meine Schwester angegriffen. Wir haben der Polizei einiges zu berichten.«

Der alte Easterbrook sah mit offenem Mund von einem zum anderen. Dann fiel sein Blick auf Laura.

»Kind, was soll das? Was wollen diese Leute?«

»Das sollten Sie Ihren Sohn fragen, Sir.«

35

Detective Inspector Matthews von der Kriminalpolizei in New Scotland Yard war zunächst skeptisch, als er den Bericht der Kollegen von der Schutzpolizei erhielt, die man in ein Haus am respektablen Bedford Square gerufen hatte. Dort erklärten vier Personen – eine Lehrerin, ein junges Mädchen, ein Captain der Armee Ihrer Majestät und ein Universitätsprofessor – übereinstimmend, einer der Hausbewohner, ein angesehener Anwalt aus der Chancery Lane, habe vor Jahren die Eltern des Mädchens durch einen vorsätzlich gelegten Brand getötet, um mittels einer späteren Ehe an das Vermögen des Mädchens zu gelangen, das aus moralischen, wenngleich juristisch nicht durchsetzbaren Gründen seiner eigenen Familie zustünde. Der Grund für diesen moralischen Anspruch sei ein Verbrechen, das sich im 17. Jahrhundert in Laurence Pountney Hill ereignet habe, dem die Vorfahren des Anwalts zum Opfer gefallen seien und durch das die Familie ihr Vermögen, ihre wirtschaftliche Stellung und ihr Haus verloren habe. Aufgeklärt habe man diese wirre Geschichte, indem alte Papiere entziffert, Bilder in Schmuckstücken untersucht und ein Keller erforscht wurden, in den der Professor und die Lehrerin mit zweifelhafter Befugnis eingedrungen seien.

Matthews war angenehm überrascht, als er sich den vier Personen am nächsten Tag gegenübersah. Alle wirkten vernünftig, sachlich und willens, die Angelegenheit zügig aufzuklären.

Eine Stunde später betrachtete er die die kuriose Ansammlung von Gegenständen, die auf seinem Schreibtisch ausgebreitet lag: ein hübscher Holzkasten, ein silbernes Medaillon auf einem blauen Samtbeutel, ein grünes Glasfläschchen zum Umhängen, ein altes, in rotes Leder gebundenes Buch auf einem bestickten Halstuch. Ein brüchig gewordener Brief mit den Spuren eines Siegels. Und eine kleine, mit Eisen beschlagene Truhe, in der ein Bündel Papiere und zahlreiche Goldmünzen lagen, deren Schimmer die Zeit nichts hatte anhaben können.

»Ich bin seit fünfundzwanzig Jahren bei der Polizei und habe noch nie etwas erlebt, was auch nur annähernd so faszinierend und unglaublich gewesen wäre. Ohne all das hier« – er deutete auf den Tisch – »hätte ich Ihnen, da bin ich ehrlich, nicht ein Wort geglaubt. So aber ...«

Die vier Besucher sahen ihn erwartungsvoll an.

»So aber werden wir den Fall wiederaufnehmen und eine gründliche Befragung in Cranbrook und Umgebung durchführen. Es ist viel Zeit vergangen, aber da Sie als Laien erfolgreich waren, möchte ich behaupten, dass wir Berufsermittler es auch sein werden. Sie müssen sich zu unserer Verfügung halten und ausführlich zu Protokoll geben, was Sie bei Ihren Nachforschungen erfahren haben.« Er räusperte sich. »Noch eins – und ich hoffe, Sie nehmen es als das Kompliment, als das es gemeint ist: Wir schätzen es für gewöhnlich nicht, wenn Amateure sich in unsere Arbeit mischen. Da dieses Verbrechen jedoch ungesühnt geblieben wäre, spreche ich Ihnen hiermit meine Anerkennung aus. Das war ausgezeichnete Arbeit, Miss Gray, Mr. Fleming.«

Die vier schauten einander an. Harry erhob sich und wollte zur Tür gehen, doch Matilda war noch nicht fertig.

»Was wird aus Miss Ancroft? Wie ich hörte, wurde Mr. Charles Easterbrook wegen Fluchtgefahr in Untersuchungshaft genommen. Damit steht sie ohne Vormund da. Ich halte es für unverantwortlich und gefährlich, sie an den Bedford Square zurückzuschicken. Der ältere Mr. Easterbrook ist möglicherweise ein Mitwisser.«

Sie schaute zu Laura, die entschieden nickte.

»Nun, ich bin weder Anwalt noch Richter, Miss Gray«, sagte der Kriminalbeamte, »verstehe aber Ihre Vorbehalte. Was schlagen Sie vor? Und was ist Ihr Wunsch, Miss Ancroft?«

»Miss Gray hat mir angeboten, zunächst bei ihr zu bleiben. Sie wohnt zur Miete bei einer älteren Dame, ein Arrangement, das über jeden Verdacht der Unschicklichkeit erhaben sein dürfte. Ich könnte im neuen Jahr in die Schule zurückkehren. Es ist mein größter Wunsch, meine Ausbildung fortzusetzen.« Sie klang ruhig und gefasst, was den Inspector zu beeindrucken schien.

»In Abwesenheit eines ordentlichen Vormunds gestatte ich hiermit, dass Miss Ancroft bis auf Weiteres zu Ihnen zieht. Bitte hinterlegen Sie den Namen der Vermieterin im Sekretariat.«

Als sie zu viert aus dem roten, türmchenbewehrten Neubau traten, rieselten Schneeflocken auf sie herab. Die Glocke vom Uhrturm des Parlaments schlug laut herüber, und Laura schlang abrupt die Arme um Matilda.

»Für mich muss es gar nicht mehr Weihnachten werden. Ich habe mein Geschenk bereits erhalten. Meine Freiheit! Ich danke Ihnen so sehr.« Dann gab sie Stephen Fleming und Harry Gray die Hand. »Ihnen allen gebührt mein Dank. Sie haben mich ernst genommen und mir geglaubt. Ohne Sie wäre ich heute …« Sie schluckte. »Das werde ich Ihnen nie vergessen.«

Nach den Feiertagen stand Matilda ein schwerer Gang bevor. Das Weihnachtsfest war fröhlich und ungewohnt lebhaft verlaufen, da nicht nur Laura im Haus wohnte, sondern auch Harry und Stephen sich zu Mrs. Westlakes berühmten Abenden bei Punsch und Mince Pies gesellten. In diesen Stunden gelang es ihr, sich ganz der Freude hinzugeben und nicht daran zu denken, dass noch immer zwei dunkle Wolken über ihr hingen.

Matilda hatte Miss Haddon für den Donnerstag nach Weihnachten um ein Gespräch gebeten. Die Schule war über die Ferien geschlossen, doch sie war der Direktorin eine Erklärung schuldig. Miss Haddon wusste, dass Matilda sie belogen hatte. Sie wusste, dass sie richtig gehandelt hatte und dass Easterbrooks Verhaftung dies bestätigte, doch Matildas Unbehagen war zu groß, als dass sie die Unterredung noch länger aufschieben konnte.

»Natürlich nehmen wir Laura wieder auf«, sagte Miss Haddon, als sie sich schließlich gegenübersaßen, und klang ungewohnt sanft und verständnisvoll. »Es ist mir sehr unangenehm, dass auch ich mich so von Mr. Easterbrook habe täuschen lassen, ein fürchterlicher Skandal. Ich bin froh, dass der Unterricht erst in zwei Wochen wieder beginnt; bis dahin hat sich das Aufsehen hoffentlich gelegt. Natürlich lässt es sich nicht vermeiden, dass die Mädchen Laura Fragen stellen, aber wenn sie so reif und in sich gefestigt ist, wie Sie sagen …«

»Das ist sie«, sagte Matilda rasch. »Und sie möchte ihre Schulausbildung unbedingt abschließen. Ich werde ihr gern helfen den versäumten Stoff nachzuholen.«

Miss Haddon nickte und schaute auf ihre Hände, die sie auf der Tischplatte verschränkt hatte. An der rechten Hand trug sie einen Siegelring, ihr einziger Schmuck.

»Ich bin sehr dankbar, dass Sie von sich aus das Gespräch gesucht haben. Es fällt mir nicht leicht, aber ich muss Ihnen sagen, dass ich nach reiflicher Überlegung –«

Natürlich hatte sie es geahnt, und doch zerriss es ihr das Herz. Matilda wusste, was kommen würde, und saß ruhig da, während sie spürte, wie ihr die Zukunft unter den Fingern zerrann.

»– zu dem Schluss gelangt bin, dass ich Sie leider nicht weiter als Lehrerin beschäftigen kann. Unsere Schule lebt von ihrem Ruf. Sie haben Laura aus einer gefährlichen Lage gerettet, und dafür gebührt Ihnen höchstes Lob, doch ist Ihre unkonventionelle Vorgehensweise, über die in den Zeitungen berichtet wurde, mit den Anforderungen, die wir an eine Lehrerin stellen, nicht zu vereinbaren. Die Familien werden befürchten, dass Sie sich jederzeit wieder in eine solche Unternehmung stürzen und gar ihre Töchter hineinziehen könnten. Wie soll ich ihnen diese Sorge nehmen?«

»Das weiß ich nicht, Miss Haddon. Mit Ihren Bedenken hatte ich gerechnet, sie überraschen mich nicht. Jedoch enttäuscht es mich, dass meine unkonventionelle Vorgehensweise, wie Sie es nennen, anscheinend schwerer wiegt als die Tatsache, dass ich und meine Freunde einem Mädchen geholfen haben, dessen Leben sonst in Unglück und Verzweiflung geendet wäre. Aber wenn Sie mir nicht mehr vertrauen, sollte ich besser gehen.«

Miss Haddon presste die Lippen aufeinander. »Ich bedauere, dass Sie meine Vorbehalte nicht verstehen.«

»Ich verstehe sie durchaus. Nur wiegen die Bedenken nicht das Gute auf, das Laura durch mich und meine Freunde geschehen ist. Der Ruf Ihrer Schule sollte nicht mehr gelten als das Lebensglück eines einzelnen Mädchens. Nun aber bitte ich Sie nur um eines – mir ein angemessenes Zeugnis auszustellen. Soweit ich weiß, hat meine Tätigkeit als Lehrerin nie Anlass zur Beschwerde gegeben.«

Die Direktorin schien erleichtert, dass Matilda nicht auf ihrer Anstellung beharrte, und nickte bereitwillig. »Ich werde Ihnen nicht nur ein exzellentes Zeugnis ausstellen, mit dem Sie jederzeit eine neue Anstellung finden, sondern auch gegenüber den Kolleginnen und Eltern alles tun, damit man Sie in guter Erinnerung behält.«

Matilda stand auf und reichte Miss Haddon die Hand. »Ich danke Ihnen, dass Laura ihre Ausbildung hier beenden kann. Wir geben Ihnen Bescheid, sobald die Frage der Vormundschaft geregelt ist. Und da Laura zurzeit bei mir wohnt, werde ich auch die Verbindung zu Riverview nicht ganz verlieren.«

Immerhin würde es niemand wagen hinter ihrem Rücken schlecht über sie zu reden.

»Wenn Sie gestatten, verabschiede ich mich von den Kolleginnen, sobald die Ferien vorbei sind.«

»Gewiss, Miss Gray. Sie sind uns jederzeit willkommen.«

Am Tor drehte sich Matilda noch einmal um und warf einen Blick auf die Mauern, in denen sie so oft ein und aus gegangen war, auf die Spitzbogenfenster, in deren buntem Glas sich die Wintersonne brach, auf die Türmchen, die an Schauerromane und Ritterromantik erinnerten.

Noch vor Kurzem hatte sie geglaubt, Lauras Zeit hier sei vorbei, und musste nun erkennen, dass stattdessen sie selbst nicht mehr nach Riverview gehörte.

Laura war frei, Harry gesund und in Sicherheit – nicht alle Wünsche konnten in Erfüllung gehen. Wenn sie eine neue Stelle suchen musste, würde sie es tun.

Sie kehrte dem Schulgebäude den Rücken und ging in Richtung Bahnhof.

Matilda zog gerade ihren Mantel aus, als Laura aus dem Wohnzimmer trat. »Wie war es, Miss Gray? Nehmen sie mich wieder auf?« Sie zeigte auf das Buch, das sie in der Hand hielt. »Macbeth. Ich versuche, den Stoff aufzuholen, den ich verpasst habe.«

»Das ist gut. Und, ja, du kannst nach den Ferien nach Riverview zurück.«

Das Mädchen schaute sie prüfend an. »Was ist geschehen? Ich sehe Ihnen an, dass etwas nicht stimmt.«

Sie setzten sich ins Wohnzimmer. »Miss Haddon hat mir mitgeteilt, dass sie mich nicht länger als Lehrerin beschäftigen kann. Sie weiß zu schätzen, was ich für dich getan habe, hält mich als Lehrerin jedoch für untragbar.«

Laura sah sie empört an. »Wie kann sie das sagen?«

»Nun, ich habe aus den richtigen Beweggründen gehandelt, dabei aber gegen meine Pflichten als Lehrerin verstoßen und bin schuld daran, dass öffentlich über die Schule geredet wird. Ich habe gelogen, als ich sagte, ich würde mich mit meinem Bruder treffen, und habe dich stattdessen am Bedford Square aufgesucht.« Sie schluckte. »Nun habe ich keine Stelle mehr. Also werde ich mir eine neue suchen. Immerhin bekomme ich ein Zeugnis.«

»Das brauchen Sie nicht.«

Etwas in Lauras Tonfall ließ Matilda aufhorchen. »Was brauche ich nicht?«

Lauras graue Augen bohrten sich in ihre. »Die Stelle und das Zeugnis. Eigentlich wollte ich es noch nicht erzählen, aber dies scheint mir jetzt doch der rechte Augenblick zu sein. Ich habe einen Weg gefunden, wie ich Ihnen danken kann.«

»Du schuldest mir nichts«, sagte Matilda rasch.

»Oh, doch, Miss Gray, ich schulde Ihnen mein Leben. Und das meine ich nicht sentimental. Ich werde das Haus verkaufen. Ich werde den Fund aus dem Keller schätzen lassen, die Münzen veräußern und sobald ich volljährig bin, vom gesamten Erlös eine Schule gründen. Eine Schule, in der Mädchen ausschließlich auf einen Beruf vorbereitet werden, keine Handarbeit, keine Hauswirtschaft, kein Tanz. Und dabei hoffe ich auf Ihre Unterstützung. Nicht nur aus selbstlosen Gründen – ich habe vor zu reisen, und dann brauche ich jemanden, der mich vertritt. Ich war schließlich noch nicht auf Lesbos.«

Das Telegramm kam am nächsten Morgen. Es waren nur wenige Wörter.

Ristorante Roma, Samstag 19 Uhr? S.

Matilda drückte es flüchtig an sich, bevor sie es einsteckte. Beim Abendessen teilte sie Mrs. Westlake und Laura mit, dass sie am nächsten Abend nicht daheim sein werde.

»Oh, das macht gar nichts, meine Liebe«, sagte Mrs. Westlake mit einer lässigen Handbewegung. »Miss Laura hat sich freundlicherweise bereit erklärt, mir von Italien und Griechenland zu erzählen. Wer weiß, wohin es Adela als Nächstes verschlägt.«

»Dann wünsche ich viel Vergnügen.«

Mrs. Westlake stützte das Kinn in die Hand und schaute Matilda nachdenklich an. »Warum habe ich das Gefühl, dass Sie das auch haben werden? Seit das Telegramm angekommen ist, haben Sie so einen beschwingten Schritt.«

Matilda wurde rot und schaute auf ihren Teller. »Vor Ihnen

kann man wirklich nichts verbergen. Pass auf, Laura, sonst macht sie das Gleiche mit dir.«

Laura lächelte. »Bisher habe ich noch niemanden, der meinen Schritten Schwung verleiht.«

Mrs. Westlake tätschelte ihre Hand. »Keine Sorge, sie wird schon kommen.«

Laura schluckte kurz und lächelte erleichtert.

36

Diesmal brannten gleich zwei Kerzen auf dem Tisch, und in einer alten Ölflasche stand eine einzelne Rose.

»Luigi ist ein Romantiker«, sagte Stephen entschuldigend.

Matilda lächelte, während der Kellner ihnen Wein einschenkte. »*Signor,* ist für die Stimmung.«

Dann legte er ihnen die Karten auf den Tisch und zog sich diskret an die Theke zurück.

Matilda berichtete von Lauras Plänen und dass sie selbst die Schule verlassen würde.

Stephen musterte sie aufmerksam. »Und wie fühlen Sie sich? Enttäuscht, hoffnungsvoll, oder beides?«

»Hoffnungsvoll. Der Gedanke, eine eigene Schule mit aufzubauen, ist wie ein Sprung in einen See, von dem man nicht weiß, wie kalt oder tief er ist, welche Strömungen dort herrschen, ob sich unter der Oberfläche Steine verbergen. Aber es ist aufregend.«

»Meinen Sie, man wird Ihnen die Vormundschaft übertragen?«

»Ich hoffe es, und Inspector Matthews unterstützt mich darin. In Goudhurst haben sich mehrere Zeugen gefunden, die Mr. Easterbrook am Morgen nach dem Brand auf dem Bahnhof gesehen haben. Er fiel auf, weil er fremd in der Gegend war. Ich hoffe für Laura, dass er die Tat gesteht. Dann wäre sie endlich frei.«

Stephen stieß mit ihr an. Er wirkte auf einmal seltsam bedrückt.

»Was ist los? Habe ich etwas Falsches gesagt?«, fragte sie besorgt.

Die Speisekarten waren vergessen.

Er räusperte sich. »Nein, ganz und gar nicht. Ich … ich freue mich sehr für Sie und Laura. Eine neue Aufgabe, eine unabhängige Zukunft. Es ist gewiss das, was Sie sich für Ihr Leben erhofft haben.«

»Das stimmt, aber … Sie sehen bekümmert aus. Nach allem, was wir miteinander erlebt haben, ist es mein Recht zu erfahren, warum, finden Sie nicht?«

Er wurde blass und wandte sich ab.

Da begriff sie und legte ihre Hand behutsam auf seine. »Stephen, sehen Sie mich an. Ich erhoffe mir auch noch andere Dinge. Vieles ändert sich, es brechen neue Zeiten an, in denen eine Frau einen Beruf *und* eine Familie haben kann.«

Sie sah den Zweifel in seinen Augen und nahm allen Mut zusammen, schob den Gedanken an das Sanatorium auf dem Land und die Scheidung und alle anderen Hindernisse beiseite und sagte: »Eine angestellte Lehrerin muss ihren Beruf aufgeben, wenn sie heiratet. Wenn sie ihre eigene Schule leitet, gehorcht sie nur ihren eigenen Regeln.«

Er zog die Hand nicht fort. »Sie meinen also … es braucht natürlich Zeit, die Schule und alles, aber Sie könnten sich vorstellen … mich irgendwann zu heiraten?«

»Ja, Stephen, das könnte ich.« Auf einmal war es so leicht.

»Es wird Gerede geben. Manche werden den Kopf schütteln und uns beide verurteilen – den Mann, der seine kranke Frau verlässt, und die Frau, die ihn dennoch heiratet. Sind Sie dafür bereit?«

Matilda zog eine Augenbraue hoch. »Was glauben Sie, wo Laura heute wäre, wenn ich mich vor Gerede fürchtete?«

Er lächelte flüchtig. »Ich möchte nur, dass Sie ... dass du glücklich bist und die Entscheidung nie bereust.«

Sie sah ihn an und erkannte, dass sie nur noch einen winzigen Schritt tun musste. »Ich werde es nicht bereuen, und ich habe keine Angst. Ich liebe dich, Stephen.«

Der Kellner wollte gerade die Bestellung aufnehmen, zog sich aber lächelnd auf seinen Posten an der Theke zurück.

DAS BUCH DER KATIE CLELAND

Hierin werde ich, Katherine Elizabeth Cleland, so ehrlich und wahrheitsgetreu wie nur möglich darüber berichten, was im Jahre 1665 mit unserer Familie geschah. Wenn jemand dies in späterer Zeit findet, möge er verstehen, was mit uns passierte in einer Zeit, da das Entsetzen kein Ende nahm.

Wir sind eine angesehene Familie. Mein Vater, der Kaufmann John Cleland, übernahm das Geschäft von seinem Vater, der es wiederum von Großvater übernahm. Die Clelands genießen in London einen guten Namen. Schon mein Großvater hat mit Opium gehandelt, das er aus fernen Ländern bezog, und ich saß auf seinem Schoß, während er mir davon erzählte, wie er als junger Mann dorthin gefahren war. Die Orte, von denen er berichtete, trugen magische Namen wie Aleppo und Smyrna. Großvater ist lange tot, doch heute besuche ich Vater oft in seinem Warenlager.

Er streicht mir über die Haare, wenn ich hereinkomme, und lässt mich zuschauen, wie er die Waren überprüft. Sein wichtigster Kunde ist eine Apotheke in Cheapside, die er mit Opium beliefert. Der Apotheker stellt ein neuartiges Laudanum her, das ungeahnte Heilkräfte besitzen soll und mit dem er gutes Geld verdient. Vater hat ein Monopol, so hat er mir erklärt. Alle Apotheker in der City of London kaufen nur bei ihm ihr Opium. Darum hat er mir das Medaillon geschenkt. Das Bild von dem Mohnsamen, das sich darin verbirgt, sei ein

Symbol für das, was uns zu Wohlstand verholfen habe. Und es sei so hübsch anzusehen. Sein Bekannter, Mr. Hooke, habe es mit seinem Wunderinstrument gezeichnet.

Neulich kam es zu einem Streit im Kontor. Es ging laut und heftig zu, und so habe ich Vater gefragt, was geschehen sei. Er wollte nicht darüber reden, doch ich sah, wie Mr. Ancroft, ein anderer Kaufmann, aus dem Laden stürmte, mit rotem Gesicht und deutlich aufgebracht. Er und Vater hatten sich immer gut verstanden, doch danach sah ich ihn nicht mehr bei uns.

Wenig später kamen Nachrichten vom Kontinent, die Pest war wieder ausgebrochen. Die Krankheit tobte allenthalben. Aus Amsterdam berichtet man von 50 000, eine Zahl, so grauenhaft und unermesslich, dass sie mit dem Verstande kaum zu fassen ist. Und auch die Stadt Hamburg ist ein Opfer dieser Seuche.

Angekündigt habe dies ein Komet, wie Vater sagte, doch er selbst glaubt nicht an Himmelszeichen. Schuld daran sind Schmutz und Enge, wie er versichert, und viel zu viele Menschen. In den Straßen fließt der Unrat durch die Gossen wie anderswo ein Bach durch eine Wiese. Und mit den Schiffen kommt die Seuche übers Meer.

Im Februar gab es erneut einen Toten in St. Giles. Und als das Wetter wärmer wurde, gab es auch mehr Tote. Vater sagte, oft habe man die Ursache nicht angegeben, doch er vermute, dass die Pest nun gänzlich ausgebrochen sei. Ich fürchtete mich sehr, doch er hat mich mit seiner Klugheit getröstet. Vater lachte über die Amulette und Zettel mit Zaubersprüchen, die an den Straßenecken verkauft wurden. Das alles helfe nicht gegen die Plage. Dann lieber beten, das sei wenigstens umsonst. Mutter war erbost und sagte, das sei Gotteslästerung.

Dann hörten wir, in Middlesex habe man ein Haus geschlossen. Und danach auch in St. Giles. Es wurden immer mehr. Im Juni beschloss Vater, die Stadt zu verlassen. Mutter war aufgebracht, sie sorgte sich ums Haus und fürchtete, man könne uns ausrauben. Doch Vater blieb hart. Wir haben alles gepackt, das wichtig war und auf den Wagen passte. An der Cannon Street sah ich, wie ein Strom von Menschen sich aus der Stadt bewegte, zu Fuß und auf Wagen, schwer beladen oder nur mit Bündeln.

Am nächsten Tag wollten auch wir aufbrechen, doch dazu kamen wir nicht mehr. Am Morgen fanden wir die alte Beth tot in ihrem Bett. Wir wussten, dass sie nicht an der Pest gestorben war, sondern an einem Fieber. Fieber tritt in London immer auf, das ist nicht ungewöhnlich. Doch dann stand die alte Frau, die Sucherin im Viertel ist, mit Wachen vor der Tür. Sie erklärten, wir seien ein Pesthaus und man werde es verschließen. Niemand dürfe hinaus oder herein. Vater redete auf sie ein, versuchte es mit Vernunft und dann mit Drohungen, doch die Männer blieben hart. Sie malten Zeichen an die Wand und nagelten die Fenster zu. Wir saßen drinnen, verzweifelt, und konnten nicht begreifen, was geschah. Vater lief auf und ab und sagte, jemand wolle uns übel. Mutter war aufgebracht und fragte, was meinst du nur damit? Jemand hat uns angezeigt, sagte er. Und ich weiß auch, wer es war. Du sollst kein falsches Zeugnis ablegen, begann Mutter, doch er tat es wütend ab. Ich weiß, was ich sage, und es war Ancroft. Sie stritten weiter, und ich konnte es nicht ertragen.

Ich ging in mein Zimmer, still und bedrückt. Ich liebe Vater, und er hat recht in vielen Dingen. Doch konnte das die Wahrheit sein? Warum sollte ein Freund der ganzen Familie, Mr. Ancroft, der bei uns ein und aus ging, so etwas tun? Und wenn nicht, wie kann mein Vater so irren? Er ist kein Mensch, der andere verleumdet, der leichtfertig schlecht von anderen spricht.

Zwei Wochen sind wir schon hier drin. Das Essen wird allmählich knapp. Vierzig Tage lautet das Urteil. Wir wissen nicht, ob wir das durchhalten. Mutter ist sehr schwach und hat Fieber. Lucy leidet an Ausschlag. Vater steht täglich an der Tür und redet mit den Wachen, er droht und fleht und bietet ihnen Geld, er lässt nichts unversucht.

Noch zwanzig Tage. Ich kann kaum noch schreiben. Uns gehen die Kerzen aus. Mutter schreit in Panik auf, das Feuer dürfe nicht verlöschen, dann müssten alle sterben. Lucy geht es gar nicht gut, sie mag nicht essen. Trinken will sie auch nicht mehr.

Vater ist es gelungen, eine der Wachen zu überreden, einen Brief von ihm entgegenzunehmen. Gegen eine Wuchersumme. Er soll ihn in der Kirche deponieren und an Anthony übergeben, wenn er nach London kommt. Er hat unser ganzes Vermögen im Keller versteckt. Vater vertraut mir, sagt er. Ich sei die Einzige, die nicht vor der Wahrheit zurückschrecke. Und er hat zum ersten Mal ausgesprochen, dass wir vielleicht nicht mehr lebend herauskommen.

Noch elf Tage. Lucy ist gestorben. Wir mussten ihre Leiche einwickeln und vor die Haustür legen und in den oberen Stock gehen. Dann erst haben sie Lucy mitgenommen. Sie werfen sie in eine Grube, hat Mutter geschrien, sie werfen meine kleine Tochter in eine Grube mit den Pestkranken. Sie ist tot, Elizabeth, hat Vater gesagt, sie spürt nichts mehr. Sie ist bei Gott. Doch Mutter wollte nicht auf ihn hören. Sie weint den ganzen Tag und isst nicht und reißt sich Haare aus.

Noch acht Tage. Vater ist jetzt auch krank. Das Fieber. Mir ist immer übel und kalt. Ich mag nichts essen. Ich habe es in den Keller geschafft, mühsam, bin mehrfach gestolpert. Ich habe alles, was mir lieb ist, in meinen Kasten gelegt. Bleibt nur noch dieses Buch. Vielleicht wird man es finden, in späteren Tagen, wenn die Welt wieder bei Verstand ist. Und wer es findet, soll wissen, dass hier, in diesem Hause, die Familie Cleland starb, getötet durch Verrat. Der Herr möge uns gnädig sein, wenn die Stunde gekommen ist. Amen.

Katherine Elizabeth Cleland
London, August Anno 1665

Über dem Mohn liegt das Gold.

NACHWORT UND DANKSAGUNG

Manchmal beginnt ein Buch mit einem Buch – so auch dieses. Nachdem ich vor einigen Jahren Peter Ackroyds wunderbare London-Biografie gelesen hatte, ließ mich das Buch nicht mehr los. 2011 folgte dann *London Under,* in dem Ackroyd die Londoner Unterwelt erforscht. Man spürt auf jeder Seite, dass er zuallererst Romanschriftsteller ist, denn er liefert keine historisch-wissenschaftliche Chronik der Stadt, sondern dringt tief in Londons Geheimnisse vor. Er erkundet die labyrinthische Unterwelt der Stadt, folgt dem Lauf ihrer unterirdischen Flüsse, spürt dem Zauber lang vergessener Orte nach und lässt einen in die Vielfalt des Lebens eintauchen.

Der Erzähler wird zum Archäologen, der die Geschichte freilegt und uns zeigt, welche Spuren Kelten, Römer, Wikinger, Angelsachsen, Normannen hinterlassen haben. Es geht um Macht und Magie, um Justiz und Verbrechen, um das Vergangene, das immer hinter der nächsten Ecke wartet und nach dem man nur die Hand ausstrecken muss.

Kein Wunder also, dass dieses Buch zur Quelle eines Romans wurde.

Darin sollte es um ein Haus gehen, ein altes Kaufmannshaus, vorzugsweise aus dem 17. Jahrhundert. Und während ich recherchierte, geschah ein kleines Wunder – ich fand ein Haus, mein Haus, sodass ich mir keines ausdenken musste: 7a Laurence Pountney Hill.

Genau dort steht es bis heute, Sie können jederzeit hinfahren und es anschauen. Aber bitte nicht klingeln, es ist bewohnt.

Fast alles, was Sie im Roman über das Haus lesen, ist wahr. Erfunden ist nur die Geschichte der Familien Cleland und Ancroft. Der Friedhof unter dem Garten, die beiden zusätzlichen Stockwerke, die Falltür im Gehweg, die römischen und mittelalterlichen Mauern im Keller – das alles ist real.

Mein Wissen über das Haus verdanke ich diesem hervorragenden Aufsatz http://www.colat.org.uk/assets/doc/laurence-pountney-house.pdf, der mich vor groben Fehlern bewahrt und mir gezeigt hat, dass die Wirklichkeit manchmal besser ist als jede Erfindung. Dass eine der Verfasserinnen Matilda Holmes heißt, ist ein reizender Zufall – oder ein gutes Omen.

Und auch sonst steckt eine ganze Menge Wahrheit im Roman: das Londoner Verkehrsnetz, Straßenverläufe, historische Gebäude, Persönlichkeiten wie Ada Lovelace, Emily Hobhouse und Oscar Wilde und vieles mehr. Wer sich auf Matildas Spuren begibt und Laurence Pountney Hill oder die Folgate Street mit ihrem Kopfsteinpflaster oder den Spitalfields Market sucht, wird nicht enttäuscht. Auch die Temple Church, das Gitter, unter dem der River Fleet rauscht, und der London Stone (in der Außenmauer des Hauses III Cannon Street) sind immer noch zu finden.

Die Riverview School oder Mr. Arkwrights Laden sollten Sie hingegen nicht suchen. Irgendetwas muss auch erfunden sein, sonst wäre es ja kein Roman.

Die folgenden Bücher und Texte waren bei der Arbeit am Roman von unschätzbarem Wert:

Peter Ackroyd: London. The Biography, London 2000 (London. Die Biographie, übersetzt von Holger Fliessbach, 2002)

Peter Ackroyd: London Under, London 2011

John Jacob Berlu: The Treasury of Drugs Unlock'd, 1690
(https://fsu.digital.flvc.org/islandora/object/fsu%3
A221665#page/Front+Cover/mode/2up)

Samuel Pepys: Das geheime Tagebuch, Anselm Schlösser
(Herausgeber), Jutta Schlösser (Übersetzerin), Insel,
Frankfurt 1982

Philips' ABC Pocket Atlas Guide to London, 7th edition

Wer sich den London-Plan von 1560 anschauen möchte,
findet ihn unter folgendem Link:
http://www.mappery.com/1560-London-Map

Und unter diesem Link findet sich die Onlineversion
des Stadtplans von 1900, mit dem ich gearbeitet habe:
freepages.genealogy.rootsweb.ancestry.com/~nmfa/Maps/
pocket_atlas_and_guide_to_london

Ein Buch schreibt man nie allein. Mein Dank für Ermutigung,
konstruktives Lesen, Zitathilfe und generelle Rettung aus der
Not (ich sage nur Thackeray) gilt daher:

Davina Baynes
Dr. Negley Harte, University College, London
Susanne Kuhlmann-Krieg
Rebecca Gablé
Hanne Goga
Christa Schuenke
Ani Steinhauer
wie auch meinen Lektorinnen Hanna Bauer, Eileen Sprenger
und Gisela Klemt und meinem Agenten Bastian Schlück. Und
natürlich wie immer meiner Familie.

»Ein Roman über die langen Schatten,
die Krieg wirft, wunderschön geschrieben
und voller Rom-Flair.« *The Observer*

Virginia Baily, *Im ersten Licht des Morgens*
ISBN 978-3-453-35913-0 · Auch als E-Book

Chiara Ravello arbeitet als Übersetzerin in Rom und führt nach
außen ein erfülltes Leben. Nur wenig erinnert an Daniele, den sie
aufzog und liebte wie ihren eigenen Sohn. Kaum jemand weiß von
dem Schmerz, den sein Verlust für sie bedeutet. Erst als eine junge
Frau aus Wales in Rom auftaucht und behauptet, Danieles Tochter
zu sein, beginnt Chiaras Fassade zu bröckeln. Marias Ankunft führt
Chiara weit zurück in ihre Vergangenheit, ins Kriegsjahr 1943, und
weckt in ihr eine lang vergrabene Sehnsucht nach Versöhnung.

Leseprobe unter diana-verlag.de
Besuchen Sie uns auch auf herzenszeilen.de

DIANA